U0814197

BEING WRONG

ADVENTURES IN THE MARGIN OF ERROR

失误

为什么我们总爱犯错？

[美] 凯瑟琳·舒尔茨（Kathryn Schulz）著　陈盟　钟娜　译

中信出版集团 | 北京

图书在版编目（CIP）数据

失误：为什么我们总爱犯错? /（美）凯瑟琳·舒尔茨著；陈盟，钟娜译. -- 北京：中信出版社，2019.5

书名原文：Being Wrong:Adventures in the Margin of Error

ISBN 978-7-5217-0296-5

Ⅰ. ①失… Ⅱ. ①凯… ②陈… ③钟… Ⅲ. ①心理学—通俗读物 Ⅳ. ① B84-49

中国版本图书馆 CIP 数据核字（2019）第 057175 号

Being Wrong: Adventures in the Margin of Error
Copyright © 2010 by Kathryn Schulz
This edition arranged with InkWell Management, LLC
through Andrew Nurnberg Associates International Limited
Simplified Chinese edition copyright © 2019 by CITIC Press Corporation
ALL RIGHTS RESERVED
本书仅限于中国大陆地区发行销售

失误——为什么我们总爱犯错?

著　　者：[美] 凯瑟琳·舒尔茨
译　　者：陈盟　　钟娜
出版发行：中信出版集团股份有限公司
（北京市朝阳区惠新东街甲 4 号富盛大厦 2 座　邮编 100029）
承 印 者：北京楠萍印刷有限公司

开　　本：880mm × 1230mm　1/32　　印　　张：11.5　　字　　数：278 千字
版　　次：2019 年 5 月第 1 版　　印　　次：2019 年 5 月第 1 次印刷
京权图字：01-2010-4086　　广告经营许可证：京朝工商广字第 8087 号
书　　号：ISBN 978-7-5217-0296-5
定　　价：59.00 元

版权所有 · 侵权必究
如有印刷、装订问题，本公司负责调换。
服务热线：400-600-8099
投稿邮箱：author@citicpub.com

目 录

第 1 部分 错误的含义

第 2 部分　错误的起源

第 4 部分　拥抱错误

第 1 部分

错误的含义

第 1 章　什么是“正确”，什么是“错误”

明明知道自己是对的，结果却错了，这种事让我很恼火。

——莫里哀

为什么“正确”会让人心情愉快呢？不管怎么说，这种良好的感觉只能算得上次级快感，可不像巧克力、冲浪、接吻等那样直接，可以通过“主干道”直达人体内部，侵入我们的脾胃、肾上腺、大脑边缘系统，甚至冲击那颗容易晕厥的心。不过，“正确”带来的兴奋感令人无法抗拒，而且具有普遍性。最神奇的是，这种感受对所有人来说都是相同的。我们并不是和任何一个人接吻都会感到愉快，却可以因为任何正确的判断而得意。这倒不是赌注的缘故，猜对了哪条外交政策有效，比猜对了哪匹马会跑赢更重要。但不论是赌马还是赌政策，我们都可以兴高采烈地投入其中。我们赌的内容也不重要，无论是正确地认出了黄顶莺，还是猜中了同事的性取向，都一样让人感到开心。更奇特的是，猜对了那些不愉快的事，也可以让我们乐上一阵子——比如股市暴跌、朋友失恋。甚至即使我们在爱人的坚持下不得不拖着沉重的行李往宾馆的反方向走了15分钟，也依然会因为自己的正确而感到高兴。

就像所有美好的经历无法持续一样，我们也无法一直保持正确。有时候我们会赌输，有时候也会被别人对正确答案或做法的质疑所烦扰。其实，这种焦虑感本身就反映了我们非常迫切地想要“正确”。不过，总体来说，一方面，我们都喜欢享受正确的乐趣；另一方面，我们确实都感觉自己是正确的。这种自以为是的感觉偶尔会挂在脸上，特别是在争论、传道、打赌，或者作预测时，而更多时候，这种自以为是只是一种心理活动。很多人一辈子都觉得，自己在任何时刻对任何事情的判断，大致都是正确的——从政治观、学术观，到宗教信仰、道德观念、对别人的评判，乃至记忆，以及对事实的理解……仔细想想，其实挺荒谬的，我们似乎一直不自觉地以为自己简直无所不知、无所不晓。

公平地说，我们深信自己的判断，这倒也常常有据可依。无论如何，大多数人能顺利地处理好日常生活，这就表明，我们对很多事情的理解还是比较正确的。有时候，不只是“比较正确”，甚至是“非常正确”，比如我们非常正确地判断了原子的存在（几千年前就有古代思想家提出了原子的假说，那时候现代化学还没有诞生）；正确地预言了阿司匹林的药性（公元前3 000多年以前就发现了）；正确地追求了咖啡吧里那个对你微笑的女人（现在已经是和你结婚20年的妻子）。回顾起来，这些判断正确的时刻，都代表了人类努力的巅峰时刻，也给我们带来了无数平凡的乐趣。因为它们，我们更加确信自己聪明、有能力、可靠、能适应环境。更重要的是，也因为它们，我们才能存活至今。不论是从个人角度，还是从人类的整体角度来看，我们之所以能生存下来，都是靠着不断正确地总结周围的世界。总而言之，“正确”的判断，是人类生存中不可或缺的经历，它满足了我们的自尊，是人生中最廉价、最刺激的幸福源泉之一。

本书要讲的却是与上面相悖的内容：犯错。具体说来，是关于作为文化群体，我们如何评价错误，以及作为个体，当内在信念崩塌时，我们会如何处理。既然大家都享受正确的感觉，把正确当作一种常态，那么你可以想象，犯错之后大家会做何感想。一方面，我们会觉得这是偶发的特殊状况，是莫名其妙的秩序失常；另一方面，我们会觉得很傻很丢脸。就像看到考卷上打满了红叉一样，犯错之后，我们也会瑟缩，也会瘫倒在座椅上，然后心情低落，怒火渐起。说得轻一些，犯错是件烦心事；说得重一些，犯错就是个噩梦。无论如何，我们都觉得犯错让人感觉泄气又尴尬，跟正确时那种流过全身的暖流不可同日而语。

而这仅仅是噩梦的开始。在大家的集体意识当中，错误不仅跟愚蠢和耻辱挂钩，还跟无知、懒惰、心理病态甚至道德沦丧联系在一起。意大利认知科学家马西莫·皮亚泰利－帕尔马里尼（Massimo Piattelli-Palmarini）精辟地概括了这种观念。他说，我们犯错是因为（包括但不限于）“心不在焉、分神、兴趣寥寥、缺乏准备、资质差、胆量小、眼高手低、情绪失控，或者我们在价值观、种族观、社会观、爱国观上存在偏差，或者过于雄心勃勃、善于自我欺骗”。根据这种普遍流行的悲观观点，我们所犯的错误，是我们在社会、智力和道德方面失败的证据。

在我们犯下的所有错误里，对“错误”的错误认知恐怕应当名列第一：我们连“错误”是什么都弄错了。犯错并不能代表智力低下，反倒是提升人类认知的关键。犯错也不是道德瑕疵，反倒跟人性中最崇高的一面有着深刻渊源，与同情心、乐观、想象力、信念和勇气分不开。错误也并不是冷漠或褊狭的代名词，而是我们学习和改变的重要标志。正是因为有了错误，我们才能不断加深对自己的理解，丰富对世界的认知。

既然错误对我们的智商和情商的发展起着举足轻重的作用，我们便无须为犯错而尴尬，更无须视之为一个问题。相反，正如本杰明·富兰克林（Benjamin Franklin）所言，错误是透视人类本性的一扇窗户，从中可以看到我们驰骋的想象、无限的潜能和不羁的灵魂。本书就是基于这项正确结论而写成的——无论错误带给了我们怎样的迷惘、痛苦和打击，归根结底，它才是教我们读懂自己的良师，而正确则不是。

这并不是什么新观点。但奇怪的是，我们的文化一边鄙视错误，一边又强调错误在生活中不可或缺。何以见得？在我们谈论自己的方式中就有所体现。每当我们犯了错，总是耸耸肩，推说“是人都会犯错”了事。就像蝙蝠对应蝙蝠侠，懒汉对应懒散一样，“人类种族”便直接跟“任何事情总能弄砸”挂钩。在诸多宗教、哲学及科学文献中，但凡涉及人类的部分，几乎都写到“人类天生具有犯错倾向”。而且提到，错误并不是可以一笑置之的肤浅琐事（不像指甲那样停留在表面，也不像打嗝和幻觉那样一闪而过）。早在勒内·笛卡儿（Rene Descartes）说出那句著名的“我思故我在”之前的 1 200 年，哲学家兼神学家（后来成为圣人的）奥古斯丁（Aurelius Augustinus）就曾说过：“我错故我是。”（Si fallor ergo sum.）依照他的这种表述，人类不仅会犯错，而且从某种意义上说，人类就是错误本身。

爱犯错的倾向虽然已经融入了我们的天性中，但融入的方式，很像弹簧小丑被塞在盒子里那样：你明知道一开盒子小丑就会跳出来，可每次还是会被吓得措手不及。由此看来，错误类似于死亡，都是“人类”一词的隐含属性。而我们认识错误也正如认识死亡一样，觉得这是每个人都必经的事情，但总觉得不会发生在自己身上，更不会因此而高兴。正因为这种心态作祟，我们不管犯了什么错，往往假装什么事都没发生，或者不应该发生。于是，我们要么死不认错，要么厚着脸皮辩解，要么装作没犯错，要么对错误轻描淡写，要么把错误推到别人身上。

不肯认错还不只是一两个人的缺点。美国除了航空、医药等高危行业有预防疏漏的措施，其他领域几乎找不出防范错误的辅助手段。你若做了有违道德的事，尚可以诉诸传统办法，各大传统宗教里不是都有忏悔涤罪的仪式吗？天主教教徒可以忏悔，犹太教则有赎罪日。又譬如“十二部曲”[①] 劝导参与者“对上帝，对自己，对其他人承认罪过的本质”。就连近些年已经僵化了的司法系统，也跟悔悟有很深的渊源。相比之下，你若犯了错，不管是争论到一半时发现错了也好，还是人生过完一半时发现信仰、政见、人生观、爱情观、职业观通通全错也罢，无论错误有多严重，你都找不到现成的办法来应对这种情况。

怎么可能找得到现成的办法呢？作为一个文化整体，我们甚至都还没学会说“我错了”这句基本的话呢。非常遗憾，即使这句话如此简单，错误如此泛滥，认错以后于公共事业又是如此大有裨益，我们依然不会承认“我错了”。我们倒也学会了两种替代说法，但这更显得我们认错认得有多么勉强。第一种说法是附上一个巧妙的转折，“我错了，可是……”——然后运用天马行空的想象，解释我们为什么错得还挺靠谱（详见本书第 3 章）。第二种说法更加微妙，其支持者更是不少，尼克松在臭名昭著的水门事件中，以及里根在对伊朗军售事件中都用过，即“错误已经犯下了”。这种屡试不爽的无主语的句子简洁地

---

① 十二部曲（twelve-step program）是一套引导人们戒除酒瘾，以及改正其他行为问题的办法。——译者注

反映出，我们对待错误的唯一态度就是不承认始作俑者正是自己。[①]

而一旦别人错了，我们便成了指正错误的高手。说实在的，如果把正确的感觉形容为甜蜜，那么指出别人错误的感觉绝对是美滋滋了（别不好意思承认）。随便问哪个食品科学家，他都会告诉你，甜味和香味的组合最让人欲罢不能，所以我们才醉心于揪出别人的错误并且乐此不疲。不信你看，哪怕教养再好的人，也得费很大的力气才能遏制自己说"我早就告诉过你……"这句话的冲动。此话的高明之处（或者可恨之处，看你是说话者还是听话者）在于，它所表达的内容丰富而微妙，不仅包含了"我是正确的"这层意思，还表明"当时我就正确地知道自己是正确的"。这句话说出口的那一刻，我就成了正确的平方、正确的阶乘、正确的对数……不管怎么说，我都是正确到了极点，也开心到了极点。当然，你可以克制自己少说这种风凉话，克制久了还可能最终走向成熟。但无论如何，那种感觉，那种"哈，我就知道"的胜利感，是永远不会彻底消失的。

借别人的错误来自娱和炫耀，自然不大礼貌。尽管这很合乎人性，但哪怕有这种念头都是不好的。由此便能看出我们对待错误的态度为何如此重要。世界上的每一起冲突，无论是蛋糕之争还是中东之争，只要是你能想象得到的纷争，大多都是源于对立双方不可兼容、不可

---

① 西方文化里还有另一种认错方式，只不过表达得十分隐晦，更突显出这种认错少得可怜。诗歌中有专门的翻案诗（palinode）可供诗人收回前言。[在希腊语中，palin 的意思是"再次"，而 ode 的意思是"颂歌"，所以翻案诗的意思跟改变论调（recantation）是一样的，"recant"就是指重唱一遍。] 我们在形容别人改变立场的时候也说他改变调子。最有名的翻案诗是公元前 6 世纪诗人斯泰西科拉斯写的，他原本认为海伦是特洛伊大屠杀唯一的罪魁祸首，后又推翻了这种说法。而我最喜欢的例子是奥格登・纳什的诗，他写过"糖果味美，但不如烈酒干脆"，但他后来显然后悔了，于是又补充："烈酒让我反胃，糖果使我增肥。"

动摇的正确感，错误导致的纷争之多令人触目惊心。我们自然也会因为别的事情起争执，从（严重而痛苦的）信任破裂到资源缺乏，以及咖啡还没端上来之类的情况等。但是除此以外，仍有相当多的争吵是为了占有真理而进行的拔河赛：为拥有“正确”的权利而斗争。在这种拔河赛里，除非你坚信自己是正确的，或者因为犯错而恼羞成怒，否则倒是不大容易生气的。

就这样，我们讨厌错误而追求正确。这种与生俱来的态度决定了我们在处理关系时会遇到一些考验。无论是国际关系、邻里关系、同事关系、朋友关系还是（想必多数读者都不会忘记的）家庭关系尽皆如此。其实，心理医师之间流传着一句格言，即“要么你独自胜利，要么你维系感情”，换句话说，你可以坚持每个回合必胜，也可以不介意输赢，仍同亲友保持亲密。但要想鱼和熊掌兼得的话，只能祝你好运。

坚持己方正确不仅会危害人际关系，还会反映出我们不了解错误发生的频率。我在前面已经提到过，错误并不罕见。可是，每个人在自己的生活中所犯的错误往往仿佛屈指可数，简直到了有必要讨论一下它有多罕见的地步。拿科学领域举个例子吧。科学的历史上堆积着各种被废弃的理论，其中有些堪称是人类所犯过的最夸张的错误——比如天圆地方论、地心论、以太论、宇宙学常数、冷核聚变论等。正因为发现并纠正了这些谬论，科学才得以一天天进步。随着时间的推移，修正后的理论可能也是错误的。由此，科学哲学家总结出一个名字冗长而滑稽的结论，即“自然科学史的悲观元归纳”（Pessimistic Meta-Induction from the History of Science）。其要旨是：“鉴于过去那些哪怕最无懈可击的科学理论后来也被一一证明有误，我们应该相信，今天所有的理论有一天也会沦为谬论。”这个道理不仅适用于科学，也适用于政治、经济、技术、法律、宗教、医学、育儿、教育等领域。

不管在哪个领域，上一代人眼中的真理传到下一代人那里往往成为谬论，倒不如我们也创立一套“万事万物史的悲观元归纳论”。

不仅人类的共同事业避免不了这种厄运，就连个人的命运也难逃一劫。随着自己的成长，我们都会发现以前的观念幼稚可笑。所有人在上一刻创造出的理论，都不得不在下一刻抛弃它。感觉之微妙，才智之有限，记忆之飘忽，情感之迷离，观念之纠结，世界之复杂……这一切的一切加在一起，导致你我一而再、再而三地犯错。也许你以前从没有思考过我所谓的“错误心理学”，也许你离成为错误心理学家差了不止十万八千里，但愿意也罢，不愿意也罢，其实你早已是错误实践者了，你我都是。

本书既然讨论犯错，若不在开头就澄清几个定义，恐怕是写不下去的。这几个定义都很棘手，宛如一片迷潭——什么是错误？哪方面错了？谁错了？我们可以信错财务总监的人品，可以猜错真凶的身份，可以记错游击手的名字，可以搞错氢分子的结构，可以算错基督再临的日期，可以弄错钥匙的位置，当然也可以弄错大规模杀伤性武器的位置。这些都是无可置疑的错误。而在另外一些事情上，我们永远无法确证自己是对还是错，只是隐隐地觉得反对我们的人必定是错的，比如《圣经》的作者；比如堕胎是否道德；比如凤尾鱼的营养价值；在暴风雨来临前，究竟是你还是女友把电脑丢在了窗边。

上述例子看似毫无关联，却启发了我们几个问题。若要把错误当作完整人生经历的一部分，必然得重视这些问题。第一个问题是关于错误的影响。同样是弄错位置，弄错车钥匙的位置只会让你惊呼一声“糟了”，弄错大规模杀伤性武器的位置则会导致全球军事危机。两种错误的后果差别如此巨大，我们不禁有理由怀疑，导致这两者的原因到底有没有共同点？第二个问题是，我们在人生信念上有没有可能选错。(在此不做无谓之争。)“堕胎是否道德”跟“游击手叫什么”毕竟不是一个概念，必然也会有读者怀疑，讲错了事实跟信错了观念，是不是根本就没有可比性。更会有读者反驳道，既然我们永远无法确证真理，又有什么资格给任何事情贴上“对”或“错”的标签?

简而言之，大家对错误的想法纷繁复杂，要从中理出头绪，难度不亚于给猫喂干草。可是，把错误分门别类也不见得有多容易。但还是有人尝试做过两件事情。其中第一件是西方哲学所擅长的。早在哲学形成之初，哲学家们便努力想解释错误的本质。在最初的 2 000 多年里，哲学一直被视作追求知识和真理的一门学科——这种工作性质注定了哲学家也必须要痴迷于错误和虚假。[苏格拉底在柏拉图的《泰阿泰德篇》(*Theaetetus*) 中曾说过，你若不定义知识，就无法定义错误，两者是互相依存的。] 随着哲学分化成伦理学、形而上学和逻辑学等分支，对知识的研究便归属于认识论这一分支。认识学家众说纷纭，在关于错误的很多问题上莫衷一是，但在一个问题上却基本达成共识，那就是错误的定义。他们认为，错误就是把对的认成是错的，而把错的认成是对的。这个定义简洁明了，值得嘉许，对我们也很有用，因为它道出了我们日常生活中对错误的普遍理解，也为我们打开了一扇窗户，让我们能模糊地听到哲学家对错误的辩论。不过，下面我们就会看到，这个定义还是存在严重问题的，所以我持保留意见。

哲学作为传统领域，一直在总结和定义错误；与此同时，一个崭新的领域却在细化和梳理错误。这一跨学科工程有好几个名称，或叫作“人因学”(Human Factors)，或叫作“决策研究”(Decision Studies)。其实，“决策研究”是委婉的说法，重点在于研究错误决策，否则也没必要存在；“人因学”同样是委婉的说法，“人因”指的应该是“人类问题因素”——包括压力大、注意力不集中、缺乏条理、信息闭塞、不熟练等，这些问题导致了效率低、风险大和易犯错。由此，该研究也有了一个别称，即“错误研究”。虽然这么称呼它的人还不太多，但为清楚起见，我在这里就用这个别称来称呼它。

研究错误的人形形色色，从心理学家、经济学家到工程师和咨询师。他们研究的目的同样千差万别，有的人想减少制造过程中的差错，为公司挽回财务损失；有的人想加强安全防护，无论是血管成形术的安全防护，还是空中交通的安全防护，总之要避免错误造成生命和健康的损失。上述例子表明，“错误研究”与认识论的区别在于，它是一门应用科学，虽然研究内容既有心理因素也有理论成因，但研究者总体的目标是很实际的，那就是降低错误发生的概率，减轻错误的危害。

为了实现这一目标，每个研究者都变成了错误分类专家。只要稍微了解他们的研究，你就会惊叹错误的种类增加之快，简直令人头晕目眩。错误可以分为失误、过失和差错，又可分为计划错误和操作错误，还可以分为内因错误和外因错误……我还可以继续罗列下去，但是这样得委屈你看一堆晦涩的术语，听一段详细而费解的解释。(比如：“错误是指在选择一个目标或确定一种手段时做出了判断和推测，然而推断出的结果却有漏洞或失误，不管就此采取的行动是否依照计划实行，只要出现了漏洞和失误，都叫作错误。”)

这么定义错误不是不可以，但我不会这么做。别误会，我们都应该感激那些研究错误的同人。在人类错误不小心就能酿成大祸的今天，错误学家所做的一切都是为了保证生活便捷安全。而且他们是少数会认真深入思考错误的人，所以他们还算是我的同事。同理，认识学家也是我的同事，而且跟我有着更为接近的目标。不过，我依然得同他们划清界限。因为我想做的既不是总结错误也不是分析错误，我既不想消灭错误也不想揭示真理。我感兴趣的只是大家的错误观和错误经历，我想了解的是犯错之后大家有什么样的想法和感受。

关注我们对错误的感想为定义错误提供了一个不同的视角。比如错误的严重程度。我先前提问说，把无关痛痒的疏忽和颠覆世界的罪过相提并论（弄错车钥匙的位置和大规模杀伤性武器的位置）是不是很无稽？两者的起因和后果有着天壤之别，我们却将其放到同一个类别下，这么做说好听点儿是毫无帮助，说难听点儿是胡来。不过，一旦关注犯错后的感受，二者便有了可比性，而且这种比较得到的收获还不小。举个例子说，我们不敢想象自己犯大错的样子，却允许自己犯一些小错。这种心理虽然情有可原，但从逻辑上讲不通。风险越大的时候，我们不是越应该不遗余力地杜绝错误吗？要做到万无一失，就必须把所有可能出错的地方预想一遍。而事实上，我们往往只在事情无关痛痒时才敢这么做，风险一大，反而连想都不敢想了。我们不妨比较这两种心态，从中反思和学习。同样，比较可确证的信念与不可确证的信念也能给我们以启迪，比如游击手的名字和一段模糊的记忆。了解了我们所谓的“把握”，了解了我们被证明有误后的反应，如果再碰上那些没有定论的观念之争，也许便能换一种角度去思考。

为了把错误研究清楚，我不惜动用一切资源。若有人质疑这种做法，只要想一想我们的研究重点在犯错的感受上，或许就能理解一二了。不过，我还是需要阐明两点，这两点全都宏观且重要，涉及本书的研究范围和方法。第一点有关道德，第二点有关真理。先从道德说起。我们平时所谓的“错误”，既可以指一般错误，也可以指道德错误。比如说，你认为地球是平的，那就是“错”的；你把弟弟从梯子上推下去，也是“错”的。而本书专门讨论前一种错误。不过，道德问题也会在后续章节中持续谈到，原因有好几点。

其一，道德错误跟知识错误是密切相关的，不仅在字面上一致，更由于古往今来人们往往由错误联想到邪恶，而由正确联想到正义。（详见下一章）其二，纠正了一些严重错误后，我们的道德观念也随之转变。比如，有时候我们会反思自己的伦理观，发现以前的想法不妥，似乎婚前性行为没那么罪恶，而素食主义也无须成为强制的道德要求。也有些时候我们依然相信以前的道德观，只是后悔当初信了宣扬那些道德观的机构和群体。这就是为什么在天主教牧师大范围虐童丑闻曝光后，有的教徒会毅然脱离教会（但他们还相信教义）。此类道德错误的内容跟本书所讨论的其他错误差别很大，但并不是形式上的不同。在这些情况下，我们都是先相信一种观点、一种政策、一个人，然后因变故而醒悟，或自己慢慢觉悟。

本书之所以常常提到道德问题的第三个原因，就是许多道德过错背后都有事实错误作支撑。比较典型的例子是颅相学。这门“科学”依靠头骨的形状来推断人类的智力和性格，如今已是公认的伪科学。然而，从19世纪到20世纪初，我们一直以颅相学为由，公然歧视外族人，包括犹太人、黑人，以及其他少数人种。（更别提女性了，她们也是多数人种，却也受到诽谤。）从这个例子，以及很多其他例子可见，知识错误可能是道德错误的帮凶，反之亦然：正是根深蒂固的偏见塑造并支持了“颅相学”这一学说，两者可谓互相促进。不过，这里的重点是，很多时候，知识缺陷跟道德错误是分不开的。

最后一点是错误的道德含义。这一点可以说明道德不仅跟本书有关，还是本书的重心。我发现，我们对错误的态度会影响到我们对他人的看法和态度。而我们对他人的看法和态度，不就是伦理的全部意义所在吗？我们是否应该本着对别人负责的态度，考虑一下自己犯错的可能性？一旦犯错了，需要承担什么样的责任？该怎么对待自己眼中那些犯了错的人？作家兼哲学家艾丽丝·默多克（Iris Murdoch）曾总结道，所有的伦理体系必须包含一套能改变道德的机制，才算得上完整。我们一般不会把错误视作手段，更没想过这种手段还能带来积极的结果。但是错误的确有成为这种机制的潜力，这取决于我们如何回答以上的问题。换句话说，错误不仅是道德毒药，也可以是道德解药。正如我此前所说，错误是我们反思自己、反思他人、反思世界的契机。

看完这段简述后，你明白了道德错误跟一般错误的分别，于是迷潭的出口也近在眼前了。但老实说，我把最棘手的问题留到了最后，这个问题就是真理问题。“对”与“错”到底是真实世界的反映，还是仅仅是人类的主观判断？真理究竟是否存在？怎么来寻找存在的真理，由谁来判定它？这个谜题自远古时代起，就困扰了各个时代各个国家的顶尖思想者。一代又一代的优秀学者执着于这个问题，获得了无数思想上和艺术上的启迪，但未曾孕育出真正的成果，更遑论找到正确的答案。所以，本书也不会深入讨论这些问题，但也不能直接跳过。诚如苏格拉底所言：“有关错误的理论中不可能不提到真理。”

你很容易在哲学家对错误的传统定义中发现真理潜藏的踪迹。既然错误是“把错的认作对的”，则必然存在一个“对”的真理。换句话说，这个定义的前提是假设存在“绝对正确”，也就是存在不变的可知的事实，通过这个事实能够反衬出错误。有时候这种假设也解释得通，毕竟世人在很多事情上普遍会接受一些“正确”的标准。所以，哪怕是最坚定的相对主义者也不得不承认，有一些事情我们确实有可能搞错——譬如选举的结果、孩子的父亲。可是，在另一些时候这个假设又完全行不通。所以，哪怕最执着的现实主义者也不得不承认，很多时候你说不出一个绝对正确的标准。可是每逢这个时候，我们往往仍旧把“对”与“错”作为衡量事情的标准。

就拿审美举例吧。众所周知，个人喜好与事实对错是两回事，事实有正误之分，喜好则无对错之别。其实，自孩童时代起我们就明白了这个道理。不信你可以问问那些孩子，连他们都懂得，如果有人说天空是蓝色的而有人说是绿色的，那就有一个人是错的；但有人最爱的颜色是蓝色而有人最爱的是绿色，就没问题。可是身为成年人，我们却常常为喜好问题而争执不休，仿佛自己的品位才是王道，这样的例子比比皆是，难道不可笑吗？Mac（苹果公司开发的个人消费型计算机）电脑迷歧视其他个人电脑用户是出了名的，他们只当那些人被大众的愚昧洗了脑；硬木地板的粉丝则认为，维多利亚式的满铺地毯从客观角度来评价也丑陋得可怕；街坊邻居互相抨击墙壁颜色，乃至互相投诉草坪充气饰品。可以毫不夸张地说，有一次我跟一位好友差点儿为了争执大黄馅饼是不是上好的点心（显然不是），以及《纠正》（*The Corrections*）是不是一部伟大的小说（显然就是）而分道扬镳。

当然，大多数人都会自嘲，怎么就爱把个人嗜好当作绝对真理呢？不过，人们就算知道这一行为很可笑，也还是控制不住自己这样做。已故小说家兼批评家约翰·厄普代克（John Updike）曾经说过，撰写书评时最大的困难在于“总是免不了……为自己的品位之‘正确’而沾沾自喜”。我们私下里对所有事情的评论亦如此。譬如，我好像在内心深处相信大黄馅饼散发着一种令人闻之欲呕的味道，而《纠正》从根本上就是一部杰作。（喜爱大黄馅饼的你，一定在惊叹我怎么能如此大错特错。）由此推知，任何有才识有眼光的人都应该跟我英雄所见略同，在任何观点上都应该跟我一致。

没有“对”与“错”之分的时候我们已经如此，试想，如果真的有事实存在（先不管能不能找到）那还了得。先不提分歧最明显、火药味最浓的政治和宗教领域。你只要随口问一群学者，伊丽莎白时期到底是谁写了《哈姆雷特》？立刻就能引发一场所有人为内心信念而相争的口水战。简直不敢想象有什么发明能够解决这一争端，并令所有人都满意；也不敢想象大家能够就生命的起源、美军是否应进驻伊拉克等问题达成一致。然而，往往正是这些悬而未决的问题能激发出我们最确定无疑的信心——我肯定是对的，对方肯定是错的。鉴于此，我想我们所选择的错误的定义必须很灵活才行，这样就算正确的标准含糊不清，我们也还有讨论对错的余地。

要找到这样一个定义，还得回到犯错的感受。与其说错误是“把错的认成对的”，不如说它是“认识到曾经认同的旧观点有误而加以摒弃”。（不管“旧观点”是否符合事实，也不管能不能找得到事实。）这个定义有两大充满魅力之处：一是，它只是在经典版本上稍加变动，堵住了所有有关真理的烦人问题；二是，它强调了人生中一个重要但不被重视的时刻，那就是我们从一种观点倒向另一种观点的转折时刻。可总的来看，这一定义依然差强人意，因为它没有包含我们平时对错误的看法。我们在说某人错了时，不是指那人忍痛抛弃了旧观念，而是指他的想法跟现实情况有出入。

所以，最后无论怎么定义错误——与外在事实不符也好，是内在信念的变革也罢——都不能完全满足我们的需求。虽然这两种定义都会为我所用，但人类的犯错经历实在形式丰富又变幻多端，任何一种定义都不足以囊括这些经历。法国哲学家亨利·柏格森（Henri Bergson）评论喜剧时，反对“用定义束缚喜剧的精神”。相反，他写道，他愿意激发读者“超越抽象的定义，更加灵活地思考，培养对喜剧如对故友一般的亲密和熟悉”。我认为这是一个值得推广的目标，而且不仅适用于喜剧，也适用于错误。无论好坏，错误总归是我们一生的伴侣。现在是时候让我们来认识它了。

本书剩余的内容主要讲述各种犯错的故事。（我保证很快进入正题。）这些故事提到了幻觉、魔术师、喜剧演员、毒品、爱情、远洋冒险、神经学上的奇怪现象、医学惨剧、法律疏漏、娶妓女为妻的可能后果、艾伦·格林斯潘（Alan Greespan）的可耻失败，以及由此引发的世界经济危机。不过，在投身于深入研究错误经历之前，我得先停下来，说明一个重要但又有点荒谬的问题：我们压根儿没有正在犯错的经历。

我们自然有从错误中醒悟的经历。而且这种经历多种多样，多得令人咋舌。本书后面会写道，认识到错误的那一刻，你可能会感到震惊、迷惘、滑稽、尴尬、开心、痛苦、豁然开朗……甚至你的生活都因此而改变，有时是变好，有时是变差。但是从定义上讲，正在犯错的那一刻，你是没有什么特殊感觉的。说穿了，你之所以会犯错，都是因为犯错时你茫然不觉。当时你只是在忙自己的事情而已，一点儿也没感觉到错了，事后你才发现当时仿佛受了蒙蔽。你就像《飞奔鸵鸟和大灰狼》①（*The Bugs Bunny and The Road Runner*）里的大灰狼一样，一不小心跑到了悬崖，往下一看才发现已经身悬半空。大灰狼就是你的象征，你俩都是在陷入麻烦后，还以为自己踏在坚实的土地上。鉴于此，我得纠正一下之前的说法——犯错的时候你是有特殊感觉的，你会觉得自己十分正确。

这就是对错误视而不见的“错盲症”问题。不管当前的信念中有多少谬误，我们必然一个都察觉不到。想想吧，“犯错”其实没有第一人称现在时时态②，“我正在犯错”是一个逻辑上的伪命题。从意识到

---

① 华纳兄弟的一部经典动画片。

② 指英语语法中的一般现在时。

错误的那一刻起，我们就不在错误的状态中了。因为认识到信念有误后，我们便不再相信以前的信念。所以只能说“我错了”，不能说“我正在犯错”。不妨把这一点称为“海森堡之错误不确定性原理”①：我们可以犯错，也可以发现错误，但两者不能并行。

“错盲症”也可以解释为什么我们总是很难想象自己会犯错。要把这种困难归结于心理因素也很容易，放不下骄傲、缺乏安全感等。不错，这些原因都有份儿。但是“错盲症”还指出，一些逻辑原因可能也起了作用。既然一丝不苟地审视内心也找不到将要犯错的迹象，那么我们会自然而然地以为自己没有错。同理，“错盲症”也说明了为什么明知人人都会犯错，但自己犯错后还是会大吃一惊。心理学家马克·格林（Marc Green）总结说，从犯错者本人的眼光来看，错误其实是一种“精神上的天灾”。虽然我们都明白，理论上自己会犯错，但是具体到每个错误时，就往往没有心理准备了，像撞上鱼雷、看到闪电一样猝不及防。（所以，我们一般都觉得自己对错误没有责任。毕竟从法律上讲，没有人该为天灾负责。）

我们不仅认识不到当前所犯的错误，连以前犯过的错误也在脑海中奇怪地飘忽不定。那些错误往往不是忘不掉，就是记不起。倘若忘掉的都是小错，想起的都是大错，倒也罢了，不足为奇。可情况没这么简单。每一次我看到德国作家歌德的名字，总会想起在大学时代，我第一次大声念出歌德的名字时念成了“歌特”，结果教授忍俊不禁，好心地纠正了我。（给犯过类似错误的人提个建议，念“歌德”其实跟念 Bertha 很像，不过不发 H 和 R 的音。）这只是一个情有可原的小错误，可我到死都会记得。

① 不确定性原理：海森堡于 1927 年提出。这个理论是说，你不可能同时知道一个粒子的位置和它们的速度。

把这个例子跟西格蒙德·弗洛伊德（Sigmund Freud）在《日常生活的精神病理学》（*The Psychopathology of Everyday Life*）[①] 中提到的案例比较一下吧。有一次月末结账时，弗洛伊德突然瞄到一个病人的名字，这个病人的病历他一点儿印象也没有。从记录上看，他之前有几周几乎天天上门为这位病人看诊，事情才过去了不到半年，他却怎么也想不起这位病人的情形，任他回忆良久也毫无头绪。最后，当他终于回想起来时，不禁震惊于自己的"极度的健忘"。原来那位病人是一位年轻姑娘，因为她一直抱怨胃疼，所以她的父母为她请了医生。弗洛伊德诊断她患了"歇斯底里症"，几个月后她死于胃癌。

到底哪种情况更奇怪——是把特大错误忘得一干二净呢，还是把琐碎小错记得一清二楚——很难说得清。但总体来说，我们的忘性要大于记性。在撰写本书的时候，我曾把写作主题解释给一些路人听，其中就有人回答："那你该采访我。我老是犯错。"于是，我让他们举几个具体的例子，这时候几乎所有人都会皱起眉头陷入一阵沉默，然后困惑茫然地承认自己什么都想不起来了。其中有一位差点成了"受访者"的人解释道："好奇怪，我貌似记得自己无数次叫过'天哪，错得好离谱，完蛋了，丢死人了'，我还记得有段时间天天为了错误夜不能寐、茶饭不思、如坐针毡，但就是想不起来具体犯的是什么错了。"

之所以出现这种情况，根本原因在于我们大脑的数据库有漏洞。大多数人的大脑里，没有一个叫作"前车之鉴"的类别。我有一位挚友，她很早以前就知道我在写这本书。大概等我动笔两年后，她才写信告诉我，说她突然想起自己小时候犯错是家常便饭，什么大错都犯过。前两年想不起来，倒不是因为把这些经历都给忘了，而是贴的标签

---

① 该书的内容也同犯错有关。

不对（我朋友贴的是“孤独时”和“生气时”等），结果任她怎么苦苦思索，就是想不起这些犯错的经历，因为回忆的方向不对，缘木求鱼了。

就像我们不会说“我错了”一样，“错误”类别的缺失也不单单是某一两个人的问题，而是全社会共同的遗憾。我读过不少有关错误研究的资料，可以负责任地告诉你，虽然这类研究多如牛毛，但没有一份是分在与“错误”有关的条目下，反而全都分配到了各门学科中，包括哲学、心理学、行为经济学、法学、医学、技术、神经学、政治学和科学史等，在此仅列举一二。对待生活中的错误我们也如法炮制，给它配上五花八门的标题，从“尴尬的时刻”到“汲取的教训”再到“作废的观点”等，就是不会简单地称为“错误”。

以前犯过的错误如此缥缈难寻，分类问题只是一个原因。另一个原因是，一旦我们认识到旧的想法有误，立刻就会找到新的想法替代，于是新的观点成了新的真理。从新的角度来看，那个废弃的观念很快就被抛到了九霄云外，关于它的记忆开始变得模糊、不相干，似乎我们一开始就没有真正把它当一回事。这样抹去错误自然方便，所以不仅个人，整个社会都在这么做。医学院不会教学生体液理论，天文教授不会教学生计算“55 个同心圆球”的转速（亚里士多德曾以为宇宙是由这些同心圆球构成的）。这种教学法既切合实际，又有效率，但也有一个不好的结果，即会导致大家心照不宣地以为现行的理论就是真理，于是早已泛滥的正确感进一步根深蒂固。

“错盲症”、错误健忘症、“错误”分类缺失症、旧观念替换症……这一切加起来，我们难以接受错误是自身的一部分就不足为奇了。由于没把错误当作内在特征来感受、记忆、追踪、珍藏，所以每每犯了错，我们总觉得错误是从局外蹦进来的，是来自外界。然而，事实刚好相反。归根结底，错误是我们自己的事情。不错，世界可能深奥得让你困惑，其他人可能会误导你、欺骗你，但毕竟是你自己选择了你要相信的观念，没有人能代劳。这就是为什么认错的感觉很奇怪。在习惯了反驳他人后，我们突然发现自己跟自己也闹起了别扭。此时此刻，错误不仅是一个智力问题，更是一个存在问题。我们面临的不再是知识危机，而是身份危机。每次犯错后，这场危机都会露出苗头，从我们扪心自问的那些问题中就能反映出来——“我当时在想什么啊?”“我怎么会那么做?”

不仅私下里我们会反思错误的起源，其实，从远古时代起，整个社会都在追问同样的问题。虽说错误阴魂不散且飘忽不定，但在想到一代又一代不计其数的前辈（其中包括神学家、哲学家、心理学家、社会学家、科学家等）都有过同样的困惑时，我们还是能略感安慰。许多宗教思想家想探寻人类犯错的原因，结果在伊甸园门口找到了答案。13 世纪的学者托马斯·阿奎纳（Thomas Aquinas）认为，我们犯错是因为我们从天堂里被赶出来了，从此永远失去了那条直接通往神圣真理殿堂的道路。在阿奎纳和其他许多神学家看来，人类的知识有限，而上帝的知识无限，错误便从人与上帝的差距中产生。

许多世俗学者也认同这一基本观点。柏拉图认为，我们的原始灵魂与自然合一，之所以犯错，是因为受物质躯体限制而忘记了那些宇宙真理。启蒙时期哲学家约翰·洛克（John Locke）认为，语言形容不出事物存在的本质，只能尽量描述得逼真，所以语言和真实之间必然有差距，错误便乘此差距溜进了我们的生活。德国哲学家马丁·海德格尔（Martin Heidegger）认为，我们生活在有限的时空里，受到一套时空坐标的束缚，无法以上帝的视角超越时空地鸟瞰全局，这一事实解释了为什么我们总爱犯错……这些理论虽然看起来互不相同，但主要观点一致，都认为错误是从差距中来的。持相似观点的人也不少。

不管是具体和特殊之间的差距，语言和真实之间的差距，现代和原始之间的差距，还是凡人和圣人之间的差距……说到底，都是思想同外界之间的差距。

平时我们对这个差距也不怎么在意，这种心态当然可以理解。谁愿意总是记得不光彩的堕落、思想与真理的鸿沟，以及单一而有限的个体存在呢？可一旦出了错，内在世界与外在世界的鸿沟立刻原形毕露。错误之所以让人心神不定，原因正在于此。此外还有个原因同样让人寝食难安——我们无法尽早发现这个鸿沟。错误反映了我们原来深信不疑的东西可能只是一念空想而已，这一发现如当头棒喝。要知道，正是依靠脑海中勾勒的逼真现实，我们才能判断什么是对的、什么是真的啊。

虽然这种大脑的骗术惹了不少事，但有时候也会令人欣慰。毕竟人脑的神奇之处在于它不仅能如实地反映世界，还能编织虚幻的想象。我们能回忆过去，也能憧憬或担心未来，还能想象其他地方其他人身上的事。“眼见不实”虽说是错误滋生的温床，但也是想象、发明、希望的源头。由此可见，错误孕育出的果实比我们想象的甜蜜得多，绝不只是通常想到的失败和耻辱而已。虽然犯错的那一刻我们像个局外人似的简直不认识自己，也不认识先前脑海中那个逼真的世界，但这又何妨？局外人自然有局外人的眼光，我们透过这陌生的眼光看待自己、看待事物才可能焕然一新。

要想从错误中得到新的启发，我们首先得从新的角度看待错误。这也是本书的写作宗旨。读罢这本书，希望你能更加亲近自己的错误，更加积极地讨论错误，更加丰富地形容错误，并且在犯错后更加用心地感受错误，别任错误在脑海中稍纵即逝。我之所以提倡这些，显然是为了实际的利益，要知道差错一不小心就能酿成大祸。因为错误，我们可能散尽千金抛却韶华；因为错误，我们可能信心受挫一蹶不振；

因为错误，我们可能声名扫地失去信任；因为错误，我们可能被送进急救室，可能要接受一辈子的治疗，或者受到冷落；因为错误，我们可能会受到伤害羞辱，更糟的是，连累别人一起受到伤害羞辱。所以一言以蔽之，能不出错的时候尽量别出错，而要做到这一点，我们首先要明白为什么出错。

说了这么多，有一点应该很清楚了。本书不是《如何过上完美生活》(*How To Error-Proof Your Life*)、《三十天教你成为正确高手》(*Thirty Days to a Righter You*)一类的励志书，也不会教你如何系统地消灭错误。与其说本书是错误的敌人，不如说是错误的帮手。奥古斯丁曾说过，错误是我们生命中不可或缺的部分。我对此深以为然，所以打算分析一下这句话为什么有道理。本书第一部分回顾了大家以往对于错误的看法，提出了两种看待错误的新思维，这两种思维也反映了我们对自身、对宇宙的认识。第二部分总结了可能导致错误的因素，包括感觉、高级知觉、社会习俗等。第三部分从为什么犯错开始，讲到犯错后的感觉，再讲到犯错后的情感曲线。所谓情感曲线，就是说从事情出岔子的那一刻起，到世界观、人际关系，以及（最重要的）自我认识随之改变的那一刻止，我们都经受了怎样的情感波折。

本书最后一部分不再讨论犯错的原因和经历，转而讲述错误能带来哪些意想不到的惊喜，以及可以避免哪些损害。我会讨论为什么接纳了错误反而可以减少犯错（还不止这样），由此希望大家能学会更灵活地思考，更成熟地处事待人，建立更自由平等的社会。在最后一章中，我提议大家把错误看作天赐之福，它是一个不可取代的资源库，里面蕴藏着丰富的幽默、艺术、自由、个性和改变等资源。本书以“正确”的乐趣开篇，以更复杂、更有趣、更有启示意义的“错误”快乐结束。

第 2 章　犯错的两种思维

错误绝没有那么严重可怕。在这个世界上，无论怎么小心，我们都免不了犯错，所以不如放松心情，别总为害怕犯错而心神不安，身体才会更健康。

——威廉·詹姆斯 《信仰的意志》

罗斯·盖尔布斯潘（Ross Gelbspan）是与我同行业的记者，他拥有 40 余年撰写环境专题报道的经验。1972 年，他供职于《乡村之音》（*The Village Voice*）报社，当时新书《增长的极限》（*The Limits to Growth*）召开新闻发布会，他也参与了报道。这本书主要研究经济发展及人口压力对自然资源的影响，一经付梓便立刻登上全球各大报纸的头条，迄今依然高居环境类畅销书的榜首。

“那次新闻发布会的内容很有意思，也很骇人，”罗斯回忆说，“当时讲到人口增长、污染扩大、资源耗竭等问题达到临界点后，情况会怎样急转直下。”大会上有一位名叫唐妮拉·米朵斯的发言嘉宾，她是《增长的极限》合著者，也是环境科学家中的先锋。听她在台上侃侃而谈，台下的罗斯不禁十分震惊——米朵斯描述的未来那么灰暗，而她自己却身怀六甲，这是多么鲜明的对比啊！用罗斯的话来说："就在人类普遍消沉待毙的时候，她却从自己的身上看到了希望。"罗斯认为，这个细节不仅反映出人类的高贵，也提醒了我们，无论生活多么艰难，都不要放弃乐观和新生的希望。罗斯把这个故事作为引子写在特稿里，而后特稿又登上《乡村之音》的头版。这本该是罗斯的荣耀，可惜，唐妮拉·米朵斯根本没有怀孕。

有的错误可以致命，但更多不致命的错误却让我们想死，所以，我们在讨论错误时经常把"想死"挂在嘴边。罗斯也喃喃念叨："我当时羞死了，真的差点羞死了。我不是故意要骗人。我从 1961 年起就做了记者，在《费城公报》待过，也在《华盛顿邮报》做过，但是从来没有犯过这等错误，我都不想描述有多尴尬了。说真的，现在谈起这件事，我还是想死。"距罗斯发表那篇特稿已过了近 40 年。《增长的极限》里的预言，有的应验了，有的没应验，有的被借鉴，有的被忽视。唐妮拉本人于 2001 年辞世。就连新闻业也行将没落。唯有罗斯的难堪长存。记得我告诉他本书预计的出版日期时，他说："太好了，真希望我在那之前死了算了。"

罗斯的错误虽然尴尬，但后果并不严重。这件事没怎么影响米朵斯，她倒很感激这支插曲；也没怎么影响到罗斯本人和他的事业发展。如此说来，"想死"难道不是很极端的行为吗？也许是，可我们动不动都爱走这种极端。不骗你，面对错误时，我们经常想直接蒸发掉。在认识到错误的那一刻，我们会说"想找个洞钻进去""想钻到地板缝儿里""想干脆消失"……我们还说"丢面子"，就好像错误确实把我们的身份给抹掉了，让我们消失了似的。

犯错后除了想死，我们还有另一种反应，虽不那么极端，却跟胃部有关。有的时候我们不想死而想吐。这从我们讨论错误时用的那些奇怪的饮食词汇中就可见一斑——犯了错后，我们吃乌鸦（eat crow)、吃内脏馅饼（eat humble pie)、吃帽子（eat one’s hat)，甚至撇开“菜单”，连“衣单”最末尾的鞋子都吃（eat one’s shoe)，当然还想把说过的话吃回肚子里（eat one’s words)。[①] 这些说法来源不同，但总的意思很明白：错误不仅很难吃，也很难消化。如果说正确是汁多味美的佳肴，那么乏味苦涩的错误只会让你恶心难受、痛不欲生。

所以，大家普遍认为错误危险、耻辱、恶心又无聊至极。不妨把这种看法称作悲观思维，这样看倒也不无道理。前文提到（大家也都认为）错误有时候真的很恼人、羞人和伤人，不仅伤害自己还伤害别人。这是实情，若抵赖的话则未免不坦率。可是一旦全面审视错误，又会发现悲观思维过于以偏概全。首先，错误的伤害再大，也不及对错误的害怕、嫌恶和恐惧伤害大，悲观思维却害得我们对此视而不见。那种对错误的畏惧，像当头泼下的一桶冷水，浇硬了我们的心肠，浇淡了我们的感情，浇凉了我们对世界的好奇心。

畏惧往往源于不理解，我们畏惧错误也和不理解错误有关。悲观思维说错误很讨厌，但没有解释为什么讨厌，更解释不了为什么有的错误一点儿也不讨厌。现实中我们对错误的体验丰富多样，要想全部形容出来，就需要补充一个与悲观思维相对的乐观思维。以乐观思维的角度来看，犯错后的感受不限于失败和耻辱，还有无限种其他滋味。你可以惊讶、疑惑、痴狂、兴奋、开心、欣喜若狂等。然而，我们的周围却很难发现乐观的想法，因为悲观者总是嚷嚷错误危险、可耻、会打击信心……他们的声音太大，以至于盖过了乐观者的声音。不过，

---

① 此句所列举的饮食词汇都是美国俚语，表示“被迫认错”的意思。——译者注

这却淹没不了乐观思维的存在。正是有了乐观思维这股微妙而重要的牵引力量，才把我们对错误、对自己的认识修正过来。

悲观思维和乐观思维总是水火不容。我们可以分开学习这两种思维，这会儿看犯错后的难受和危险，过会儿看犯错后的收获和开心，再评一评两者孰优孰劣。但只有将这两种思维放在一起，我们才能明白，到底哪些因素影响了我们对错误的所感所想。

“错误绝没有那么严重可怕。”这句本章题记中的欢快宣言，其实可以作为乐观者的座右铭。说这句话的人，是19世纪哲学家兼心理学家威廉·詹姆斯（William James），他也堪任乐观思维的首要代言人。而谁是悲观思维的代表呢？还得首推中世纪的神父托马斯·阿奎纳。他在上一章里已经亮出观点：把错误归结于原罪。哲学家雷奥·基勒（Leo Keeler）曾引用并归纳阿奎纳的观点说：“大脑是真理的工人，而错误肯定是不合格产品。但凡错误都像有瑕疵的副产品，像偶然的失误，像流产生出的怪胎一样——反正具有诸如此类的特征。”

瑕疵、偶然、怪胎、流产……这意思再明显不过了。在阿奎纳看来，错误不仅很讨厌，还很反常，是事情的失序所致。假如威廉·詹姆斯在旁边听到肯定会不以为然。詹姆斯不会排斥错误，也不会认为错误反常（要知道他给犯错者开的药方可是“放松心情”呢）。他还可能反问，既然所有人都一而再地犯错，错误又能反常到哪里去呢？

这场关于“错误是正常还是异常”的辩论，是错误史上的一大经典之争。有意思的倒不是这场辩论反映出错误本身是什么，而在于它反映出我们对自己和世界的看法。譬如阿奎纳和詹姆斯——两人的观点虽然势如水火，但他们冲突的焦点不在于错误。阿奎纳声称“大脑是真理的工人”，这句话才是正题所在。如果你像阿奎纳一样相信真理是存在的，而且这个真理（模仿詹姆斯的说法）“跟大脑是天生一对”，那错误自然是坏的、不合情理的。反之，如果你像詹姆斯一样认为真理未必确定也未必可知，而人类大脑虽然多姿多彩，但并非现实的镜子，或者说正是因为大脑多姿多彩，所以它才不是准确反映现实的镜子——那么错误便情有可原、可以接受了。

跟我们之前一样，为了定义错误，这两派观点不时出现、相互竞争。17 世纪左右，法国拉鲁斯（Larousse）字典给错误下了一个唯美的定义，“无拘无束的大脑（想象）所做的一次流浪”。此后不到 100 年的时间里，同为法国人的德尼·狄德罗（Denis Diderot）在著名的《百科全书》（*Encyclopédie*）里把错误定义为一种流行病，每个大脑（或曰“魔镜”）一旦染上了这种病，都会把世界倒映成扭曲的“阴影和怪兽”。这两种定义表明了两种对人性截然不同的理解：第一种认为错误是大脑自由散漫的标志，第二种则认为错误是内在的异常状况；第一种认为人类永远可以朝完美努力，第二种认为人类永远不会完美；第一种认为真理是一种奖品，可以依靠精神和智力的训练而获得，而第二种认为真理是一个逃犯，永远在跟大脑捉迷藏。

纵观错误史，这两派观点并没有哪一派消亡而另一派兴旺，而是千年来一直僵持不下、辩论至今。这期间除了继续争论犯错是畸形还是正常这一问题外，另外还增加了几个问题作为补充，不过都跟第一个问题有密切联系。第一个问题是，错误到底会永远存在还是有一天终将消失？英国哲学家詹姆斯·萨利（James Sully）认为大多数的错误最终是可以克服的。他于 1881 年出版的《幻觉》(*Illusions*）堪称是早期研究错误的著作中最完善的一部。萨利在书中总结道：“我们新近才学会了反省自己。随着这项能力的提高，失误可以不断减少，直到消失。”

半个世纪后，美国心理学家约瑟夫·查斯特罗（Joseph Jastrow）表达了类似观点。查斯特罗编纂过《人类犯错的故事》（*The Story of Human Error*），这是一本收录各个时代各种人所做的蠢事的全集。既然名曰“故事”，自然有开头、中间和结尾。查斯特罗显然认为我们已经大步迈向犯错的终章。他一边赞美“现阶段科学的巅峰成就”，一边声称“一旦把这些成就用于造福人类大脑……我们就能迈出铲除错误的关键一步”。查斯特罗当初产生编书的念头，是受到了1933年世界博览会的鼓舞，因此他有这种想法也顺理成章。毕竟世博会这类盛典，经常高奏凯歌颂扬人类终将达到完美的巅峰。比如1939年纽约世博会，主题为“未来世界”的展会便指责参观者“居然还相信信念和观点，不知该相信的只有事实”，同时也预言今后“我们都会像今天那些训练有素的科学家一样，对于新观点张臂欢迎、反复审核、最后愉快接受。这一切都会按照真正科学的方式来做”。

现在回头看这些梦幻的预言，我们必然认为它们过时又天真，简直傻得不可救药。预言虽然过期了，但我们的想法却没改变。我们始终幻想着随着生理进化和技术革新，随着理想社会的建立，人类终究能把错误连根除掉。其中隐含的意思是，我们都应该想要消灭错误。有时候也确实应该有这种想法。譬如，如果能保证核产业永远不出岔子的话，全人类都该欢欣鼓舞。但是消灭“所有”错误又得另当别论，且不论实际操作行不行得通，首先，这个目标本身就有3个问题：第一，要相信能铲除错误，就得相信我们能不断地区别谬误与真理。但这样一来，必然会一直惦记着犯错的可能性，岂不跟铲除错误的想法相冲突？这可谓错误学上的窘境——要想不犯错，首先要立于不败之地。

第二，任你再怎么好心、再怎么真诚地想要除掉错误，最后还是会引发意想不到的结果。正如把害虫从生物圈中拿掉一样，很快你就会发现蜂鸟、土拨鼠、美洲狮也都跟着灭绝了。读完这本书后，即使你不相信错误有好处，但我希望你能相信错误跟很多有益的东西分不开，而那些东西你绝对不希望消除，比如我们的才智。

第三，许多人说要除掉错误，其实都没安好心——哪怕安的是好心，他们的所作所为也给其他初衷良好的人抹了黑。这里就拿萨利举例，他断言“那些未经开化的野蛮人和土著人总是犯最粗俗下流的错误”。又如，帮助过查斯特罗编纂选集的人类学家拉尔夫·林顿（Rahlph Linton）说：“异教徒的那些文化，说好听点儿是人类过错的代表，说难听点儿是撒旦的策略，撒旦用这一招儿来保证那些注定该死的人逃不出他的手掌。不管怎么说，基督徒都应该义不容辞地消灭这些异教徒。”这些言谈清楚地表明，我们容易认为那些背景、信念不同的人是错的，这种想法应该引以为戒。同时也表明，号召人们消灭自己不认同的观念，与号召人们消灭代表那些观念的机构、文化乃至人民仅一步之遥。

“错误可以铲除”反映了我们可怕的反动思想，但这一观点的核心又是进步的。该想法认为人类的成就会有一个巅峰，只要一步步减少错误，最后彻底消灭错误，我们就可以攀上那个巅峰。不过，另一种对立的思维也同样进步。而且出人意料的是，这种思维不但不强调根除错误，反而强调要延续错误。该观点产生于科技革命时期，是依据科技革命的标志性成就——科学方法而提出来的。距那次革命 400 年后的现在，我们每个人都在初中课本里学到了这套科学方法，足见其成功。这个方法虽然实践起来未必容易，但表述起来很简单。其主旨是根据科学观察提出科学假说（假说必须可证），再进行科学实验（实验必须反复得到相同结果）。一切顺利的话，最后可获得一套理论，该理论不仅逻辑合理，而且饱经实践检验，可以解释自然现象之谜。

科学方法既是科学求知的目标，也是知识进步的手段，从本质上讲，它还是一座标志错误用处的里程碑。我们大多数人都希望自己的观点正确，为此费心调查研究，科学家却倾向于证明观点错误，虽然未必个个如此，但多数科学家会力图驳倒现有的观点。因此，假说的一大关键特征便是可能有误。（假说必须可以检测，也必须多次接受检测。）而理论的一大关键特征则是虽未被证明有误，但无论有多少证据支持它、多少专家赞成它、多少大众喜爱它，终究还是可能有误。其实就像上一章中所说的，理论沦为谬论多半不是可不可能的问题，而是时间早晚的问题。在理论暴露出问题后，人们不会说科学退步了，反而会说科学进步了。这就是科技革命中的关键发现，知识要进步，那么旧的理论就必须坍塌，新发现和新见解必须取而代之。以这种进步模式来看，错误非但没把我们从真理旁边引开，反而带领我们一步步向真理靠近。

自科技革命以来，西欧的杰出思想家都逐渐接受这一原则并推而广之。在他们看来，不仅科学理论遵循这套“坍塌—替代—进步”的发展模式，政治、社会、美学领域也无不如此。这些思想家在本质上诊断出了全社会各代人都患有的“错盲症”。我们看不出文化中的共同错误，亦如看不见自己的错误。但可以确定的是，那些错误一定潜伏在某个角落。

那些思想家是秉承着坦诚的态度才获得了这一发现。在他们生活的时代，那些存在了 1 500 年的基本真理，在短时间内要么成了妄言，要么被大量涌入的新信息所取代，这些新信息包括以前未知的动植物发现、地质地理探索、宇宙构造研究、人类文化的覆盖面和多样性等。在现代这个全球紧密联系的社会，我们只要看一眼谷歌地图就能把世界尽收眼底，所以很难理解新信息在当时所引起的情绪波澜和知识颠覆。假如明天有不明飞行物降落在匹兹堡，我可能就会感同身受了，一方面为错误所震慑，另一方面又为未来激动。而我对宇宙的看法，自然也需要彻头彻尾地推翻重建。

面对这种重建的任务，许多思想家总结道，要完成浩大的知识重建工程，最合适、最保险的工具当属“怀疑”。这种怀疑应该是对一切事物深刻、持久而有理有据的怀疑。所以，文艺复兴时期的伟大哲学家兼散文家米歇尔·德·蒙田（Michel de Montaigne）才会在书房门上刻了一行字：Que sais-je?（我懂什么？）笛卡儿才会给自己安排任务，要对一切事情抱有怀疑，乃至怀疑自身的存在（后面章节会展开讨论）。这些思想家不是虚无主义者，连怀疑论者都算不上。他们相信真理，也渴望发掘真理。但是他们对错误心有余悸，害怕再犯严重的错误，并且明白只要时间足够久，哪怕现在所坚信的最神圣的信念，有一天也会跟错误差不多。

这一观点的新奇与激进之处倒不是在于它暗示了把真理同谬误区分开有多么困难。早在柏拉图时期的人们就认识到了这种困难，连《圣经》里也有记载，比如说分清楚真假先知就是个难题。（《圣经》第二章《哥林多前书》里写道，“撒旦也装作光明的天使”。）文艺复兴时期和启蒙时期的思想家也应该对这种困难毫不陌生，从中世纪思想家的作品里常常可以看到错误被形容为 ignes fatui（字面意思是“愚人之火”，但一般翻译为假火或鬼火）。今天，我们把鬼火称为磷火。在民间故事里，鬼火是神秘闪烁的亮光，粗心大意的游客看到了它，以为是火光，便追过去越走越偏，最后往往走到沼泽深处或悬崖边缘。更朴实的说法是，鬼火也指强盗所生的火，游客看到后受了愚弄，误以为有火光处便有人家，于是走过去找旅舍或找村庄。不管是哪种说法，寓意都大同小异，说的都是错误披上了真理之光的外衣带领人们误入歧途。但启蒙时期的思想家却注意到鬼火的另一层不为人知的寓意。他们总结说，不能简单地把错误看作一片缺少真理之光的死寂黑暗，其实错误自己也会发光。不错，那团光亮可能摇曳不定、亦幻亦真，但依然照亮了人类前进的道路。按着这种思维，错误与其说是真理的反方向，不如说是真理的渐近线，它带领人类向真理靠近，不断地发现新理论，哪怕只是一时正确的理论。

这就是错误史上另一场重要的辩论，辩论的焦点在于，错误到底是阻止我们找到真理，还是引导我们走向真理。传统观点认为错误是拦路虎。而另一种观点我们已经见过，该思维在科技革命时期提出，在启蒙时期得到进一步发展，真正成熟于19世纪早期。当时，法国数学家及天文学家皮埃尔－西蒙·拉普拉斯（Pierre-Simon Laplace）利用我们现在熟知的“钟形曲线”完善了误差分布理论。所谓钟形曲线也称为错误曲线，或正态分布曲线，用来把那些独立无意义、不精确、特殊的数据聚拢到一起，最后绘出一个精确而有意义的完整宏图。

比如，拉普拉斯便采用这条曲线来计算星球的精确轨道。人类从文明之初就在计算星球的轨道，但以往的记录都不准确，总是不可避免地受到人为误差的影响。而使用正态分布图后，就可以把那些独立的误差数据集中到一个图表上，于是拉普拉斯描绘的银河系便精确了很多。之前的思想家为了提高准确度而努力摆脱错误。拉普拉斯却发现错误应该多多益善，只有收集到足够多有偏差的数据，才能一睹真相的尊容。作家路易斯·梅南德（Louis Menand）总结说：“拉普拉斯的统计学并没有无视错误，而是计算出错误的数量，这就是其高明之处。”那个特殊时期的思想家不仅相信真理存在，也明白错误俯拾皆是。所以，钟形曲线对他们来说就像圣杯一样，你把错误截成合适的大小，连哄带骗地拐进圣杯，最后便能一睹真理的模样。[①]

一个世纪之后，弗洛伊德也成了这个观点的拥趸，他也相信错误可以揭示真理而不是妨碍真理。弗洛伊德之前的思想家主要是对外在真理感兴趣，重点关注的是自然或上帝所构造的事实，而弗洛伊德的研究领域则是内在世界。他所在乎的真理潜藏在我们的潜意识中，原则上不为理性大脑所见。不过，弗洛伊德又在《日常生活的精神病理学》中谈道，我们偶尔也能瞥见这些真理，比如在别人犯了错时。今天，我们把那些不小心说出口的真话称为"弗洛伊德式失言"(Freudian Slip)，换用俗语形容便是"说漏了嘴"。在弗洛伊德看来，这些看起来微不足道的错误其实很重要，甚至根本不能把它看作一般意义上的错误。也就是说，这些失言来头不小，绝不能归咎于偶然的意外、大脑的分心，或者哪根筋搭错了等。相反，失言源自我们那重要的潜意识，反映了心灵的至理。这样看来，错误是内心深处派遣来的大使，虽然它传播的消息难免有歪曲不实之处，但说到底，我们还得依靠这些宝贵信息来了解内心深处真实的情形。

弗洛伊德认为，潜意识中的真理不仅借着失言之际溜出来，也顺着其他大道逃出。其中一条大道是做梦，另一条是发疯。做梦我们都会，发疯却只有少数人经历过。乍看之下，梦境和疯狂似乎偏离了本书的主题，但两者都是对现实的误读。你大概没忘记吧，对现实的误读恰恰也是犯错的定义，且还是那个最早出现的、流传最广的定义。

① 拉普拉斯为钟形曲线赢得了美名，比利时天文学家阿道夫·凯特勒却令钟形曲线背负了一些骂名。他搜集了关于人类身高、犯罪史、孩子的数量和死亡年龄的信息，最后像拉普拉斯画出星空图一样，画出了人类数据的图谱。依靠误差分布理论，他把单个人的怪异特点算作错误，而当所有怪异特点综合到一起后，就能看出正常的标准。凯特勒的发明加深了自古以来人们的一个概念，那就是反常的就是错误的，而正常的就是正确的。(也正是凯特勒提出的统计学上"平均人"的概念。)

要了解犯错这种一般性的误读，不妨先仔细研究一下那些极端的例子。所以，接下来我想讨论一下梦境、吸毒、幻觉、发疯等。然后借助这些例子仔细看一看我们是怎样依靠错误而找到真理。

* * *

犯错跟发疯看似遥不可及，但你自己就时不时把两者联系到一起。我这么说是有根据的。想想看，平时我们思考、讨论错误的时候，不是常常借用一些俗话形容犯错的人精神状态不正常吗？比如，我们经常把犯错粗俗地比作“吃错药”；又如，你要是说了什么大错特错的话被我们这代人听到了，一定会说，“你这是什么意思？”“你脑袋有毛病吗？”同样的，要是别人的观念跟我们严重冲突，我们也会毫不犹豫地觉得他脑袋有病。（君不见民主、共和两党的互相揭发，一个骂对方是“自由主义的疯子”，一个回骂称对方为“右翼的极端分子”。）我们还说从错误中醒悟过来，就好像犯错是昏睡、是做梦，而意识到错误就像是从梦中清醒似的。

在所有这些类比中，犯错跟做梦之间的联系是最明显的，也是最持久的。11 世纪伊斯兰哲学家及神学家阿布·哈米德·穆罕默德·安萨里（Abu Hamid bin Muhammad al-Ghazali）曾经发问：“你注意到了吗？做梦的时候你总以为自己肯定是在现实生活中，而一旦醒过来后，你才明白那只是一段精神恍惚的幻想。”他认为我们清醒时相信的那些错误观点也一样，“那些观点现在看来可能千真万确，但也可能是你状态不对的缘故”。他又补充说，过了一段时间，你会认识到现在的想法显然是虚妄的，就像你从梦境中醒过来一样。

虽然“犯错”跟“状态异常”有不少相似点，但是有一点两者是大相径庭的。我在本章开头就讲过，有些错误哪怕不严重，我们一旦犯下了也会觉得反胃，甚至想撞墙。但是嗑药和做梦倒是很多人常常迷恋的，根本不在意可能会生病、丢了性命等。我们会把梦中的景象写成日记，并讲给亲朋好友听（当然也会讲给心理医生听）。我们认为梦境指引着我们，充实着我们的生活，而那些不记得梦境的人，生命就略显苍白，毕竟是很遗憾的。我们也渴望体验嗑过药后的那种难得糊涂的感觉，根本不在乎用药过度后自己会上瘾，或者被逮捕怎么办。说到危险，病危时产生幻觉的风险更大，想要病重到那个程度不容易也不好受。但确实发生了这么一件事：有一次我在热带雨林里发起了高烧，烧得迷迷糊糊时，仿佛看到诗人塞缪尔·泰勒·柯勒律治（Samuel Taylor Coleridge）在跟我聊天，他一边聊一边坐在我的床沿上织毛衣，就这样谈天说地很久很久。柯勒律治当然早已作古，而我那次是病得最重的一次。可我却迷恋上了当时的幻觉。从那以后，每逢发高烧我都不服药，如果已经生病了，我倒宁愿吃点药来促使我烧得更厉害，以便再度陷入幻觉。我真的会认真考虑这么做。虽然得不到医生的许可且又显得很白痴，但这些都不重要。状态异常的感觉太美妙了，我们经常不惜一切回到那种状态，想再体验一回，时间再长一点，也不管这么做傻不傻。

你一开始可能以为，异常状态之所以让人痴迷，纯粹在于它的古怪，在于它跟日常生活如此不同。其实不然，我们真正痴迷的是古怪之中混杂的那份熟悉。一旦我们进入异常状态，组成世界的元素、元素间的相互关系和元素遵循的规则将被通通颠覆，但我们体验世界的根本方式没有改变。现实中我们靠着理智、情绪，以及最重要的感官来理解世界、判断是非。而幻觉中这些感觉不但毫发无损，反而可能比平时更敏锐了些。在那个虚幻的世界里，我们也有肉身，也有亲密的关系，也有强烈的感受。换句话说，一切都让我们以为自己是在真实的生活里。

既然梦境、药品和高烧导致的幻觉也拥有现实一般的真实感，那真实感又意味着什么呢？反过来，既然幻觉那么容易出现又那么栩栩如生，虚幻又代表了什么呢？这些问题一直困扰着人类，从《仲夏夜之梦》到《黑客帝国》，许多虚构作品里都绕不开这个主题。（而且这两部作品恰好都围绕药物幻觉之旅展开。）对于这个问题，常见且重要的回答是，真假是颠倒的。所谓虚幻，乃是真正的真实。我已经提过，弗洛伊德认为梦里的世界反映了我们深藏心底的真实的自己。作家阿特米多斯（Artemidorus Daldianus）也同意这个观点，大概在 2 000 年前他就执笔写了希腊版的《梦的解析》（*Oneirocritica*），其他持相似观点的也大有人在。几乎每个时代每种文化背景下的人都认为，在梦境中你看得到一些平时看不到的真相。那真相可能是你不知道或忘记了的一段过去，可能是你不为人知的观点和欲望，也可能是你的命运。同样，几乎每个时代每种文化背景下的人都会依靠想象和猜测，来解释平时捉摸不透的宇宙奥秘。（西方算是半个例外，工业化以后，西方摒弃了这种想法。）从西伯利亚的巫医到阿兹特克人的牧师，从“快乐的恶作剧者”[①] 到世界各地推崇药品的宗教信徒（包括古代的基督徒、早期的犹太人、塞西亚人、锡克教教徒、苏非派教徒、拉斯塔法里教教派等），大家都把药品当作圣品，以为它揭示了宇宙的真相，呈现出上帝的真实面貌。

如果说梦境和药品只会暂时颠覆我们对现实的理解，那么一旦精神错乱，就会长期把握不准现实。你可能觉得精神错乱跟平时犯错相

① 著名的嬉皮士组织。——译者注

去甚远，你可能也暗暗这样希望，但其实错误跟疯狂互为补充，形成了一个完整的圈。狄德罗在《百科全书》中把疯狂定义成“离理性越来越远，却坚定而信心百倍地以为自己没有错”。这定义说得过去，不仅能定义疯狂也能定义犯错。近代法国哲学家、历史学家米歇尔·福柯（Michel Foucault）说发疯是“无比彻底、无比纯粹地把一件事认成了另一件事”（quid pro quo）。换句话说，就是把错的当成对的，这不是说的错误，又是什么？

说到底，只有 3 个标准可以把“犯错时的假象”跟“发疯时的假象”区别开。第一个是假象的纯粹性。按照福柯的说法，疯狂是“无比纯粹”的，是未掺杂质的错误。第二个是持续性。18 世纪的医学家弗朗索瓦·布瓦西耶·德·索瓦勒斯（Francois Boissier de Sauvages）把神经错乱描述为“犯下严重错误后，却坚信自己是对的且执迷不悟”。第三个是看你混淆的是什么，是把哪件事错认成了哪件事。无论做什么事我们都可以犯错，可以持续犯下最彻底的错误，但只要其他人同时也犯错，我们就仍可算作正常人。医学对错觉的定义中也提到过这一点（“许多人共有的错误观念”），不过，还是文艺复兴时期的学者德西德里乌斯·伊拉斯谟（Desiderius Erasmus）表述得更清晰，他在《愚人颂》（*The Praise of Folly*）里写道：“一个男人要是看到一只葫芦便以为看到了女人，那他一定是疯了，因为这个幻觉太不合情理。但是，如果一个男人有个经常出轨的妻子，他却依然以为她忠贞不二，这个丈夫一点儿也算不上疯狂，只能说他错得很凄惨，因为我们都知道，这种红杏出墙的例子在婚姻中实在是太多了。”错得彻底、错得离谱、错了还冥顽不化……这些总结起来就是错到了极致。而错到极致就是疯狂，疯狂就是彻底的大错特错。

所有的等式都是可逆的，疯狂与错误也不例外。既然疯狂是彻底的错误，那么错误就是轻微的疯狂。所以，《幻觉》的作者萨利才会想象到错误是“理智健全、情感冲动和精神痴呆三者之间的交界地带”。在罗曼语系的表述里，正确也跟理智挂钩。法语里有 j'ai raison，西班牙语里有 tengo razon，翻译过来都是“我有道理，我很理智”的意思。而你，迷途忘返的朋友，已偏离正道，接近疯狂的边缘了。用“轻微疯狂”来形容犯错后的感觉再适合不过。在本书的后面，我们会接触到好多人，听他们描述犯错的经历，而其中不止一个人把犯错后的感觉描述得跟精神失常的表现惊人地相似。

此前讲到过，世人普遍认为幻觉和梦境揭示了真正的真理，其实疯狂也一样。历代各国总有很多人相信，那些精神失常的人虽然看似疯疯癫癫、不了解现实，却看得透事情的本质。所以文学作品才总是把愚人（一开始就不可理喻的智障者）和疯子（一度正常后来又失常的人）描绘成不畏强权、敢说真话的人。（有时候孩童也充当这个角色，因为他们年龄尚小，理智尚未健全。）颠倒对错的巅峰之作莫过于《李尔王》了，这部戏里有真正的疯子（精神失常后的李尔王），有扮成疯子的正常人（爱德伽），有盲人（葛罗斯特），也有愚人（弄人）。据我所知，还没有别的作品为了讨论什么是对的专门设计这么多角色，也没有别的作品会把正误颠倒得这么彻底。在《李尔王》里，智慧就是愚蠢（弄人说：“聪明人个个变了糊涂”[①]），愚蠢则是智慧［“陛下，他（弄人）倒不全然是个傻瓜哩。”阿谀奉承的肯特干巴巴地承认］。看不见就是洞见（葛罗斯特说：“当我能够看见的时候，我也会失足颠扑。”失明之后他才领悟了真理）。而发疯则让人懂得了世态炎凉、是非对错。（李尔王是在失去了女儿又失去了理智后才明白自己的所作所为的

① 《李尔王》所有翻译均摘自朱生豪的译本。——译者注

意义，才懂得什么是损失和爱。）

错误可以催生洞察力。这一思想是典型的乐观主义，即使是平凡的错误也能给人启迪。所以，乐观思维的拥护者（包括我在内）都把犯错看作发明创新的关键一环。看过发疯和做梦的例子后我们应该安心，只要错误够极端，偏离公认事实不是一毫一厘而是数千万里，突然间你就会把枯燥的错误甩开，迎来顿悟的狂喜，耻辱和虚假一扫而空，取而代之的是满足和启迪。错误跟正确之间那奇怪的纠葛，从“幻想”一词的双重意义中便有所体现。在“幻想”里虚幻和启示并存。

可惜，有着悲观思维的支持者肯定会立刻指出，错误催生见识诚然是让人欣慰的想法，但现实常常事与愿违。有时候犯了错倒像是毁了我们的见识，心中的基本信念和深信的观点在那一刻轰然倒塌。有时候错误造成的损害实在太惨烈，不能简单地用一句“下回吸取教训”敷衍了事。就像别处一样，此处悲观者和乐观者依然在辩论错误的基本意义：错误是揭露了宇宙的本质，还是掩盖了宇宙的本质；是带领我们走向了真理，还是使我们偏离了真理；是真理的反方向，还是无限靠近真理的渐近线（引领我们走到最近的能够企及的距离）；是我们应该避免的反常情况，还是我们要学会接受的必然情况；是彻头彻尾“可怕”的，还是从根本上符合人性的。

这两种水火不容的思维共同构成了我们对错误的理解，就算之前从未深入思考过这两种观点，你也不得不承认，正是这两种思维导致我们对错误的看法如此矛盾，导致我们在犯错后的体验如此不同。我先介绍两个人，他们分别鲜明地代表了这两种思维，之后我再回过头来讲述犯错后的各种感受。这两个人不像本书后面提及的那些犯错的人，他们不存在于现实中，而是神话中的形象，他们的事例形象地反映了我们是如何看待错误的。

今天，全球近一半的人使用的语言都源自古印欧语系，在古印欧语系里，er 的意思是“移动、准备移动”，简单点儿说，是“走”的意思。从这一词根里衍生出的拉丁语动词 errare，意为“漫步”，说得更潇洒一点则是“漫游”的意思。由 errare 又衍生出英语单词 erratic（飘忽不定的），用来形容漫无目的、不可捉摸的运动。当然，随后又衍生出了 error（错误）一词。从词源上可以看出，错误的本义里就包含了“动”的概念：漫游、追寻和偏离。不言而喻，我们追寻的是真理，结果却越走越偏了。①

西方文化里有两类典型的漫游者，从他们身上我们可以看到两种相悖的观点，这构成了我们对错误的认识。第一类是云游的骑士，第二类是漂泊的犹太人。第二类形象总是被人用作反犹太宣传，其实它源于中世纪一个基督教的故事。一个犹太人遇上了受难途中的基督，见基督在十字架的重荷下行动迟缓便放肆嘲笑。为了惩罚这位犹太人，基督宣判他必须不停地漂泊直到世界末日。历史学家戴维·贝茨（David Bates）总结道，这个漂泊的犹太人“在信奉基督教的欧洲人看来，真实地象征着那些偏离真理的异教徒”。按照这种思维，错误跟罪过和放逐是分不开的。犯了错，就是与上帝失和，与其他人疏远。

云游骑士也源自中世纪的传说，但是形象跟犹太人大相径庭。那个犹太人之所以臭名昭著全在于他的罪过，而骑士之所以声名远扬全在于其品行。骑士总是光明地站在正义的一方，其中最著名的代表当属加拉哈德、高文、兰斯洛特。他们是身着甲胄的骑士中最闪亮的那

① 从词源上也能看出错误跟疯狂互相交织。“hallucinate”（产生幻觉）这个词在拉丁语中的原意是随心所欲地漫游，而“raving”（胡说八道）则源自“roving”（漂泊流浪）。

几个。(说句离题的话，其实堂吉诃德也算一个骑士。他既是云游骑士又是彻头彻尾的疯子，他在错误的万神殿里应该占有特殊的一席。) 骑士虽然背井离乡但绝不是流亡，即使风餐露宿也丝毫不减其华贵气度。犹太人是被迫流浪，他们不得不漫无目的痛苦地漂泊；云游骑士则是踏上征途，他们斗志昂扬地远征是为了完成使命。像所有旅行者一样，骑士受好奇心驱使，渴望更加了解这个世界。

但愿你明白，我提到这两种典型形象并不表示我赞同其中隐含的偏见。我感兴趣的是，这两种形象如何影响我们看待错误的两种思维。用漂泊的犹太人象征错误，错误便令人烦扰，是可憎的、痛苦的、人人唾弃的，是对真善美的背离，是个人内心的伤疤，尤其又联系到现实中犹太人经常遭受厄运——他们被仇视过、放逐过，差一点还被屠杀灭绝。可是，我们往往延续这种视角，绝少把错误跟云游骑士的英勇和德行联系到一起。之所以会有如此偏见，可能在于犯错之后我们的灵魂或多或少跟流浪的犹太人有些相似。犯错有时候真的像一场放逐，我们被迫疏远社会、疏远上帝，以及最痛苦的——疏远最熟悉的自己。

所以，我们应该承认“流浪的犹太人”这一形象生动地描述了犯错后的感受，但这并不代表这个形象就一锤定音地给错误的根本意义和道德地位下了结论。首要原因在于，我们还有好几种认识错误的思维，大家各执己见、看法各异，所以不能给错误一个统一的意义和地位。况且为什么要紧紧抓住这个不愉快的角度不放呢？完全没有必要。毕竟我们还有更好的思维可选。其实，用云游骑士象征错误不仅比“流浪的犹太人”更好，而且，这样一来，犯错反而较不犯错更好。出错就是出游，而出游就是去了解世界，是在努力了解自己。你若对了，可能心满意足，但终究“对”是静态的，只是一个结果而已；而你若错了，会面临艰苦、会变得谦卑，可能还会陷入危险，但这终究是一场旅途，是一个故事。既然可以披上铠甲、跨上骏马、策马奔腾、周游世界，又有谁真想留守在家里呢？是的，路途中你可能误入歧途、可能困陷沼泽、可能悬崖勒马，也可能被小偷偷走了金银、被强盗绑架在山洞里、被巫师变成了癞蛤蟆……但那又怎样？把事情搞砸就是在冒险，而本书就是秉承这种冒险精神而写成的。

第 2 部分

错误的起源

第3章 我们被自己的感官所骗

曾经有位女士问我，是否相信这世上有鬼怪和幽灵。我斩钉截铁地回答："我不信，女士，我看到的都是自己的幻觉。"

——塞缪尔·泰勒·柯勒律治

1818年4月，苏格兰探险家约翰·罗斯（John Ross）带领两艘船驶出伦敦，向西航行。罗斯曾在海军服役30年，这次出航是受到英国海军部的委派，他们准备搜寻无数人找过的西北航道（Northwest Passage）。当时航道存在与否尚未知晓，但其中潜藏的经济效益不容置疑。由于当年所有商品几乎全靠水路运输，欧亚之间更快速地中转无疑会掀起全球贸易的新浪潮。因此，全世界都为西北航道而痴狂。这条航道是激励探索者前行的动力，是呈现新世界瑰丽远景的荧幕，也是成就或毁灭无数人的声名和财富的严苛考验。在1818年远征队出航前，探索家和淘金者已经花了300多年的时间搜寻这条航道，在其中的后75年的时间里，英国政府还开出2万英镑（相当于今天的20万英镑）的长期悬赏令，要奖给任何找到航道的人。

早在罗斯出航前的10年左右，梅里韦瑟·刘易斯（Meriwether Lewis）和威廉·克拉克（William Clark）徒步穿越美国之举便轰动于世，他们的旅途证明美国东西海岸间没有可通航的河道。此后，航海家们把目光北移，瞄准了加拿大北极地区。这是一片罗斯从未到过的地方，他虽年仅9岁就参军了，但在1818年以前到达过的最北部也不过是瑞典而已，此外他只去过英吉利海峡、西印度群岛和地中海。找他这么一个没有实地经验的人来担当这支重要远征队的领队似乎不太靠谱，但当时的航行赞助者、海军部副部长约翰·巴罗（John Barrow）实在找不到其他的合适人选。自从200年前威廉·巴芬（William Baffin）探索北极后，基本上再也没有人从英国出发到过北极。所以，罗斯的远征堪称现代皇家海军的首次北极远航。

罗斯从巴芬的地图和报告中知道了巴芬湾及其西北部有史密斯、琼斯、兰开斯特三大海峡与之齐名。鉴于巴罗认为大范围的探险比较合适，罗斯便决定去探索这三大海峡，看看是否能从那边找到万众瞩目的西北航道。经历了3个月的海上漂行后，罗斯船队在同年7月抵达巴芬湾。此次登陆本身就是胜利，因为连同巴罗在内的许多人都公开质疑巴芬湾的存在。罗斯一行在发现史密斯海峡和琼斯海峡不可穿越后，就把注意力转向了兰开斯特海峡。在罗斯看来，兰开斯特也是三大海峡中最有希望的一个。然而，他们在8月底到达海峡口时，却见浓雾封天，笼罩了海峡，于是只好等待。8月31日下午3点，一位军官敲开罗斯的舱门，汇报说天气转晴。这位船长立刻冲上甲板，不一会儿便见雾气散去了。罗斯在回忆这次航海经历时写道：

我眺望海峡的尽头，能清楚地看到陆地，地面上还有一排纵贯南北的山脉，目测距离约 8 里格（相当于 27 英里[①]）。船长刘易斯和领航员詹姆斯·黑格记下了陆地的方位并写在日志里……而我则以海军部部长克罗克的名字，给那些横亘中央的南北向山脉命了名。

原来，所谓的兰开斯特"海峡"竟然只是浅水湾，巴芬湾连接的并非通往太平洋的水路，而是绵延不尽的冰山，这便是水路的终点。罗斯的北极之行也至此告终，失望是必然的，但他毕竟完成了海军的使命。于是，这位司令官下令掉头返航。

但怪事发生了。罗斯的副司令官威廉·帕里（William Parry）乘坐另一条船远远地跟着罗斯，却没有看到他所谓的挡住去路的山脉。回国后，帕里把自己的所见汇报给巴罗，而巴罗作为远征的支持者和寻找西北航道的积极分子，自然倾向于帕里的说法，宁愿相信山脉不存在也不愿相信它存在。既然信了帕里的话，巴罗便断定罗斯有错。于是，罗斯很快便被怀疑和耻笑包围。虽说按一般标准衡量，罗斯已算得上成就斐然，他最大的成就是顺利地驾驶英国轮船通过危险的北冰洋东部水域而后平安回国，同时证实了饱受质疑的巴芬的报告切实无误。罗斯还为英国捕鲸业开启了通往巴芬湾之路，也记录了西方人跟因纽特人之间第一起著名冲突，还搜集了有关潮汐、冰川、磁场的重要信息，更别提带回来的不计其数的生物和地理样本了。可当时全世界一门心思都扑在西北航道上，罗斯的这一切成就相比之下便显得暗淡无光。罗斯先是声誉受损，很快就声名扫地。在 1818 年远征队回国后不到一年，巴罗便派遣帕里出航再次查看兰开斯特海峡，这次帕里

① 1 英里约为 1 609.34 米。——编者注

也看到了克罗克山脉，但他直接从两山之间穿过去了，原来那些山脉只是海市蜃楼而已。

欺骗罗斯的是地球上的一种奇特而迷人的光学现象。但凡在炎炎夏日里坐过车的人应该都不会对蜃景感到陌生。你远远看见公路前方似乎被水塘覆盖，靠近时却发现水塘消失了。这种蜃景叫作下现蜃景（inferior mirage），也叫沙漠蜃景（desert mirage），因为在燥热多沙的沙漠中，同样的现象会导致旅人看到根本不存在的绿洲。但极少有人看到过罗斯见到的那种蜃景，因为只有南北两极才具备形成这种蜃景的条件。这种蜃景叫上现蜃景（superior mirage）或极地蜃景（arctic mirage）。下现蜃景反映的是不存在的东西，像地上的水洼和沙漠中的水源。而上现蜃景反映的则是实际存在的事物。所以，罗斯看到的山脉是真的，但那些山脉不是矗立在 25 英里以西的兰开斯特海峡，而是坐落在 200 英里开外的加拿大附近的北冰洋的遥远岛屿。

毫无疑问，正常情况下看到 200 英里以外的山，我们不会误以为那些山就在周围。其实，若没有相当理想的条件，隔着 200 英里的距离是看不到山的。但上现蜃景却让光发生了折射，把地平线以下的光线弯折到地面上，导致那些本该被地表遮挡的景色也跃入我们的视野中。这种蜃景是由于气温反常而产生的。一般来说，地表附近的气温高，海拔越高则气温越低。（想想看，山顶的温度是否比山底低？）可是一旦气温反常，地表温度和上空温度就会颠倒过来。地面附近（譬如海面和冰川上方）的低温空气遇到由特殊大气状况导致的上层高温空气，光线的折射率将会明显增大。在地球两极，由于地表附近空气极冷而形成极大的光线折射率，几千英里以外的物体也能被反射到人类的视网膜上。本质上，这其实就是光玩了个把戏，害得粗心的游客走偏了。

罗斯不是第一个受极地蜃景蛊惑的航海家，也绝不会是最后一个。公元 8 世纪，凯尔特人曾从挪威海的法罗群岛出发，在现在的冰岛靠岸。当时他们之所以起航，很可能是因为看到冰岛的蜃景而误以为这个小岛就在附近。与此类似，历史学家推测格陵兰岛海岸的维京人也是遥望到巴芬岛上群山的上现蜃景才会冒险出海的，并于公元 1000 年左右登陆北美洲。这些例子表明，上现蜃景里多出现山峰和大块陆地。

下现蜃景唯一的戏法是变出一个模糊不清的水塘幻象，而上现蜃景则不同。上现蜃景能展示出任何客观存在的实物，所以，从理论上讲，它呈现的内容几乎是无穷无尽的，有海员声称看到过像冰山、浮冰之类较小物体的蜃景，但最难忘的还是看到其他轮船的蜃景[1]。

---

① 历史上记载的最大的蜃景是一整片大陆。1906 年，美国探险家罗伯特·皮尔里徒步探索加拿大北部，突然间，他抬头一望，看见大约 120 英里远的海面上有一块土地占据了大部分地平线，于是皮尔里认为那肯定是块大陆。说到这里，北极探索的术语会有些绕口，因为皮尔里把这片土地命名为克罗克大陆（不要同罗斯的克罗克山脉混淆）。回到美国后，皮尔里汇报了自己的发现，7 年之后，他以前的副官唐纳德·麦克米兰在加拿大北极圈设营。因为北冰洋已经冻结成冰，所以他们就走上了海面。大概依靠双腿和雪橇走了 600 英里远时，他们看到了一片完全符合皮尔里描述的陆地。可是，他们继续靠近之后却发现那片陆地似乎在变化，而且日落入夜后，陆地就完全消失了。这些人继续前行，但是始终没有到达陆地。现在我们知道，就算他们再走几百英里也不会有陆地出现，所以这不能完全算是极地蜃景，而应该算是海市蜃楼（fata morgana），那是一种放大兼扭曲的戏法。探险家们看到的其实只是冻住的海面上几个凹凸不平的地方，而它们只是在反复无常的极光作用下被夸张地放大了而已。

要了解上现蜃景有多么真假难辨，只需看一看近代加拿大船长罗伯特·巴特利特（Robert Bartlett）的遭遇就知道了。

1939 年 7 月 16 日，巴特利特自格陵兰岛起航驶往冰岛，就在航海途中，他突然望见冰岛的海岸就在眼前，距离很近，以至于他简直能看清楚许多熟悉的地标。就像约翰·罗斯一样，巴特利特估计距海岸尚有 25～30 英里远，可他心里明白，轮船距冰岛海岸的实际距离应该在 350 英里左右，是目测距离的 10 倍还要多。所以，他能看到这个海岸简直就是奇事，就像在俄亥俄州看到华盛顿纪念碑一样。巴特利特记载道："好在我清楚自己的方位，好在目的地不是雷克雅未克，否则我会以为再过几个小时就能靠岸了。海岸的轮廓和白雪皑皑的山顶看起来都近得不可思议。"

多亏这 125 年以来导航工具和地理科学的进步，巴特利特才没有重蹈罗斯的覆辙。但他是依靠技术（包括信息技术）的进步才得以推翻误判，所以只是手上的资源丰富了而已，他的感觉还是同样被彻底欺骗了。

* * *

我们犯错的原因有很多，其中最基本的是为自己的感觉所骗，有时候导致的结果还相当严重（不信你问问罗斯船长），但我们一般会觉得感官失误没什么大不了的，其实还经常不把这种失误当错误。但感官的失误包含了错误的精髓，所以早期研究错误的学者詹姆斯·萨利才会把"幻觉"作为其著作的标题，也作为其他错误的范本。

其他人也持类似观点，只不过自己没意识到罢了。我们在发现错误时，会说自己出现“幻觉”了，不再相信之前的观点，而是说自己“醒悟”了。更常见的是，我们讨论知识和错误时必定会以视野做类比。我们形容掌握真理的人有远见、有见地、有洞察力和卓见；而形容无知的人是“睁眼瞎”。如果理解了一个问题，我们就会说擦亮了眼睛、看明白了，或者说之前瞎了眼而现在看懂了。

“看见”和“明白”之间不仅存在喻体与本体的关系，而且很多时候，我们还相信所见所闻，以及其他感觉就是事实。看到蓝色就认定是蓝色，感觉到热就认定天气热，看到棕榈树在微风中轻摇就认定有微风拂过棕榈树。此前我已提过，我们喜欢把脑中的观点当作对现实的直接反映，对于感觉更是深信不疑，这一点在后续章节中还会详加阐释。无论是天气热、棕榈树、蓝色，还是微风，我们都会把这些感官直接受到的刺激当作世界的真实特征。

“捞到宝藏，北极探险完成！”这是乔治·克鲁克香克在 1819 年画的一幅漫画，意在讽刺罗斯的北极远航。最左边的男人在说：“我们找到的东西够多了，有熊、海鸥、野蛮人、短木块、石头、小狗等，根本不用再去北极。”画中的罗斯及其船员都没有鼻子，这里暗指因纽特人以拉鼻子取代握手的传统。那个抬着北极熊头部末端的男人在说：“丢了鼻子，感觉真好。”

那么，感官是如何欺骗我们的呢？就像刚才我们看到的那样，感官是骗人的高手，尤其擅长在正常情况下扰乱我们，而不仅仅是在约翰·罗斯那样的极端情况下。想想看，在星空晴朗的夜晚走到户外会发生些什么。为了达到实验的目的，想象你不是在芝加哥或休斯敦这样的大城市，而是在真正漆黑的地方，比如在喜马拉雅山脉、巴塔哥尼亚高原或大峡谷的北边缘。你到了那些地方抬头仰望，就会发现天空是一个无边无际的穹顶，厚实的黑幕从地平线的一端铺到另一端，又被无数的星辰刺破。站得久了，你会感觉整个天穹在转动，像神秘船闸里那些转速极慢的转向轮一样。站得再久一点儿，你就会突然觉得，自己仿佛奇怪地处在整个银河系的中心。你的头顶就是天穹的顶点，而你脚下的陆地（这片陆地跟天空、星辰不同，是平坦而静止的）仿佛以你为中心，往四面八方无限延伸。

不算天气恶劣的情况，不算最近100多年来人类发明的人造光源，我们人类抬头欣赏这样的夜空已经有7 300万个夜晚。这幅景象自然是假的，你在虚幻的巴塔哥尼亚高原上所看到、感觉到的一切都是误导。天空既不是穹顶又不会旋转，大地既不平坦又不是静止的，而且很遗憾，我们人类更不是整个宇宙的中心。这一切不仅错了，还错得很典型，就像"泰坦尼克号"打击了我们的自尊一样，这一景象嘲弄了我们的智商，给我们留下了一道永恒的伤疤，时时提醒我们犯错的可能性大得多么惊人。奇怪的是，我们只需走出家门抬头仰望，别的什么都不用做，就会犯下如此低级的错误。连拜占庭式的理论归纳都不用，我们就得出了"星星在动而我没动"的概念（其实，正是拜占庭式的理论归纳逐步把我们引向对宇宙更准确的理解），我们只是简单地看到了前者就感受到了后者。

感觉之不可靠是早期哲学家的心头之痛，因为他们大多把感觉作为知识的主要来源。这就产生了一个大问题：既然感官不可信，又怎能相信那些知识呢？早期一个聪明的解决办法是不承认存在这一问题。普罗塔哥拉（Protagoras）就喜欢用这个办法，他领导的智者学派在公元前 5 世纪活跃于古希腊。普罗塔哥拉认为，感觉是知识的唯一来源，但他坚决否认感觉可能出错。你可能觉得这种观点发展下去是绝对的现实主义观，即主张世界就是我们所看到的样子。但除非大家看待世界的眼光相同，否则这种观点毫无用处。由于每个人的看法都与旁人不同，普罗塔哥拉后来又主张极端相对主义。借用柏拉图说过的一个例子（正是从柏拉图对智者学派的广泛批驳中，我们才了解了智者学派的观点）。如果一阵风吹过，我说是“暖风”，你却说是“寒风”，那么风的温度到底是多少呢？普罗塔哥拉会说，这阵风对我是暖风，对你则是寒风，仅此而已，根本没有“客观存在”的事实供你理解或误解，感知到的就是事实。如果你我的感知恰好相悖，只能说明我们面对的事实不同。普罗塔哥拉认为每个人对世界的感知都是永远正确的。

虽然普罗塔哥拉否认错误的存在，但他毕竟是西方历史上第一位公开讨论错误的哲学家，所以依然值得嘉许。不过，大多数人会对他对感知的解释不太满意。（就像相对主义在一些铁铮铮的事实面前也显得不堪一击。）比如柏拉图就认为他是在胡说。柏拉图相信微风有其内在本质，不管吹到谁身上都是一样的，他还建议普罗塔哥拉买一支温度计。不过，柏拉图彻底否认了感觉是知识的根本来源，之前也提到过，因为他相信原始灵魂与宇宙原本一致，人类靠着逐渐苏醒的记忆才慢慢认识到世界的基本真理。其他哲学家则像普罗塔哥拉一样相信感官是信息的重要传输渠道，但不同的是，他们承认感觉是不准确的。这种观点似乎合情合理、值得采纳。但这也提出了两个相关且尖锐的问题：首先，我们的感官究竟是如何搜集关于世界的信息？其次，我们怎么分辨这些信息的真假虚实？

早期哲学家认为第一个问题从根本上来说是在讨论空间关系，世界是外在的，感觉则是内在的，所以两者是如何融合在一起，形成我们的认知的呢？难道是感官跑出去掰下世界的一小块，再原封不动地藏进体内供大脑思考？显然不可能。但除了梦境、幻觉、疯癫，大部分认知并不是大脑凭空想象出来的。感官肯定用某种办法填塞了我在第一章中提到的“鸿沟”，搭起了人脑和万物之间的桥梁。要理解这是怎么办到的，不妨把“感知”拆分成两步（虽然一般而言这两步密不可分）。第一步是感觉，即神经系统对外界信息做出回应。第二步是认知，即我们消化信息获得意义。换言之，认知就是对“感觉”的理解。

理解就意味着有弹性空间，不管是读书还是认识世界，我们都可能在其中加入个人思考而偏离字面意义。按照这样的认知模式（感官不再被动地反映环境），犯错是完全可能的。大脑在理解的每一步上都有可能走岔了道而偏离世界，给错误以可乘之机。关于认知的第二个问题（怎么分辨这些信息的真假虚实？）由此便有了答案。很遗憾，答案是无法分辨信息的真假。既然我们除了感官就没有别的办法能了解那些事物，自然也没有独立手段来检测感觉是否切实。是的，我们可以询问别人是否有同感，但没办法保证他们没有错。正因为如此，我们才无法确保自己的基本感觉是对的，就像历史上大多数人也无法确保他们弄清楚了夜空的本质。

倒不是说所有的理解都是误解，就像生活中的其他事情一样，认知偏离了本义反倒经常启人深思，甚至揭示深层的真理。看一看生活中一种常见的现象吧——越远的物体看起来越小。假如我们只能看，不能理解，就会以为要么是那些物体真的缩小了，要么是我们长大了。这两种都是爱丽丝梦游仙境般的天马行空的结论。但现在我们知道物体的实际大小是固定的，只是随着距离的改变而看起来会相应改变。飞机起飞后并不会变成一个点，后视镜中的楼房也不会因为我们的前进而沉没到地平线下面去。

再举个例子说明“理解”的用处。想一想视网膜上的盲点，我是指字面意义上的“盲点”——因为视神经穿过视网膜、阻碍了视觉处理而形成的那个点。假如感知是未经修饰的感觉，那么由于视神经的干扰，视线内应长期存在一个空白点。可情况并非如此，因为大脑在整合信息时自动解决了这一问题。如果盲点周围是蓝天，那么我们在盲点的位置“看到”的也是蓝天；如果盲点周围是时代广场，那么我们在盲点的位置“看到”的是人群和出租车。不仅是这两个例子，还有其他诸多例子都说明了认知未必会扭曲世界，反而可能使我们看得更加清楚。

感知会起到怎样的作用暂且不论，起码有一点不会变，那就是你根本意识不到“感知”这个过程。形成感觉的机制几乎完全在潜意识层隐蔽地运转，由此导致了一个讽刺性的结果——我们感觉不到自己是怎么“感知”的。于是“元错误”的一小块便借机探头了。恰恰因为察觉不到“感知”这一动作，看不到错误是怎么钻空子潜进脑海中的，所以我们觉得自己没有错。或者准确点儿说，我们没觉得自己有错。既然彻底忽视了认知这个过程，我们对犯错的可能性自然麻木不仁。就这样，你、我，以及世界上每个人最后都偶尔（相信你不会介意我的形容）会登上约翰·罗斯的“贼船”而脱不开身。

虽然不能把你赶到北极去看上现蜃景，但是要让你看到实际不存在的事物还是很容易的。请看：

这是我最喜欢的一幅错觉图，不是因为它复杂炫目，而是因为它令人抓狂。图中的秘密在于方块 A 跟方块 B 的颜色其实是同样深浅的灰色，没错，这是事实。其实，你若把这幅画当成象棋棋盘，那么所有笼罩在圆柱体阴影中的白格子（譬如 B），跟所有阴影外的黑格子（譬如 A）都是一个颜色。

如果你不相信我说的话是因为你相信自己的眼睛，这个理由很好，你根据目测知道黑白格子是完全不同的颜色。其实，这一结论不是眼睛告诉你的，而是你在经过如我此前所述的一系列认知活动后推导出来的。认知活动之所以会插足，是因为每当我们要判断周围物体的颜色时，仅靠视觉系统来推测会过于不切实际。单纯依赖视觉，只能测量出物体反射的光的波长。这样一来，就像心理学家斯蒂芬·平克（Steven Pinker）所言，我们会把阳光下的煤炭看成是白色的，而把暗屋中的雪球当成是黑色的。但在现实中，考虑到光线的存在，我们会纠正这个错误，所以看到的煤炭本质上依然是黑的，而雪本质上依然是白的。

纠正的办法之一是四周对比。如果某物比周遭环境要亮，它的颜色可能就要浅一些，跟是否有光照无关。这就是为什么在上图的错觉中，我们把方块 B 当成是浅色的（它比四周方块要亮）。而我们又会自觉地把阴影纳入考虑范畴，认为阴影盖住的任何物体颜色其实都没有那么深，经过了这些认知活动后，我们对“方块 B 是浅色的”这一错觉更加深信不疑。

这些视觉“纠正”留给我们的是难以撼动的幻觉。第一次看到这幅图，我死活不信那个答案，最后找了一把剪刀把图片剪成几片。可是，看哪！方块 A 跟方块 B 并排排列后，颜色居然一模一样。为了打消你撕碎本书的念头，我特地提供了第二张图。

这幅图可能不如剪切拼贴来得有说服力，不过好歹能看到个大概。（如果你非要剪了图片才信服的话，我不妨告诉你，在本图设计者的网站上可以找到原图，此外还有许多其他有趣的图。）这幅图的设计者是麻省理工学院视觉科学的教授爱德华·安德森（Edward Adelson）。

这幅错觉图最烦人也最迷人的一点在于，即使明白了它的骗术，你还是会不自觉地上当。看多少遍解释也没用，剪多少幅图片也枉然，反正那两块灰色在你看来是截然不同的。罗伯特·巴特利特明白他离冰岛尚有 350 英里远，所以才没有迷路，但要让他看不到眼前渐近的冰岛海岸却只能是徒劳无功。幻觉的一个重要特征就是顽固性，哪怕你认识到自己受骗，还是避免不了“看花眼”。第二大重要特征是持续性，每次我们都会栽倒在同一个地方。第三大特征是普适性，这是全世界的通病，所有人都会产生同样的错觉。[①]

既然幻觉产生于人类潜意识中共有的认知活动，所以很容易理解它具有以上特征。但重要的一点在于，幻觉虽然令我们铩羽而归，但在日常生活中却是我们的得力助手，这就是为什么全球顶尖学术机构的科学家要以设计错觉图为业。安德森研究的目的不在于发现幻觉本身，而在于找出产生幻觉的过程。若不是这些认知过程偶尔会意外地出错，研究起来可就难如登天了。（甚至你根本就无法了解有这么个过程。）更重要的是，既然幻觉人人都有，而非孩童或病人所特有，所以它能帮助我们了解视觉感知在健康成熟的人脑里是怎样进行的。因此，科学家研究幻觉并非为了了解视觉系统哪里失败，而是为了弄懂它何以成功。

值得强调的一点是，犯错往往是系统正常运行的副作用，还记得大小恒常性[②]吧？我们会根据物体的远近而自动调整其目测大小。在99.99% 的时候，这种调整都是有利的，剩下 0.01% 的情况则是特例。譬如我们乘船至北极圈时，看到巍峨的山峰便误以为群山就在附近。

---

① 这里我讨论的是大家都会犯的感官错误。不过，我们私底下也可能会犯一些纯粹个人的错误。德国哲学家伊曼努尔·康德（Immanuel kant）认真探讨过这个问题。在他之前研究感知的多数哲学家（譬如柏拉图和普罗塔哥拉等）都把注意力放在人体的感官机制上，也就是触觉、味觉、视觉、嗅觉和听觉是如何跟外界的物体产生互动作用的。而康德则主要对心理过程感兴趣。他认为信念、欲望、思想和感觉也会影响我们对环境的认知。这一观点对感知心理学影响很大，因为这解释了我们为什么不仅犯大家都犯的错误，比如受海市蜃楼蒙蔽，而且我们个人的感觉有时也会出错。两个人看见、听见同样的东西，却可以得到完全不同的印象。普罗塔哥拉认为这源于现实在改变。而康德表示反对，他认为改变的是人，以及人感知世界的方式。

② 大小恒常性是指在一定范围内，人对物体大小的知觉不完全随距离的变化而变化，也不随视网膜上视像的大小变化。——编者注

这时候，通常可靠的系统反而会把我们引入歧途。（下面将讲到的其他例子也是这个原理。）这就是为什么错觉，乃至广泛意义上的错误都来得不可思议、不可预测，不仅它们产生的时候我们毫无知觉，而且制造它们的机制在正常情况下还是有益无害的。

如此说来，幻觉是正常（且通常是有益的）认知活动产生的偏差结果，不仅适用于视觉处理，也适用于木偶表演。木偶表演也是一样的骗术，不同的是我们在观看木偶表演时，潜意识自动整合了视觉和听觉的信息。（所以，你看到嘴巴开合、听到有人说话，就以为说话声必然是从那张嘴巴里发出来的，也不管这嘴巴是在 3 英尺[①] 高的木偶身上。）另一种听觉的幻觉就更常见了。如果你有一部手机，或者有个宝宝，你肯定经常听到手机铃响或者宝宝哭闹，一跑过去才发现手机（或宝宝）安静着呢（终于安静了一回），原来是幻听。另外，我们也会有触觉上的幻觉，迄今为止，其中最有名的当属幻肢——被截肢的病人总是强烈地感觉到失去的肢体仍在身上。而我们这些四肢健全的幸运儿有时候则会感觉到“幻帽”。没跟你开玩笑，该感觉类似于“幻肢”，不过更傻一点儿。把紧套在头上的饰品、绷带或帽子取下，哪怕过了好一阵子，我们仍然感觉脑袋像被套住了似的，这就是“幻帽”感觉[②]。

从这些简短的例子中可以看到多数的感官幻觉其实无关紧要，此前我也提过这一点。除非你是视觉科学家、被截肢者或约翰·罗斯船长，否则这些幻觉都无伤大雅。不过，认知系统的扭曲在极少数

① 1 英尺为 30.48 厘米。——编者注

② 幻肢和幻帽能说明很重要的一点，那就是我们不仅会分析、回应外界的信息，也会响应内部的信息，有时候还会曲解内部信息（譬如产生幻肢幻觉时）。我们在下一章会看到一个这一类幻觉的更夸张的例子。

时候也会导致我们犯下更严重的错误。拿非注意盲视（inattentional blindness）举例。有一个实验相当惊人（可惜我得剧透），实验中播放了一段一群人玩快节奏球类游戏的视频并要求数清楚传球次数，视频播放没多久，一只大猩猩（准确点儿说是一个人扮成的大猩猩）就上场站了一会儿，数次捶胸并下场。神奇的是，大概有 33%～50% 的被试者没看到那只大猩猩。我想我该重复一遍：在这组仔细观看了录像的被试者中，三分之一到一半的人都没看到场地中间有过一只捶胸的大猩猩。

这就是非注意盲视在作祟。调查发现，如果我们安排别人去寻找细节，他们便会严重地把握不准全局。早在 20 世纪 70 年代，这种认知怪癖就被人记录了下来，但当时还有些学者不以为然。直到心理学家丹尼尔·西蒙斯（Daniel J. Simons）和克里斯托弗·查布里斯（Christopher F. Chabris）设计出那个实验后，才证明非注意盲视对我们的影响已经远远超出某些学者想象的逻辑极限。（如果想看那段录像，可以登录伊利诺伊大学视觉认知实验室的网站。不过请注意，你在读过本文后肯定会看到那只黑猩猩。这就相当于我没让你数传球次数，而是数黑猩猩的个数一样。但是，如果请朋友们来看这段录像的话，差不多有一半的人还是会上当。）

非注意盲视跟其他那些自发进行的认知活动一样，在一般情形下都是有益的，倘若没有非注意盲视，我们也不可能屏蔽周遭的噪声而集中精力做手头的事情。不过，一旦非注意盲视跟我们作对，后果可能会不堪设想。1972 年，美国东方航空（Eastern Airlines）的 401 号班机准备在迈阿密着陆时，起落架上的灯泡没亮。驾驶舱内的 3 位机组人员都一门心思地想解决灯泡问题，全然没有注意到飞机在自动驾驶仪的控制下继续降落……最终该班机坠毁在沼泽地里，造成 100 多人遇难。调查人员在分析飞行录音时发现，3 个飞行员都对危险茫然不觉，直到坠机的前几秒才猛然回过神儿来。同样，非注意盲视也是诸多车祸的诱因，尤其在“车撞人”“车撞单车”等事件中更是扮演了主要角色——因为不管行人和自行车多么显眼，司机的重心毕竟不在他们，所以看到他们的概率也小一些。盗窃团伙也经常利用非注意盲视作案，他们团体合作，先分散目标的注意力，再顺手牵羊捞一笔。受害者如果不是因为分心，应该不难察觉盗窃团伙的行窃举动。

蓄意利用这种系统性认知失误是古已有之的做法，历史上还颇有一些不光彩的例子。宗教和政治就是两个典型。于 1833 年发表《自然魔法之信函讨论》（*Letters on Natural Magic*）的苏格兰博学家大卫·布儒斯特（David Brewster）是早期记录幻觉操纵的人，他感兴趣的是“古代统治者以各种手段控制人民的思想，从科学、艺术、自然界现象和力量中获得帮助，以维持对臣民的影响”。你是否好奇过“障眼法”[①]一词的来源？布儒斯特详细地阐述过。如果用一些凹面的银片，把人影投射到烟雾背景之上，看起来就像神、统治者或敌人在火堆中心乱舞（或扭动）一样。布儒斯特还列出了一些听力幻觉现象，并解释了现象背后的机制，包括“德尔菲神庙里回响的金色圣女的魅人呼唤；帕克托罗斯河里吓跑盗贼的小号音石头；莱斯沃斯岛上会传达神谕的头颅；黎明时分与朝阳攀谈的门农巨像”。

这些例子反映出对感官的控制就是权力，这条真理不仅适用于古代社会，甚至在布儒斯特自己生活的时期就有一个绝佳的事例可以佐证，这个例子也是非洲殖民时期的注解。19 世纪中期，法国在阿尔及

① “障眼法”的英文是“smoke and mirror”，字面意思是“烟雾和镜子”，魔术师一般都用烟雾和镜子作为手段。所以，smoke and mirror 就成了欺骗别人的常用语。——译者注

利亚的统治遇到了阻碍，当地的伊斯兰教神职人员利用其地位和所谓的超自然力量，鼓励人民揭竿而起反抗殖民统治，由此引发了难以平息的叛乱。拿破仑三世决定“以毒攻毒”，于是请来让·欧仁·罗贝尔－乌当（Jean Eugène Robert-Houdin）帮忙。这位曾经的钟表匠后来成了创意无穷、以假乱真的魔术大师。[罗贝尔－乌当是公认的“现代魔术之父”。后来，他的一个象征性的“嫡子”为这项荣誉赋予了更完整的意义。1980 年，满腔热血的年轻魔术师艾瑞其·怀兹（Ehrich Weiss）把自己的名字改为“胡迪尼”（Houdini）以向偶像致敬］拿破仑派遣罗贝尔－乌当去阿尔及利亚，命他取得比神职人员更神圣的地位。罗贝尔－乌当不辱使命，他搬出了现代魔术的全部法宝——从魔术帽里掏出加农炮弹、用牙齿接住子弹、把伪装得十分逼真的族长变消失……就这样，魔术师让观众相信，法兰西帝国一方有更高一等的神相助，所以不要小瞧法国人①。

这样看来，我们的认知失误容易被政客和扒手利用，这可能会给自己和别人造成危险，就像美国东方航空 401 航班空难一样；可能混淆视听，无论是轻微（比如我们对棋盘上的阴影亮度判断失误）还是严重（比如我们以为太阳围绕地球旋转）；可能后果恶劣（比如虚幻的山脉断送了你的前程），抑或无关痛痒（比如地上的一摊水随着你走近而消失）；最后还可能逗你一笑（比如我们蜂拥去看魔术表演或因为错觉而目瞪口呆）。

虽然认知失误跟错误一开始看起来毫不相干，但是有了危险、混

① 罗贝尔－乌当在阿尔及利亚的工作也是现代军事中心理战的前身。不是所有的心理战都会操控感觉，但大多数都包含这一条。伊拉克战争中就提供了（至少）两个值得记住的例子：一是巴格达上演的推翻萨达姆·侯赛因雕像；二是媒体大肆宣扬、极尽夸张扭曲的“拯救”杰西卡·林奇事件。

淆、恶劣、轻微和愉悦等特点，你就能看出认知失误具有错误能带来的所有的现实影响和情绪波动。早先我提到过错误和失误都是犯错的两个典型，原因之一正在于此。不过更重要的一点是，幻觉教会了我们如何看待错误。在理智层面上，幻觉告诉我们即使看似无懈可击的“现实”，也未必是现实，而潜意识中的认知活动（虽然一般不会出错）给了犯错可乘之机。在情感层面上，幻觉是引导我们承认人性的第一步。如果我们不能接受自己犯错，也就不能原谅别人犯错，至少先试着接纳人人不能幸免的这些认知失误。

幻觉不仅教会我们承认错误，还教会我们享受错误。我们只能以乐观思维看待感官失误，因为悲观思维是不把幻觉当成错误的。换成乐观思维，我们就会发现感官失误有趣、欢快且魅力无穷。对幻觉的这种迷恋从人们很小的时候就已经开始了［比如小学生最爱的“敲门笑话”(knock-knock jokes)[①] 就是利用了错觉］，而且不会随着年龄的增长而消失。换句话说，全世界的人不仅都有错觉，而且都爱错觉。

错觉的这种吸引力颠倒了我们与错误的传统关系。一般来说，当我们自以为了解、掌握周遭环境时，是最开心的，可是有了海市蜃楼这种幻觉，我们就不禁感慨自然的神奇远胜于我们，想到世界的奇异无穷无尽，我们就会为此而开心。平时我们都爱正确，但有些时候，比如在看爱德华·安德森的棋盘时，我们不仅会上当，而且会稀里糊涂地上当，于是等真相揭晓时发现自己居然有犯错的空间，为此又惊又喜。一般来说，我们讨厌纠结在两种矛盾的理论之间，但在看著名

① 敲门笑话，指讲英语的孩子们经常玩的一种文字游戏。玩法是：第一个人说“砰砰”，模仿敲门声，第二个人问：“谁啊？”第一个人回答一个自己想好的单词［如艾比（Abby）］，第二个人接着问：“哪个艾比？”第一个人说：“ Abby birthday to you！”听起来像是“Happy birthday to you!”（祝你生日快乐！）——编者注

的“花瓶或人脸”“老妇或少女”[①]等错觉图时，我们摇摆于两幅截然不同又同样逼真的图画之间正是乐趣所在。一般来说，我们在犯错后不愿过多谈论错误，哪怕不得不反思错误也不情愿。可是，错觉牢牢地抓住了我们的注意力，鼓励我们来了解它，也了解大脑的成功和失误之处。

毫无疑问，不涉及利害关系的时候，在错误中发现乐趣要更放松，至少相对而言是这样的。不过也不尽然，因为我们都有过为区区小错发无名大火的经历。之所以对幻觉另眼相待，主要还在于我们接纳它。虽然还不能确切地知道自己会怎么犯错，但是知道肯定会犯错，所以坦然面对、欣然接纳。

其实，大体上也可以说生活同样如此。我们不知道下一个错误潜藏在哪里，也不知道错误会以怎样的面目出现，但可以肯定错误正在伺机而动。就像对待幻觉一样，我们应该期待与错误会面，虽然自尊心可能会略受打击，不过好奇心很快就会占上风，惊喜随之而来。然而，从简单的感官失误过渡到更复杂、更严重的错误后，我们未必都能保持这种心态。但是只要你愿意，接纳错误总是可以的。其实，这可以说是幻觉教给我们的最重要的一课——至少在某些时候，我们的确有可能从错误中收获比正确时更多的满足。

---

① 两幅错觉图画的都是可以有两种解释的图像。在第一幅图中，将注意力放在白色的前景上，你看到的就是花瓶；而放在黑色的背景上，你看到的就是两张脸。在第二幅图中，注意某些细节，你看到的就是漂亮的妙龄少女；而注意另一些细节，则会看到不那么漂亮的老妇。

第 4 章　我们的大脑之一：懂、不懂与编造事实

"我知道"这句话表达了一种状态，它代表我保证自己知道，而且知道的均为事实。我们总是忘了还有另一种表达方式，即"我以为我知道"。

——维特根斯坦《论确定性》

1992 年，46 岁的妇人汉娜在奥地利维也纳的一家医院里接受神经系统检查，神经科医生名叫乔格·古登伯格，医生先让汉娜形容了一下他的外貌。这个问题乍一听很奇怪，不过汉娜照做了。她说医生有一头短发，胡子刮得干干净净，没戴眼镜，皮肤略显黝黑。古登伯格又问汉娜面前有什么。汉娜说有一个学生时代用过的那种笔记本，棕色的封皮上写着她看不懂的拉丁字母。那么笔记本在哪儿呢？医生问她。你左手举着的就是，高度齐眼，汉娜如此回答。

问题在于——古登伯格的脸被屏幕挡住了，而病人面前是把梳子。在问具体位置前，医生已经把梳子藏在身前桌子的下方。原来汉娜是

个盲人。受一个月以前中风的影响，她的视觉皮层几乎全部受损，此后她一动也不能动，不仅肌肉无法协调，还患上了类似癫痫的慢性痉挛，左边身体挛缩尤为严重。可是屋漏偏逢连夜雨，汉娜还染上了一个更怪异罕见的毛病——她不知道自己失明了。

“盲者不知眼盲”可以用来形容我们犯错而不自知，但有人实实在在处于这种状态却令人匪夷所思。像约翰·罗斯船长那样看到不存在的山脉已经够奇怪的了，但是跟失明了还能看到山脉相比只是小巫见大巫。然而，这种对自己失明的“视而不见”却是真实存在的病症，它叫作安东综合征（Anton’s Syndrome），它跟其他类似的神经疾病一样，都属于“病觉缺失”（anosognosia），也叫作“疾病否认”（denial of disease）。最常见的病觉缺失是瘫痪否认（虽然同样匪夷所思，不过远比安东综合征常见），就跟否认眼盲一样，否认瘫痪的情况往往也发生在中风患者身上（但非一定如此）。就像汉娜对答如流地描述出了她根本看不到的人和物，瘫痪否认症患者也会很有把握地告诉医生或亲人，他们当然走得动，刚才还走过，甚至现在正在动……其中的著名代表当属高等法院已故法官威廉·道格拉斯，他生前患这种怪病时曾声称自己身体无恙，还兴致勃勃地邀请报道他中风的一位记者跟他一起徒步旅行。

我们可以用“奇怪”来委婉地形容安东综合征和瘫痪否认症。的确有很多疾病会在不知不觉中折磨我们的身体，比如心脏病、癌症、自体免疫失调等——这些都是人体内可怕的休眠细胞，不过眼盲和瘫痪通常不在此列。无论看得见还是看不见，动得了还是动不了，我们一般不会怀疑自己的“身体认识”不可靠，更不用想因此而犯错了。实际上都不应该把这些称作“身体认识”。若是我们嗓子痛、膝盖酸，那当然是有关身体的问题，且仅限于身体，跟我们内心深处产生“我是谁”这样的问题无关。可是，目视与走动的能力却会影响我们对自我身份的判定，此处的自我不同于那个长大后的复杂而带有印记的狭义的“我”，是最根本的自我，是与生俱来、难以言喻、内心最深处的感觉，“我”就是如此，“我”和世界就是这样的关系。

所以，可以说体象病觉缺失症患者是错得最离谱的人。其他错误可能后果严重、伤害感情（譬如弄错了家谱，全心全意地相信过某个宗教、某种观点、某个人，之后又彻彻底底地推翻它），但绝不会逼我们承认犯错的可能性无处不在。如果说错误产生于我们心中描摹的“世界”与真实世界的差距，那么体象病觉缺失症则告诉我们，这个差距遍布各个角落，哪怕在最意想不到的地方也有它的影子。比如，你能想象出你以为自己在挥舞手臂时，结果手臂却没动的感觉吗？无法做到吧？这种事情似乎没有怀疑的余地和犯错的可能。其实，就是因为相信自己的“身体认识”，我们才会用“了如指掌”这个词来形容十足的把握。但是神经学家推测，体象病觉缺失症患者和安东综合征患者的问题在于，他们错把大脑的想法当成现实了。（所以前者以为自己在运动，后者则想象出一种场景。）由此可见，错误无处不在，不管是看似多么重要、多么无懈可击的知识，始终有可能在某些时候站不住脚。

所有知识都有漏洞，这一点实在让人沮丧，因为我们实在很迷恋“知道”的感觉。我有一个还不满 18 个月的侄女，她前不久开口说出人生中的第一句话就是：“我知道。”她对世界的了解如此之少却洋溢着如此的自信，实在令人难忘。不过，虽然我宠爱小侄女，但不得不说她还算不上这方面的杰出代表。所有人从牙牙学语到魂归地下，都知道或自认为知道不计其数的事情——我们享受认知带来的控制感和信心。

可惜，就像我们刚才看到的那样，认知总是有可能出纰漏的，更糟的是，我们衡量自己是否懂事的标准也存在着严重而不可修复的漏洞；相应的，我们又擅长忽视自己的无知。所以，总结起来就是我们喜欢明白事情，但总也无法确定是否真的明白；我们不擅长发现无知，却练出了胡编乱想的拿手本领。这一切导致“知识”普遍靠不住，所以本章的主要目的是劝你放弃“知识”这种说法而改用“观点”，这起码算是为了理解错误而采用的权宜之计。

我们在下一章还会继续探讨什么是“观点”，但现在你只要知道“观点”是你对世界的每一个想法就差不多了，至于你是否知道自己有这种想法，以及这种想法是否正确都无关紧要。几千年来，哲学家努力要找到一种标准，以便把某些想法提升到“知识”的高度，而知识也就是我们可以理直气壮、有十足把握地宣称自己懂得的那些事情。柏拉图提出了有关知识最经典的设想，他把知识定义为“正确而理由充分的观念”(justified true belief)。按照他的意思，你如果声称自己知道什么，就必须同时满足两个条件：你的想法是对的；你能给出站得住脚的解释。这就排除了那些以假乱真的谬论（比如地心说）和论据不足的真理。(比如我说我中奖了的理由是“骨子里的感觉”，这样就算最后真的中了奖也不算是真理。)

柏拉图的定义引发了一场有关知识本质的争辩，这场争辩持续了2 500年。最早反对这一定义的是怀疑学家，他们的理由是我们证明不了任何观念的真伪，所以谁也不能理直气壮地说自己懂得任何事（虽然我侄女说了)。其他哲学家则认为我们可以说自己懂得某些事情，只是柏拉图没具体阐述到底是哪些事。在这些思想家看来，知识就是有条件的观念——换句话说，不仅是有论据支撑、正确的观念，还必须是以某种方式得到的绝对正确、不容辩驳的观念。

以本书的立场来看，从这场辩论里可以学到重要的两点。第一，人们对知识的传统看法无非是一种观点加一堆证明材料。我们在本章末还会讨论这种看法。第二，哲学专家也很难拍胸脯保证自己懂得什么。为什么其他人却不怎么为这个问题苦恼？倒不是因为我们生来就是睿智的哲学家，只是我们抑制不住"我懂"的这种感觉。大多数人并不是用脑子判断的，而是直接凭感觉断言自己是否懂得某件事，就像威廉·詹姆斯所写的："我们在有些事情上感觉很有把握，我们了解事情而且确认自己掌控全局。这种感觉就像心里某处轻轻一动，像时针和分针划过表盘，在正午 12 点重合的那一瞬。"

詹姆斯的这番形容并没有赞扬的意思。"我懂"的感觉排山倒海，而且其受用程度难以言表，但它却称不上检测知识的准确标准。失明的汉娜"知道"自己视力无碍，但我们都明白她的"知道"是错误的。所以，"感觉自己知道"是有问题的：不管正确与否，你都感觉是绝对正确的，要认识到这个问题，也许最形象的办法就是回顾我们的记忆。我们在回首往事时心中都有十足把握，同时也把自己的笃定表露出来。在回忆的领域，"知识"是过去的知识——只是最后你会发现这些根本就称不上是"知识"。

1941 年 12 月 7 日，一位 13 岁的男孩奈瑟尔听收音机的时候突然得知日军袭击了珍珠港。这件事深深地印在小男孩的脑海里，此后数十载，他一直记得这件事：当时一位电台播音员突然打断了他正在收听的棒球赛，插播了有关袭击珍珠港的简讯。

奈瑟尔的回忆生动、逼真而持久，这正代表了我们对轰动事件的典型反应。想想你印象中的全国性灾难吧，比如 2001 年 9 月 11 日的恐怖袭击。假如你是美国人，我可以拿我的银行存款打赌，你一定悉数记得遭袭当天做的事——你记得自己是怎么听到这条新闻的，当时在什么地方、有什么感受、在跟谁说话，以及对恐怖袭击事件有什么想法等。我还可以打赌，你那些记忆都异常地生动、具体（肯定比你对其他日子，比如对 2001 年 9 月 5 日的印象深刻得多。甚至 9 月 5 日对你来说根本没存在过），你对记忆的精确度也自信满满。但是，我还得下最后一注，我赌你的回忆或多或少失真了。奈瑟尔的记忆就不准确，珍珠港事件发生了 40 年后，奈瑟尔突然想起职业棒球赛根本就不在 12 月举行。

但大概是命中注定吧，13 岁的小棒球迷后来成了埃默里大学的心理学教授。1989 年，奈瑟尔发表了一部研究著作，首先探讨了他经历过的记忆失真问题。在作品出版前，流行观点认为我们对突发性灾难事件的印象会比日常琐事深刻得多，这一理论跟感觉也相符。因为这种记忆酷似现实、恰如照片，所以也被叫作“闪光灯式记忆”（flashbulb memory）。心理学家推测这些记忆产生于我们独特的进化需要，受到的神经处理跟日常生活的记忆有所不同。不过，尽管人们认定这类记忆非常生动翔实（这种认识主要归功于 1977 年的一部收集了人们对肯尼迪总统遇刺事件集体回忆的研究著作），但却从没有人测试过其准确度。

国家的灾难却是记忆研究者的福气。1986 年，“挑战者”号航天飞机爆炸，奈瑟尔趁此机会填补了记忆研究史上的缺憾，也检验了自己对珍珠港的错误记忆是否是一个个例。灾难发生的第二天，他调查了全班同学对此事件的印象，3 年后又调查了一遍，得出的调查结果宣判了“闪光灯式记忆”的死刑。第二次回忆调查的结果显示，只有不到 7% 的人跟第一次的调查结果相符，50% 的人讲错了三分之二的细节，还有 25% 的人主要信息点全部错误，其他后续研究也印证了这一结果。“闪光灯式记忆”可能鲜活得令人咋舌，但研究表明，其准确度像普通记忆一样会随着时间的推移而降低。这种精准又有规律的遗忘可以直接用曲线表现出来，这就是现在著名的“艾宾浩斯遗忘曲线”。（“9・11”恐怖袭击事件之后，一群认知学家和心理学家组成了

"9·11"恐怖袭击事件记忆联盟，他们在奈瑟尔研究的基础上进行拓展，得到了类似的结果。）

很多神经学和心理学的书籍都描写了错误如何把记忆伤得千疮百孔。但我感兴趣的是，为什么记忆如此不靠谱，我们却感觉它依然很真实，或者说为什么记忆能制造如此强烈的确信感。在肯尼迪遇刺 10 多年以后的 1977 年，许多被采访者形容这件事"烙印在（他们的）脑海里"清晰"如昨"。更令人震惊的是，奈瑟尔给一个实验对象看了她当初写的"挑战者"号航天飞机爆炸后的记录报告。发现这份报告与记忆不符后，她竟答道："我知道这笔迹是我的，但我怎么可能写出这种报告？"同样，你虽然读了这么多事例，但你极有可能仍对自己关于"9·11"恐怖袭击事件的印象满怀信心。

也许你错了，但不止你一个人在犯错。没有谁的记忆是完美且巨细无遗的，但几乎每个人都盲目地相信回忆，尤其坚信对灾难事件的回忆。但并不限于此①，哪怕是记忆中相对琐碎的事情，我们也真心诚

① 这就意味着我们对那些没有造成心理创伤的记忆也有把握。其实我们连假的记忆都相信。这是错误记忆研究实验得出的结论，不仅令人震惊，还发人深省。实验中，心理学家在被试者家人的同意和陪同下，跟实验对象接触了好几次，让他们相信自己小时候经历过一件其实没有发生过的事情，比如在商店里走丢了或者乘坐过热气球等。总体结果是，四分之一的被试者会接受这个虚假记忆。（而孩子接受的程度又要高很多，接纳的孩子数量占 30%～60%。）对于这些被试者来说，这一份被植入的"记忆"在很大程度上几乎就等同于现实，所以后期要说服他们这一事情从未发生过还阻碍重重。有个名叫克里斯的 14 岁男孩经过误导后，相信自己儿时确实在商场走丢过。后来听到实验解说，他还表示怀疑："我记得我是走丢过的……我还找过你们。我真的记得，"他坚持说，"后来我哭了，妈妈就走过来说：'你去哪儿了？你再也不要到处乱跑了。'"虽然这一事件是伪造的，可是克里斯在大脑里还是找到了确信感。从某种意义上讲，这些虚假记忆跟"闪光灯式记忆"中的错误其实差不多，像奈瑟尔也"记得"不曾发生的事情。不过，虚假记忆更让人不安，因为它表明"知道"的感觉可以毫无来由，而我们的记忆也可以被他人彻底地蓄意操控。

意地相信着并斩钉截铁地捍卫它。我们会跟姐妹为1984年是谁弄皱了毛衣而吵个没完，我们会跟爱人为当初第三次约会的地点而争执15年——我们会一直对这些事耿耿于怀。虽然可以暂时避开这些话题，但是，除非有相当明确的证据证明我们错了，否则我们依旧会深信自己是对的。

怎么来压制这种自以为是的感觉，相信自己真的有可能错了呢？这个问题不仅针对失真的记忆，还贯穿了整个错误学领域。“感觉很正确”——这句话本身就有问题。不论是在言谈中还是在生活中，我们都把心理状态（“感觉”）转化为对真理的断言（“正确”）。换句话说，我们感觉对是因为“感觉对”：我们误把确信感当作事情正确的标志。不能凭这一点就说我们蠢到家了，有研究表明，信心和正确之间确实有一定的联系，但也不能就此开脱，说自己一点儿都不傻。“闪光灯式记忆”清楚地表明，我们的确信感反映了存在于脑海中的异常鲜活的画面，但谁都没法保证那些画面反映了真实的生活场景。

我们颇为依赖脑海中生动的画面，所以特别容易相信记忆。2 000年前，柏拉图提出过一种解释记忆的假说，他的理论现在看来既严重过时又超越时代。他说，想象你大脑里有一块蜡板——那是“记忆之宝、沉思之母”，你所感受到的无论是个人观点、感官印象还是与他人的交流，都会在蜡板上刻下一笔痕迹，如同在信件的封口处盖个章一样。按照这种假说，回忆就是蜡板上的印记，是往事留在脑海中的影子，事情一经发生就留下痕迹并且永远不变。

柏拉图所说的蜡板虽被淘汰已久，但他的比喻却流传了下来。每一代的尖端技术都会提供类似于“记忆”的服务，“闪光灯式记忆”就是其中一例，其他代表诸如书籍、留声机、电影，以及电脑等。（电脑跟记忆的关联最明显，主要因为二者的联系是双向的。我们会说自己的记忆像电脑，也会说电脑有记忆[①]。这句话说顺口后，我们都忘了它原本是一个比喻。）依照这种假说，记忆类似于存储技术，那么脑海中栩栩如生的画面确实应该很精准，只要照片没有褪色，书本没有散架，我们就不会怀疑其中所储藏的信息有遗失。

但问题是这种看待记忆的方式根本就不对。柏拉图其实知道该假说在哲学上站不住脚，他之所以提出来，也只是为了迂回地驳倒这种理论，这是不可复制的"柏拉图式作风"。后世思想家发现该假说在科学上的漏洞也颇多，于是相继提出了更复杂、更高深的理论（但尚待证明）解释大脑记忆和遗忘的方式。很多现代神经学家认为，记忆不是一种功能，而是多项任务的组合，这些任务包括记人、记事、记时间地点、记动作等。他们也认为这些任务不是由大脑里的某一个部分单独完成的（别以为脑中有蜡板、照相机、电脑之类的东西），而是由很多区域协作完成的结果，不同部位分工各异，有的负责脸部识别，有的负责情感处理，等等。最后，最能说明问题的是，他们还相信与其说记忆原封不动地藏在大脑里的某个区域，倒不如说它散落在各处，每次我们回忆往事时，记忆便由这些地方共同拼装而产生。

对于"记忆是记录"的假说，我们已经谈得够多了。不过，一旦摒弃这种说法，同时也要放弃"鲜活的画面表现准确"这一观点。如果说回忆并非提取记忆而是重组记忆，我们则极有可能在组装的过程中把鲜活的细节添加进了某些记忆里，换言之，"鲜活的画面"可能只是记忆重组的副产品。对此，神经学家威廉·赫斯特（William Hirst，"9·11"恐怖袭击事件记忆联盟的副主席）解释道，我们之所以感觉有些回忆很真实，不是因为这些回忆真的符合原况，而是因为回忆的

① "电脑的记忆"即"内存"，英文原文是 computer memory。——译者注

次数太多（也就是重组次数太多），而且回忆得太容易。他也推断，有的记忆特别有说服力，是因为“（我们心里）有一些关于哪种事情该记住或不该记住的基本原则”。也就是说，有些事“烙在脑海里”，是因为我们的文化和内心不允许我们忘记它。想一想“9 · 11”恐怖袭击事件后那些“永不忘记”的标语，你就明白了，赫斯特认为“有时候铭记成了一种道德要求”。

这种新提出的记忆模式并不是无懈可击的。关于大脑怎样存储、提取和重组过去的信息，我们尚有很多不明白之处。不过，这套模式真正的问题在于能否说服我们这些非神经学家信服它。柏拉图的“蜡板说”依然是最有说服力、最符合直觉的理论，因为他虽对记忆原理解释得不好，却把记忆的感觉描述得恰如其分。由于我们在大脑拼凑不同区域的碎片时毫无知觉，所以掉入了跟认知失误一样的陷阱——因为感觉不到过程，从而看不到误解和曲解从何处入侵。

我们经常把“感觉知道”和实际知道混淆起来，不是只在回忆时才这么做，而是只要观点足够坚定就会上演类似的情况。而在下一章中，我们会发现这样的坚定观点数不胜数。在后续章节中，我们也会讨论其他因素如何加强了“我知道”的感觉，这些因素多种多样，从我们结交的人群到大脑的运作模式等不一而足。不过，现在我只想探讨当“感觉知道”撞上了“实际不知道”时会发生怎样的情况，为此我们要回到起点，再去探视一下“知道”自己视觉无碍的盲人汉娜。

盲人以为自己不盲无疑是奇怪的，但安东综合征还只是个开始，更奇怪的是，汉娜从容地描述出了医生干净的脸庞和迷人的麦色皮肤，还描述出了一个根本不存在的笔记本的特点和位置。同样，以道格拉斯法官为代表的很多“瘫痪否认”患者也不仅仅是否认瘫痪而已，如果他们恰好用单手完成了一项棘手的任务（比如解开衬衫纽扣），他们便会说自己是用双手完成的。如果你邀请他们站起来同你在屋内转一转，他们会婉拒，但不是因为走不动，而是因为关节炎犯了、昨晚没睡好、打高尔夫球有点儿累了所以力不从心等。这些理由既疯狂又假得离谱，但说话者既非故意说谎亦非精神失常，他们不是存心欺骗别人，也并不知道自己说得不对。他们中的许多人甚至是神志清楚、机智敏捷、口齿伶俐的，只要没谈到瘫痪的话题就不会太脱离现实。所以这些人到底怎么了？

答案是他们在虚构。所谓虚构基本上就是瞎编，跟这一概念最相关的语源学词汇莫过于"寓言"。大脑受损后会自发地虚构一些寓言，这些寓言就像现实中的寓言一样能解答一些问题，但它们仍属于幻想作品。大脑的虚构把平凡与超凡天衣无缝地糅合在一起，恰似小说一般（比如加西亚·马尔克斯的魔幻现实主义作品或者村上春树的小说）。虚构跟文学还有一个共同之处，那便是两者都反映了我们按捺不住的讲故事的需求，我们通过讲故事理解世界。

下一章还会详细阐述这种需求，而现在的重点是，我们在正常情况下编造的故事会经过相当全面的审核，但虚构者不一样。哲学家威廉·赫斯坦（William Herstein）（注意与记忆学家威廉·赫斯特区分开）在 2005 年出版的《大脑小说》（*Brain Fiction*）一书里讨论了虚构的话题，他写道："在大脑中创造合理的回应与检测那些回应似乎是由不同部位负责的，但虚构患者的大脑损伤后只保留了编造的能力，却不会再审核。"

想象一下，每个人的大脑里都有一名作家和一个事实校验员，作家一动笔编写小说，事实校验员就立刻着手检查故事是否符合感官印象和记忆，是否前后一致、逻辑连贯，是否跟我们数据库中的事实相符。一旦我们把故事讲出口，事实校验员还要依据他人的反应以评测故事的可信度。虽然最后得到的故事可能仍不准确甚至稀奇古怪，但在一些基本点上起码是有分寸的。

而一旦事实校验员打盹了，我们的理论便可能会野马脱缰，彻底脱离现实。所有人都经历过这种时刻，因为在事实校验员睡得最熟的时候，我们自己也睡得正香。再想一想梦境吧，哪怕是一般的梦境都古怪无比。比如你待在童年时期的家里，只是你家的位置从哥本哈根移到了哥伦比亚，而你家后院不知为何多了一个奥运会标准大小的游泳池，而你现在的上司（他看起来也像你二年级时的老师）正在教你游泳。现在这里同时发生了两件奇怪的事：其一是你大脑所反映的世界跟现实关联很小，而且不可能在现实中出现；其二是你对此毫不担心。这种难以解释的淡漠感在吉尔伯特与沙利文的喜剧《贵族与仙女》（*Iolanthe*）里表现得很传神，故事中的一个角色讲述了一个关于自己横渡英吉利海峡的荒诞梦境，他唱道："你在旅途中遇到了律师，他清晨从德文岛过来，他长得比平时矮，说自己只有 11 岁，你听了毫不惊奇。"

你毫不惊讶——这便是梦境中缺失的最关键的情绪。惊讶是我们在希望落空时的反应，是标志我们犯错的情感信号。但是我们在梦中不会认识到错误，因为平时用来检验真假的那些方法在梦中都暂停了。酣睡的时候，我们的感官输入、逻辑分析、现实把握等能力都降到了最低值，而四周也没有人用看疯子一样的眼神打量我们，所以不管事情多么扭曲、多么离奇（跟上司学游泳，遇到 11 岁的律师），我们都表现得若无其事。在梦的国度里不存在错误和不可能（同样，我们在睡梦中动不了，却以为自己在动，看不见却以为自己能看见），只有睡醒之后（当脑中的事实校验员猛然苏醒过来，询问作家到底在干些什么时）我们才会意识到梦中所经历的一切是多么荒谬离谱。

在睡梦中脱离现实不会有问题，恰恰相反，正如我在第二章中所说，它是对深层真理的揭示，也是人类灵感、快乐和魅力的稳定源泉。但大脑若在我们清醒时也胡编乱造，问题就来了，这就是虚构者所面临的困境，如赫斯坦在《大脑小说》里所言："在这场大脑内部的对话中，一方睡着了，而另一方天马行空地想象。"

要证明脑内对话中断后虚构就会出现，最好的例子不是体象病觉缺失症，而是另一种神经疾病——癫痫。20 世纪 60 年代，神经学家迈克尔·加扎尼加（Michael Gazzaniga）及其同事对接受裂脑术的癫痫患者进行了一系列实验。所谓裂脑术，即动手术切断连接癫痫患者左右脑的胼胝体，由于严重的癫痫症可能危及病人生命，所以需要采用此项医疗手段缓解其病情。科学家用一种特殊的手段把图像只展示给病人的右边大脑，从而对其下达指令，在病人服从指令后，科学家要求他们解释为什么这么做，得到的答案稀奇古怪。有一个人奉令大笑，但被问及为什么笑时，他告诉实验者说："你们太过分了！"而另一个病人按照要求走路，被问及为何站起来时，她说她渴了，要去倒杯水喝。

这些虚构出来的理由是左脑解决奇怪问题的办法。左脑主管语言能力，所以我们对世界的描述主要由左脑负责；而右脑不擅长语言，只能领会命令并转化为动作，却解释不出原因。对于健康的人来说，左右脑分工不是问题，因为两边大脑在不停地交换信息。但对于裂脑病人来说，左右脑之间的沟通出了问题，所以加扎尼加的实验对象需要解释自己的行为，可右脑缺乏解释的能力而左脑又缺乏必要的信息，换句话说，左脑根本就不知道自己为什么做这些事，所以只好从行为入手反过来推测原因。而左脑又是此道高手，所以它不停地编出了合情合理（但大错特错）的理由，完全没有明显的疑惑、犹豫、怀疑和欺骗等迹象。

如果虚构只出现在大脑损伤的患者和裂脑病人身上，这不过是神经学上的一个怪谈罢了[①]，但其实正常人也容易虚构。1977年，心理学家理查德·尼斯贝（Richard Nisbett）和蒂莫西·威尔逊（Timothy Wilson）在密歇根的百货公司开了一家店铺，要求顾客对比4组“不同”的连裤袜，实际上4组连裤袜完全一样。但顾客还是固执地选择了其中的一条并且解释出自己选择的原因，他们给出的理由包括“这条的颜色稍微漂亮些”或者“这条的面料更柔软”等。

可以说，他们都是某种意义上的“盲人汉娜”。这些顾客居然能在同样的连裤袜中挑挑拣拣，可谓奇怪。更奇怪的是，他们还能说出选择的理由。说到底，他们完全可以耸耸肩拒绝解释原因，毕竟我们只需要捍卫自己的观点，没人要求我们为品位辩护。“我就是喜欢这条，说不上为什么。”——不管是看中了某条连裤袜，或喜欢某种深浅的蓝色、某种口味的冰激凌，用这样的说辞就可以应付了，而且，这其实是唯一可以接受的理由，因为喜好本无须解释，然而这些购买者非要说明一番不可。由于连裤袜全都一样，所以他们所说的那些原因不可能是真正的动机，只是必要的辩解而已。他们真正的出发点仍不可知。研究者发现，位置是一个影响因素，因为大约五分之四的购买者都青睐最右边的连裤袜而不喜欢最左边的连裤袜，但没有人会把连

---

① 更常见的两个神经问题是阿尔茨海默病及其他痴呆症，这两种病症中也有虚构的症状。患上这两种疾病的老年人经常为了填补记忆空缺而编造一些故事。比如你92岁的母亲可能对医生编造病史，抑或在找不到钱包时说钱包是被人偷走的。其实，不是只有丧失记忆的人才会虚构，也不是所有丧失记忆的人一定会虚构，但失忆跟虚构之间确实有所关联。譬如我们知道，健忘症患者（短期内严重健忘的人）就经常会为了填充记忆空白而编造故事。赫斯坦就讲述了这样的一个故事，一个病人听到医生询问他上周周末做了些什么时，他详细地回忆了他在纽约参加的专业会议。其实，该病人近3个月都是在医院里度过的，上周周末也未曾离开医院一步。

裤袜的位置算在理由内。就像裂脑患者一样，他们虚构出解释，而原始的动机则潜藏在大脑的某个他们无法窥知的角落里。

这个实验开始似乎只揭示了人类认知的一个怪癖，也就是我们喜欢解释事情，虽然解释的原因未必对。这个实验怪是怪了点儿，但毕竟没害处，可实验到后来却发人深省。当尼斯贝和威尔逊把实验的本质揭示给那些不知情的实验对象时，许多人表示不相信连裤袜之间毫无差异，他们非说自己看出了差别，而且坚持之前的选择。同样地，接触临床虚构症患者的医务人员也谈道，他们最震惊的并不是患者自发的观点多么奇怪，也不是患者编造的借口多么离谱，而是患者说出这些虚假理由的语气像是在传诵神谕一样。100 年前，德国精神病学家埃米尔 · 克雷佩林（Emil Kraepelin）也惊叹过虚构症患者在说假话时“坚如磐石的确信感”，而《大脑小说》的作者赫斯坦也有过同感：“也许在听到这种编造时，最令人讨厌的就是编造者那种‘铁打的信心’。”

赫斯坦注意到虚构症患者身上还有一点也很奇怪。每当我们听到某个问题时，回答方式一般有 3 种（前提是我们没打算欺骗别人）：如果知道答案，我们就会正确回答；如果不知道答案且知道自己不知道答案，我们会承认困难；最后，如果我们不知道答案却以为知道，则会满怀信心地给出错误答案。

对于病感缺失症患者来说，第一种可能性已经被排除在外了，神经缺陷使得他们在残疾这个问题上无法给出正确答案，但赫斯坦注意到，他们也无法意识到自己不知道正确答案。他写道：“听到一个问题后，承认自己无知而不是找圆滑的借口是一种高级的认知能力，而虚构症患者就缺乏这种能力。‘我不懂’可能是个挺聪明的回答，至少是认知系统健全的回答。”也许是吧，但不会说“我不懂”同样也出现在尼斯贝和威尔逊的许多实验对象身上，那些虚构症患者的认知能力无论从哪个方面来看都健康无比、毫无问题。

大多数人不愿承认无知，这早已不是什么新闻。不过，这里的重点不在于我们不想说出“不知道”，而在于我们根本察觉不到自己不知道。逆推詹姆斯的公式可知，不知道的感觉就像哑了的钟一样，或者至少我们听不到敲钟的声音。我怀疑问题在于我们不清楚无知是什么样的感受。乍一想，那似乎应该是一种空白感，是面对问题脑袋空空如也的感觉。假如问我们的是一个事实，有时我们确实会有这样的感受。比如，你问我吉尔吉斯斯坦的总理是谁，我可以立刻承认自己一点儿概念都没有。但大多数时候空白感容易导致无知，因为我们在编造借口方面天赋异禀，脑海中总能冒出层出不穷的理由。所以，要了解自己的无知不能仅是消极地等待脑中是否有反应，而应该主动去鉴别那些理由的真伪，主动拒绝“脑内作者”疯狂造出的理论。

不同的人在这方面的能力差异极大，有些人脑中的“作家”滔滔不绝、文思泉涌，有些人脑中的事实校验员一丝不苟、兢兢业业，还有极少数幸运儿二者兼有。但是，我们大多数人显然更擅长编造理由，承认无知则非强项。赫斯坦说过，自从研究虚构症以来，他发现世界到处都是亚临床状态的虚构症患者，虽然那些人的神经系统正常，“但他们在面临问题时似乎无法说出‘我不知道’，却能很快编出一些听起来还算合理的回答”。赫斯坦说，这些人“有轻微的虚构型人格”①。

---

① 证据表明，如果有轻微的虚构型人格，则要警惕发展为重度虚构症患者的可能。心理学家 E. A. 温斯坦（E. A. Weinstein）在 1996 年的一次研究中，要求一个有体象病觉缺失症遗传的大家庭的成员（家庭成员中有些人有虚构症状，有些则没有）描述他们的患病亲戚在染病之前的性格如何。结果发现，虚构症患者在此前的个性普遍被形容为“顽固、坚持己见”。

其实，所有人都拥有轻微的虚构型人格。比如我自己。不久以前，我跟别人讨论弦理论是否准确，参与讨论的有律师、劳工组织者、环境顾问、哲学系毕业生和我这个记者。只有我的一个朋友是真正的弦理论学家，而在场的所有人都只是读过《纽约时报》上的一篇报道而得知理论物理学家最近就弦理论的未来争执不下。所有人只看过这个话题的几本书籍，又或多或少地从别人那里听过一些传闻——起码讨论的时候大家都是这么声称的。自从高中以后，没有人上过物理课，所以我真怀疑我们中是否有人会解二次方程式。

我们这次讨论给“理论物理”赋予了新的内涵。我们大概是有史以来最不够格的弦理论家，其实叫我们“小本经营者”①恐怕更恰当一些——每个人都善于利用极其有限的信息编造出一套套假说。芝加哥公共广播电台出品的《美国生活》曾用了整整一集来描述这种轻微的虚构症，那一集赠给大家一个极好的词来形容虚构症。其实，更准确的说法是他们虚构了一本杂志，那本杂志就是《现代蠢蛋》（*Modern Jackass*）②。

“现代蠢蛋”—— 一旦你学会了这个词就会忍不住经常用它，从这个词里能看出轻微虚构症到底有多普及。《美国生活》的一个制片人开玩笑地说她自己就经常给《现代蠢蛋之医学版》（*Modern Jackass: Medical Edition*）贡献“奇读怪论”，比如胡侃抗氧化剂的好处、乱谈部分氢化植物油的缺点等。我给家人介绍了“现代蠢蛋”的概念后，不到几个小时，他们便转而用这个词来对付我，恭喜我给《现代蠢蛋》

---

① 小本经营者（shoestring theorist），与弦理论家（string theorist）呼应，有调侃之意。——译者注

② Jackass 即《蠢蛋搞怪秀》，于 2000 年至 2002 年间在 MTV 频道播放，节目内容以一群人演出各种危险、荒谬、自残的特技和搞笑演出为主。——译者注

杂志贡献了封面故事（我讨论的是前南斯拉夫的民族冲突，我对这方面的了解比对弦理论的了解多不了多少）。最近，我又把该杂志特约撰稿人的职位推荐给了一位朋友，因为他试图解释直流电和交流电的区别，之后又马上解释为什么在英美两国开车，一个靠左行驶，一个靠右行驶。

这些思考者信息严重不足又特别聒噪，但尽管如此，“现代蠢蛋”却在我们的生活中扮演了有用的角色。假设我们心里都有退却和修改的弹性空间（同时大家也允许我们这么做），那么各种天方夜谭便会帮我们解决问题、找到答案、发现真正的信仰。不过就像连裤袜实验一样，智力上的即兴发挥也会出问题。不管是对顾客还是对我们，在与人互动的时候有一种催化剂可导致我们把半成品理论直接拿出来见人。假如你刚刚随口说了一个理论，怎样才能让你立刻对这个理论死心塌地呢？最好的办法就是你母亲或其他家人来反驳你。我就是靠这个窍门在千分之一秒里从中立派变成激进派的。同样，有个熟人曾对我承认，当他听到爱人反对他随口胡诌的一个理论后，他便不由自主地立刻编出许多“事实”来支撑论点，虽然他明白自己是错的而妻子才是对的。这样的情况出现时，我们其实知道自己理亏，只是无法正视而已。就像我们个人和群体很难开口说出“我错了”一样，我们也不善于说“我不知道”。

这种“认错无能”导致了许多本可避免的摩擦。设想一下，你在极其拥挤的人群中想要绕过某个人，却没说“不好意思，请让一让”，或者不小心踩到别人却没说“对不起”，那得生出多少事来。这些礼貌用语都是简单的工具，正因其简单才见其可贵，容易被人记住就能在需要的时候随时派上用场。

如果有同样简便的办法来承认无知，我们的生活至少能从 3 个方面得到改善。其一，我们可以把自己从滑稽里拯救出来而不会受到那么多耻笑；其二，我们可以化解为“脆皮蛋糕之争”这种难分胜负的小事的争执；最后，也可能是最重要的，我们会有一种全新的共同经历，要找到一种方法，来发现我们战战兢兢闯入未知领域的时刻，并为这些时刻分类，只需要用唾手可得的语言工具即可（比如把自己叫成“现代蠢蛋”，或者拍自己的头，等等）。这些都会给我们一种感觉：虚构行为不仅自己有，在别人身上也极其普遍。如此一来，我们就能找出自己的局限，弥补以前欠缺的这一环。

这是个值得嘉许的目标。毕竟，明白自己不懂什么就已经迈出了智慧的第一步（在某些宗教和文化传统中，这也是智慧的全部和最后一步），可惜，正如我们所看到的那样，认识到自身知识的局限是极其困难的。可以用哲学的办法来检验自己的观点是否合理、是否真实、是否必要等，但这种办法甚至在哲学家中也颇有争议且不适用于生活。如果用现成的办法（依靠感觉来判断自己是否知道、相信那些频频在脑海中浮现的理论），恐怕又会轻易地走进错误的陷阱。换句话说，没有什么可靠的方法能检验我们的知识，即从严格意义上讲，我们对任何事都略知皮毛。

倒不是说我们都很傻，也不是说我们对世界的看法都没用，更不是说我们唯一正确的行为就是乖乖举起双手，把命运交到怀疑论者手中。哲学家伯特兰·罗素（Bertrand Russell）说过：“一个人若认为什么都是不确定的，那么我想他一定要加上‘某些事情比其他事情更加确定’这句话。”这句箴言是我们在生活中应该奉行的，但盲人汉娜的例子也提醒了我们，你无法预知有哪些自以为“知道的”事情，结果根本不是知识，而是错误的信息。

上述一切表明，知识和谬误两个概念水火不容。我们说自己知道某件事，其实就是说自己不可能出错。如果要考虑犯错的可能性，那它就称不上知识，而必须以“观念”来代替。这一步恐怕没有多少人愿意走，因为我们都希望自己懂得某些事而不仅仅是相信它。我们对知识和观念的传统看法也印证了这种偏好：知识总是要比观念高一级。你一定还记得，根据传统观点，知识是观念加上一堆东西——哲学家设下的种种条件，以及我们自己的充分信任。

不过，归根到底，信念才是更宽阔、更复杂、更有趣的范畴。我的意思是，它是组成智慧的原子，是它把我们同机器区别开，是它让我们灵活地穿行于世界。但信念也是组成错误的原子（这并非巧合），不管是错以为自己看得见，还是记错了“9·11”恐怖袭击事件当天自己在做什么，或是弄错了连裤袜，抑或是理解错了弦理论，归根结底，我们弄错的总是一种信念。既然要明白如何犯错，就要看一看我们如何对某些观念深信不疑。

第 5 章　我们的大脑之二：观念与判断

我们的判断，犹如我们戴的手表：没有哪一只是相同的，但我们却相信自己的手表最准确。

——亚历山大·蒲柏《批评论》

2008 年 10 月 23 日，美联储前主席艾伦·格林斯潘出席美国众议院委员会的听证会，就当时席卷全球的金融危机接受委员会的质询。不言而喻，现场气氛很压抑。委员会主席、加州民主党员亨利·瓦克斯曼不留情面地批评道："美联储本有权力终止不负责任的借贷行为，但长期担任主席的艾伦·格林斯潘却拒绝了别人的提议，坚决不干预借贷。"他提醒出席者，正是这种过度借贷点燃了危机，随后他直接责问格林斯潘："包括你在内，那些相信市场能自我调节的人都错得一塌糊涂。"

与格林斯潘曾经在众议院受到的欢迎相比，这种冷遇是头一遭。连任五届美联储主席的格林斯潘，在任职期间常被人称作"史上最伟大的央行行长""世界上最有权势的人"，也有人干脆地称他为"大师”。他享誉海外（法国授予他荣誉军团勋章，英国授予他荣誉骑士的称号），名气早已超出了政界和金融界。用《经济学人》的话讲，他在普通美国人心目中的地位“堪比摇滚明星”——这是了不起的成就。而作为口风紧得出了名的金融家，又是最错综复杂的政府机构的管理者，格林斯潘竟能享有明星般的地位也颇有些令人费解。他的自传《动荡年代》（*The Age of Turbulence*，好有先见之明的题目）号称销售额达 850 万美元，成绩仅次于比尔·克林顿的回忆录，与主教约翰·保罗二世的自传不分伯仲。《动荡年代》于 2007 年一经出版便立刻占据《纽约时报》和亚马逊网站的畅销书榜首。而当时金融界的断层也正摇摇欲坠。

2008 年 10 月 23 日，一切辉煌都成了过眼云烟。经济衰退已持续一年，自从 2008 年春全球投行“巨头”贝尔斯登倒闭以来，美国经济就开始自由落体式下滑。先是次贷危机（因银行借钱给信用有限或信用不佳的借贷者而导致的，这种做法现在已臭名昭著），后发展成清偿危机、信用危机、银行危机、货币危机、贸易危机——所有你叫得出名字的危机都粉墨登场。股市自 2008 年年初以来下跌了 37 个百分点，美国共损失了 150 万个工作机会（2009 年年初，这一数字已飙升至 500 多万），在受创最重的领域和行业，失业率已向两位数挺进。全球经济形势愈发严峻，国际劳工组织预测，全世界共有约 1 800 万～5 000 万个工作岗位会被经济危机吞噬。格林斯潘在听证会发言后约 6 个月，金融服务机构黑石集团宣布，一年半以来，40%～45% 的全球财富蒸发得不见踪影。

但凡跟全球经济沾得上边儿的人都因经济危机而收入大减、备受打击。某些幸运的人只是遇到些挫折，不幸者甚至倾家荡产。而对于那些市场分析师和决策人来说，这也是一场全面的信仰崩盘危机。要知道经济学家的首要任务之一，便是提出经济模型以解释金融系统运作的方式，虽然经济模型不等同于实际状况，但那好歹是对市场的概括和预测。而预测必须精准才有价值，何况政府也要靠这些预测来制定政策（经济学家创造模型，说到底也就是为了制定经济政策）。瓦克斯曼指出，格林斯潘的经济模型有一个前提，那就是假定市场能够自主调节，同时政府不能插足市场经济。由于格林斯潘的模型在近 20 年里风靡全球，所以“市场调节”已成为世界各国的黄金信条，正如瓦克斯曼所说，大家都“无限度地信任市场的智慧”。

然而市场“爆炸”了，随之灰飞烟灭的就是这一套模型。正如格林斯潘对委员会所说的，“智力大厦整个坍塌了”。他说：“我发现模型中最关键的地方存在漏洞，而正是这个漏洞摧毁了整个市场经济的运作。”如果这番话说得不够清楚，且看瓦克斯曼给出的更直白的解释：“你发现你的世界观、思维体系通通错了。”格林斯潘无奈地点头，由此可见他的模型失败之彻底、波及之广泛。他回答说：“是的，是的，所以我才那么震惊。40 多年来，很多证据表明这个模型一直很好用。”市场永远保护投资者的理论破产了，只留下“惊疑不定”的他。

格林斯潘不是唯一感到震惊的人。这次经济灾难最震撼的一点，就是把一群经济学家打击得哑口无言。很多人既惊讶又困惑，不明白自己的世界观怎么会如此不堪一击。对冲基金经理史蒂夫·艾斯曼（Steve Eisman）告诉金融作家迈克尔·刘易斯（Michael Lewis）：“21 世纪初的投资银行家就像是牛顿之前的经院派学者，突然间牛顿横空出世，于是你在某一天醒来后发现，‘天啊，我错了’！”

不过很多人也说，起码格林斯潘不会做第二桩如此血本无归的生意。这些年来抨击过他这种放松管制的信条的人不计其数，包括两位诺贝尔奖获得者、经济学家约瑟夫·斯蒂格利茨和保罗·克鲁格曼，还有于1996—1999年间担任商品期货交易委员会主席的布鲁克斯里·伯恩。最终伯恩成了这场经济危机中的预言家，因为她曾再三呼吁大家加大力度监管市场上的金融衍生品。而最后正是这些极端复杂的金融产品拖垮了整个经济。可当时她的呼吁却被“消音”了。因为格林斯潘与当时的财政部部长罗伯特·鲁宾，以及当时的证券交易委员会主席亚瑟·李维特联合起来，特地说服国会通过一项法令，禁止伯恩在任职期间指挥商品期货交易委员会采取任何行动。当时，格林斯潘还在联合声明里解释，自己这样做是因为“深切担心监管议案的负面影响”，他断定，仅仅是讨论一下政府可不可以干预，就会在市场上掀起波澜，这将导致美国资金大量外流。

当自主调节失败、市场陷入混乱后，格林斯潘虽然“非常震惊，难以置信”，但绝不是因为他没有收到预警，也不是因为他的理论没有遭到过非议（有人批评过），更不是因为他没有其他备选方案（有人提出过），只怪他太相信市场的自我调节能力。用伯恩的话来说，格林斯潘是市场调节的“绝对支持者”。格林斯潘把信念投进自由市场，就像其他人把资金投进去一样，他对这个理解世界的模型深信不疑。

实际上，格林斯潘还有上千个理解世界的模型。他肯定有，因为我们都有。这些模型就是信念，其内容包罗万象，从我们如何投资到钱包落在了何处等一应俱全。对于有的模型，我们半信半疑，譬如我只有50%的把握知道钱包在哪儿；对于有的模型，我们却全心全意地相信。可是无论怎么深信，模型本身未必牢靠，这就是信念跟理想中知识的区别。我们明白知识不会出错，所以知识不会欺骗格林斯潘，而信念却欺骗了他，也欺骗了我们所有人。

本书讲的便是每个人的“格林斯潘时刻”——当最根本、最坚定、最重要的信念辜负了我们时，会发生什么情况？不过，要理解信念是怎么出错的，就先要明白它是怎么起作用的。而在此之前，还要先解决一个最基本的问题：到底什么是“信念”？

我们日常闲聊中说起信念，一般指自己对重要事情的公开信仰，比如宗教信仰、道德、财产、政治、经济观念，以及对自己和他人的看法等。这些信念是显性的，我们知道自己持有这些观点，必要时还会阐述它或为其辩护。换句话说，我们能感觉到自己有这些信念，像艾伦·格林斯潘相信市场调节，你相信全民医保、岳父大人讨厌你等，这些都是有感觉的。

相对来说，哲学家在谈起信念时（哲学家谈信念之频繁已经是“职业病”了），所指的东西大不相同。他们所谓的信念内涵更丰富——不仅认同金融市场观之类的公开看法可被称为信念，也认为其他想法同样能被归为此类。假想你在午夜时分躺在床上阅读本书，身边的百叶窗已合上，那么哲学家会认为此时此刻你有如下一些信念：外面天是黑的；接下来好几个小时看不到太阳，而后日出必然在东方；你所睡的弹簧床很坚固；不会有盘子从卧室窗户飞进来；明天醒来时你还是你自己；等等①。

这些多余的信念听起来很奇怪，一点儿都不像“信念”，因为我们持这些信念时毫无感觉。相信弹簧床是固体跟相信上帝比起来，主要区别在于你什么都感觉不到。我自己就毫无知觉，弹簧床是我的所有品，我不会把对其性质的认知称作信念，假如要我为弹簧床辩解，我既想不通有何必要，又不知道从何说起。换言之，我们在相信一件事

① 这样的例子还有很多。哲学对信念的定义表明我们可以持有无限多的信念。（如果你相信床下没有 1 头怪兽，你必然也相信没有 2 头怪兽、3 头怪兽等。）不必说，没有人会有意识地持有这么多观点，不过你是否意识得到并不重要，重要的是我们每个日常行为背后都隐含了无数的观点。

时通常附带的知觉、信服感、情感和动机，在隐性信念里都杳然无踪。

所以，从心理学角度来讲，日常所谓的“信念”和哲学所谓的“信念”风马牛不相及，不过两者的作用倒是大同小异。有感觉也好，没感觉也罢，我们的信念始终是关于世界的模型，就像格林斯潘的自由市场体系一样。从字面意思分析，世界模型即世界地图，而信念也相当于世界地图。所谓信念，是大脑对身体、社会、情感、精神、政治等景观所做的描绘。显性信念认为岳父不喜欢我，这是我心中对家庭的描摹；而隐性信念认为弹簧床很坚固，这是我心中对居所的描摹。两者皆同地图一样，帮助我了解走进房间该坐在哪里、不该坐在哪里。换句话说，两者都是我对世界的临摹中不可或缺的像素，至于那像素在脑袋中是否被突出倒无所谓。想想看，假如我晚上走进宾馆的陌生房间会怎样。为了决定躺在哪里，我先要对床有个印象，但我没必要知道自己是否有这个印象。世界模型（也就是信念）固然重要，但知不知道模型存在无关紧要。其实不知道才是普遍情况。从我们对物品功能的判别，到对父母身份的判断，再到对是否看得见山脉或其他事物的判定，不难发现大多数信念都是隐性的。我们对这些信念毫无知觉，而它们却是我们理解自己和世界的关键。

显性信念和隐性信念不仅功能一样，犯错时也类似。不管两者在正常情况下多么大相径庭，一旦出了差错就分不出彼此，或者说隐性信念从受到攻击的那一刻起就成了显性信念。想象这样一种可以出现在马克斯三兄弟（Marx Brothers）[①] 电影里的场景。入夜了，我洗浴完毕，穿着睡衣走出浴室，拿起一本书躺到床上——然后，啪，我压垮了床垫，摔到地上。这种绝无可能的景象万一真的出现，起码会毁掉

① 美国知名喜剧演员。——译者注

3 件东西：首先是我的床垫；其次是我对床垫坚实度的信赖；最后是我对这种信赖原本无知无觉的状态（注意这条是重点）。一旦我摔在地上，潜意识中那些关于床垫的想法都会一下子跳入意识层中来。在犯错的那一刻，我们的隐性信念不仅备受挑战，而且暴露无遗。

一旦我们承认隐性信念和显性信念都是信念的子集，便可以进一步认识到，两者之间到底有无分别也未必说得清。我们有很多信念都是有感觉的，但也有很多信念仅在必要时有感觉。（比如，我在 12 月对墨镜没有任何想法，而一旦到了 6 月，找不到墨镜时，我会立刻断定它被妹妹借走了。）但不管这种差别是多么微不可辨，起码有一点跟本书相关。虽然大部分信念摇摆在显性与隐性中间，但犯错之后位于两端的信念总是崩溃得最为惊心动魄。譬如，你曾坚定捍卫的显性信念若崩溃了固然壮烈，但不可察觉的根本信念若消亡了也同等惊人。

所以，信念是世界模型但又不止于模型。就像经济模型一样，这些心理模型也能帮助我们做预判、定决策。用威廉·詹姆斯的话来说，信念是“行为的准则”。由此可以明显推导出，信念必然会影响结果。我不是说信念出错后会导致后果（像我们刚才看到的全世界近一半的财产蒸发一样），我是说仅仅拥有一个信念也会产生影响。

再举一个跟钱有关的例子。自 1992 年起，加州理工学院和麻省理工学院开始合伙建设激光干涉引力波天文台，并得到了美国国家科学基金会的赞助。该天文台是美国国家科学基金会投资的最大的项目——仅建造就耗时 10 年，花费 3 亿美元，此后每年还要消耗 3 000 万美元的运营成本。修建这一天文台是为了找到引力波（据定义，引力波因时空曲率的扰动以行进波的形式向外传递）。祈祷成功吧，因为引力波只是相对论中的一个猜测而已，存在与否尚无证据。正如科普作家玛格丽特·韦特海姆（Magaret Wertheim）所言，“一个想法催生了一台造价近 5 亿美元的机器”。

5 亿美元不是小数目，但这只是诸多例子中的一个而已。“房地产泡沫”“圣战”、1964 年《民权法》、登月计划……种种结果全是由信念所致。因此不难看出，观点不仅能带来物质和经济上的结果，也能对政治、法律、学术、文化，乃至肉体等方面产生影响，甚至能撩动人的心弦和感情。再次强调，我不是说信念错误会伤害感情（之后再谈这一点），而是指仅仅相信某个信念就会带动情绪。就像相信相对论而建造激光干涉引力波天文台（不管理论正确与否），相信牛市而投资炒股（不管牛市能否出现）一样，我们相信某些道理也会相应地影响感情。

有的感情影响很明显，比如你的男朋友在晚餐时显得局促不安，你就可以理解成这是他想趁饭后吃甜点时求婚的既幸福又激动的表现，也可以理解成是他想提出分手而导致的焦虑烦躁的心情。不过，这种影响远远比不上观念给我们造成的心理影响那么深刻、广泛。要理解心理影响之深远，你首先要明白观念范畴之广博。我们的世界模型不仅是关于市场、弹簧床或者相对论的概论，还是关于我们自己的总论——关于我们是否认为自己魅力四射、才智超群，是否相信自己合格称职或无能平庸，是否觉得自己比别人处境优越，是否相信父母的关爱，是否相信头顶有上帝，是否认为生活基本安全、自己受到关怀等。

这类信念铸就了我们对自己的认识和对所处环境的理解。由此表明，观念与身份密切相关，后文也会一直提到这一点。所以，犯错后我们的自尊才会轻易地受伤。这也是为什么精神疗法要帮助人们检查对自己和对别人的看法，必要时还要引导他们改变。不管这些观念是有意识的还是无意识的，也不管它是对是错，总之，观念决定了感受，决定了我们在日常生活中的表现。

在求索信念的征途中，我们已经明白观念是世界的模型，它指导我们采取行动，也引发了一些结果。到此为止已收获不小，但是还有个问题：为什么对于很多观念，我们不会付诸实践呢？这种观念有时候被称作“末端观念”（distal belief）。所谓“末端”，是指离自己很远；“末端观念”是指推想的对象在时空上离自己较远、与自己关系不大。相信股市看涨、弹簧床牢固，这些信念会引导我们的行为。然而，相信弦理论正确、南非艾滋病政策错误、比邻星是距地球最近的恒星，未必能起到什么引导作用。我们在第 7 章中会看到，仅仅表述一下这些想法并不为过，说不准还会对社会有利，无论看法对错、与自己有无关系都不要紧。除非是物理学家、公共卫生专家或宇航员，否则不必将这些想法付诸实施。

那么，我们为什么会有这些“末端观念”？回答这个问题最有趣的方式是拿性行为来做比喻，我们之所以有性冲动是为了繁衍后代，但多数的性行为却不会产生后代。从进化学角度看，我们受交配本能驱使，为得到足够多的孩子，做爱次数远多于必需。一个多世纪以来，心理学家和哲学家猜测，我们需要解释世界正如需要繁衍；就像创造婴儿一样，创造理论也对生存至关重要，所以我们天生热衷于推理总结。威廉·詹姆斯称之为“理论本能”①。上一章的推导也是要说明这

① 还想再补充一点，虽然可能会把已经很容易混淆的词语弄得更易混淆，我在本书中提到“理论”和“观念”时，基本指的是一个意思。不过，有些思想家认为应该把这两个词做一下区分，他们说理论比观念更明确、更成熟，也包含更丰富的内涵。但这种区分尚有漏洞，或者至少说区分的标准不是很明显。想想这句话：“我相信上帝。”如果这句话出自 5 岁小孩之口，肯定只算是一种观点，因为它还不成熟，也说明不了很多问题，甚至可能还不够明确。但如果是教皇说出来的，肯定就是理论了。何况，不管是否区分理论和观念，两者的作用都是一样的。理论就像观念一样，其存在的意义就是反映我们周遭的世界。

种本能。我们不停地编造故事和理论，甚至不惜登上《现代蠢蛋》的专题报道，都是受理论冲动驱使所致。

不难发现，理论冲动是人类进化出来的优势。想象你是人类先祖，在 20 多万年前的世界中挣扎求生。你必须想办法弄清楚要摇晃哪些树，才能摇下可食用的果实；你也必须弄懂哪几种形状和颜色的浆果有营养，哪几种与之类似的却有毒；听到灌木丛里传来窸窣声，你必须推断（而且要闪电般地推断）即将现身的到底是猎物还是捕猎者。换句话说，你必须能够异常熟练地猜测周围发生了什么事，以及发生的缘由。而这正是推理赋予我们的技巧。物换星移，推理的作用却不曾消失。虽然身处现代社会，我们无须过于担心自己会被野兽吃掉，但依然要判断很多事情。比如那个朝我大步走来的陌生人，到底是想借个火还是抢我的钱包？外面的爆炸声到底是烟花鞭炮还是危及生命的袭击？到处都找不到的乐高玩具是不是被两岁的宝宝吞进肚子里了？推理对人类有着恒久的价值。

以进化角度来看推理，就能解释我们何以有如此庞杂丰富的观念（包括“末端观念”等无明显目的的观念）。就像语言本能成就了作家普罗斯特（Proust）[①] 一样，理论本能也早已不只是生存必备的准系统。因被迫推论某些事情（比如不认识的浆果、灌木中的窸窣声），我们最终学会了推论一切并乐此不疲。比如超新星是如何形成的，自闭症患者为何越来越多，鸡尾酒会上的那对夫妇是怎么回事，自己如何偏偏喜欢某一条连裤袜等——对于热衷推理的大脑来说，所有话题都能作为推理材料，至于那些话题是关于哪方面的、是否迫切、自己又了解多少，都无所谓。

① 马塞尔·普罗斯特，法国意识流作家，代表作有《追忆似水年华》。——译者注

进化而成的推理冲动，同样解释了我们为何不仅停止不了推理，还常常在不知不觉中推理。当然，我们也会有意识地推理，并且一直在做，比如偷偷花大好光阴猜想老板下午为何郁闷，或者用一生来认真思考到底什么是致癌原因，等等。推理就像呼吸一样没办法停止，你可以忽略、控制和提高那短暂的理论创造过程，但只要你还活着，就无法终止它。原因也很充分，如果你想吃美味的盘中餐而不是当可怜的刀下魂，就必须有一套迅捷的系统，无须刻意花时间便能自行启动。

不易察觉的推理活动同认知活动一样，都是在出问题后才会变得有知觉。比如不久前我跟一位采访对象约好在曼哈顿的某地喝咖啡，我一走进咖啡馆，她便立即站起身做自我介绍，于是我（一如既往）惊讶地发现，她的相貌与我所料的完全不同。这里很奇怪的一点是，在没跟她会面以前，我根本不知道自己对她有过想象，然而大脑偷偷描绘了一幅关于她的画面，描绘过程还挺复杂。在回想的时候，我才发现自己不仅能描述出期望中的她的模样，还能说出是哪些因素导致我这么想的，比如她的名字让我联想到某个年代、某个种族，而零碎的几点信息让我推测出某种外表类型等。简单说来，我的大脑在不知不觉中已经进行了一系列复杂的理论推断。其实不只是我，大家都是这么做的。我们不断地、下意识地从周围汲取信息，以改变或完善心中的世界模型。

就像语言本能尚存争议一样，理论本能也只是理论而已。没有人知道我们制造假说的能力是否与生俱来，不过，至少可以确信它在我们很小的时候就有了。有证据显示，小至 7 个月大的婴儿也能推断重力之类的基本物理性能。若你觉得难以置信，可以再把时间推后几个月，等婴儿成长为蹒跚学步的幼童时你就能理解了。孩童都是调皮的理论家，带着无法满足的探索世界的好奇心，以及把“为什么”挂在嘴边的热情。两岁大的小孩子一般都想研究全世界，也一直在努力研究。毕竟，童年时期的周遭环境才是最神秘、最有吸引力的，所以儿童对地图的需要也最迫切。美国加利福尼亚大学伯克利分校的心理学家艾莉森·高普尼克（Alison Gopnik）甚至认为，理论冲动专为少儿时期而存在，只不过受用终生——就像性欲专为盛年而存在，但我们从幼年到老年都会有性冲动。

不管理论本能到底是有据可依的生物学观点，还是仅仅是性冲动的类比，观念的形成无疑都对人类至关重要。先不说它对生存的价值（假如你能先把生死放在一边），至少观念决定了我们的生活方式，并且促使我们不断进步。让我重提一下性和语言的例子——生孩子和喊救命虽然没有错，但比起做爱和阅读莎士比亚全集自然逊色不少。推理亦然，推理的本意在于活下去，但其精髓在于改善生活。推理丰富了日常生活（比如你看到老板的八卦而偷乐），帮助我们取得超凡成就（比如找到大家盼望已久的癌症疗法）。没有推理就没有人类的标志性成果，如宗教、科学，也没有讲故事的能力、好奇心、探索和发现精神。有了推理，我们才能走出已知世界，探索潜藏的未知领域——比如过去、未来，遥远地区，“蒙着面纱”的自然界机制，别人的内心。推理是一种天赋，它召唤我们在苦苦求生之外，放眼更广阔的世界。

当然也有问题。虽然我们是创造模型的一把好手，但却迟迟认识不了自己的行为。我在此前论述认知时已经提到过，我们总觉得观念是世界的反射，总以为大脑是一面镜子，能被动地映出世界的真理。

心理学家把这种想法称为朴素现实主义。朴素现实主义是人的自然倾向，而不是主动选择的哲学观。不过，你若真的相信世界如你所见一般毫无出入，那么你就是刻意的朴素现实主义者。但据我所知，人类史上没有人真正获得过这个头衔。就算是那些最激进的现实主义者，哪怕会把相对论者视为危险的外星蠢物，他们也不会以为人脑中的世界就是现实。举个最简单的例子来说，若你是一只蝙蝠，则红色毫无意义；若你是一块石头，则声音毫无意义；若你是一匹雪特兰矮种马，则胜喜败愁毫无意义（据目前所知如此）。可见，颜色、声音、情绪虽是我们感受并理解世界的核心，但都不见得是世界的本质属性，因为一旦离开大脑，三者也会随之消失。反之，世界上也有很多事物无法被大脑直接感触，比如红外线光谱、分子结构，以及很可能存在的十几维度乃至更多维度。

朴素现实主义理所当然地没有拥趸，但这并不代表朴素现实主义者不存在。相反，这样的人多得数不清。研究表明，每个人自 4 岁起就有朴素现实主义的倾向。幼小的孩童似乎全心全意地坚信，大脑所想的永远符合现实，所以他们认为，我们不会信错事情。这就是本书要重点讨论朴素现实主义的原因。

我们能从发展心理学的一个经典实验中，了解幼童的这种心理。该实验叫作错误观念测试，俗称“萨利－安任务”——这是依据该实验最著名的版本而命名的。如果你熟悉的人中有 4 岁以下的幼童，不妨亲自做一做这个实验。除非你目睹了整个过程，否则将很难理解最后那个奇特的结果，更别提相信了。只要你上演一出木偶剧就够了。剧中的一个角色（经典版本里叫萨利）拿起一颗糖放在篮子里，盖上篮子便离开屋子。当她一消失，另一个角色（安）便走上来拿出糖果，悄悄藏进碗橱中。现在你问孩子：萨利回来后，会去哪里找糖果？

倘若实验对象是你自己的孩子，你一定早已知道，他这个年龄的孩童是杰出的思想家。他们对语言的理解和表达毫不费力（还可能掌握好几种语言）；他们接纳新词语、新概念速度之快羡煞大人；他们的好奇心永不枯竭；他们认真观察周围的世界，记忆力和注意力都超群绝伦；他们懂得分析前因后果，懂得推测事情发生的时间、原因和方式；他们会对周围情况做出判断，即使判断有误，也看得出他们花了心思；他们不仅玩游戏，还发明游戏；他们对复杂的人际交往游刃有余，明白不同人有不同需求、不同欲望、不同情绪；再加上家庭环境的熏陶，有的孩子可能已经会阅读关于“星肚”史尼奇的绘本了；有的已经会打曲棍球；有的开始学拉小提琴。然而，同样是这些聪明的孩子，在面对实验问题时，却无一例外地都会回答萨利不会从篮子里寻找糖果，而会直接翻看碗橱。虽然糖果是在萨利离开后才被藏到橱柜里的。

所有 6 岁以上的人听了这种回答未免都要疑惑。萨利根本不知道糖果的真正位置，她没有办法知道，因为安拿走糖果的时候她并不在旁边。但实验表明，孩子们毫不关心萨利有没有看到。他们似乎以为，大脑和世界之间能自动地相互沟通，只因为糖果就在碗橱里，萨利便应该知道。而大人（无论是现实主义者还是相对主义者）都明白，每个人看世界都带有主观局限性，你、我、萨利的世界各自不同。反之，孩子们却似乎以为大脑就像一台恪尽职守的复印机，脑中的景象便是真实世界的复制品。他们显然不明白，自己所见的现实未必真实。

你若觉得仅凭萨利 - 安实验就匆忙定论为时尚早，那么再看看下面这个类似的实验吧，保证更加震撼。在这个实验里，实验者把贴有糖果画的盒子拿给孩子们看，问他们盒子里装着什么。孩子们理所当然地齐声回答：“糖。”但他们打开盒子（估计他们很失望）却发现里面装满了铅笔。不可思议的事情发生了——如果这时候你再问孩子，打开之前他们期待盒子里有什么，他们会坚称是铅笔（才不过 20 秒钟前啊）。孩子们在虚构的萨利身上所犯的错误又在自己身上重演了——

他们以为想法绝不可能偏离世界的本貌[①]。

不过，也只有幼儿才会盲目地相信想法就是现实。长到 5 岁之后，几乎所有孩子都能轻松通过萨利 – 安测试。他们之所以能做到这一点，是因为孩童掌握了心理学家所谓的“心智表征理论”（representational theory of mind）。也就是说，他们大体上明白了什么是想法——原来，想法并非现实的复印件，而是个性化理解世界的方式。他们也明白了这种理解因人而异，然后又进一步悟出，原来观念可以有悖于现实，原来你我的想法可以相左，原来其他人未必懂我所懂的；反之，对于他人所知道的一切，我也未必都知道。

大人以为这些道理一目了然，所以常常会忽略其重要性。所谓思维成熟，主要在于明白想法是什么，明白别人的想法可能会不同，也可能是错的。有了这项能力，我们就能“读心”。不是像巫师那样读心，而是指心理学上的读心，也就是从他人的言谈、行为和所处环境中推测其想法和感受。麻省理工学院的神经科学家丽贝卡 · 塞克西增进了我们对大脑结构和心智原理的理解，她曾举《罗密欧与朱丽叶》的例子来做解释。作为观众的我们知道，一动不动的朱丽叶其实是喝了昏睡药，并不像罗密欧认为的那样真的死了。如果不懂心智表征理论，我们就没办法把自己的知识放在一边，从罗密欧的角度看待这一幕，也就无法理解罗密欧为何自尽。整出由误会所致的悲剧，在我们看来就会莫名其妙。

如果不懂心智表征理论，社会生活再千姿百态也无用。我们理解

① 还记得自然科学史的悲观元归纳吗？我们在这里再次验证了这一理论。以前大家都毫无异议地认为，孩子是不能区分脑中世界跟外面世界的差别的，但是就在我写这本书的时候，这个问题突然起了争议。因为最近的婴儿实验表明（通常以婴儿的眼神判断他们的想法），幼儿对错误观念的理解可能比心理学家以为的更加深刻。虽然三四岁的孩子依然不能通过萨利 – 安实验，但 14 个月大的幼儿反而可以通关。究竟该怎么解释这些实验结果之间的矛盾，我们还需拭目以待。

不了调情的微妙，认识不到自己无意中对朋友的冲撞，预见不到晚回家两个小时会令家人生气担心。这些例子表明，心智表征理论对我们的感情、智力、道德发展都举足轻重。（可惜，从自闭症和亚斯伯格综合征患者身上可以看到，我们不理解或不够理解心智所带来的损失有多大。①）

而一旦明白了心智表征理论，你就不会忘记它。除非受到严重脑损伤，否则你绝不会再次栽倒在“萨利－安任务”上。但是朴素现实主义仍会蛊惑你。虽然我们逐渐明白，自己的观点理论上会受到无穷多因素的干扰，比如从最微妙的自私心理到条件的限制等（就像萨利一样，有些关键时刻，我们偏偏不在现场）。可一旦谈到对世界的具体看法，我们又很容易退回到3岁孩子的心智，心安理得地坚信自己的观点肯定是对的，显然是对的。②

---

① 另一个版本的萨利－安实验可以清楚地反映出健康儿童和自闭症儿童对别人的理解有什么不同。在这个版本里，实验者先给被试孩童展示一部相机，并解释相机的功能，拍几张照片样品，然后让孩子自己玩相机，直到熟悉相机的功能为止。然后木偶剧照旧上演，只是在萨利把糖放进篮子里后，实验者会拍一张照片。最后萨利离开房间，安把糖块移到橱柜里。然后，实验者要求孩子回答的不是萨利会去哪里找糖果，而是照片上的糖果在哪里。虽然这个实验跟原实验目的一样，都是要求孩童区分内心世界和外部世界，不过神经学家证明，人脑在分析物体和分析别人思想时的活跃区域不同。健康孩童会感觉相机版本的测试比原版测试更难，而自闭症孩童虽然可以通过相机版本的测试，但依然无法通过原版测试。他们可以理解相机的功能，但对别人的思想却一无所知。

② 我们喜欢把很多观点当成现实，这个习惯从“我认为”的特殊用法中也能反映出来。当我说某件事是我的观点的时候，不是为了强调我有多么相信这件事，而是在表达怀疑。想象一下，我们在参加聚会，然而一个我不太熟的人走了进来。你用胳膊推了推我，要我介绍下他的姓名。如果我说“他叫维克多”，那你很可能会大声招呼：“维克多！很高兴又见到你了。”而如果我说“我认为他是维克多”，你可能就不会叫他了。你会从那句“我认为”中听到一个隐含的警告：“这只是‘我认为’的，有可能不对。”如果我们自己感觉很肯定的话，是不会附上这些警告的。所以，我们会说“鲁迪·利安尼是个保守的控制欲强的怪人”，而不会说，“我认为鲁迪·利安尼是个保守的控制欲强的怪人”。

为什么会这样？ 最显而易见的答案是，我们为自己的观点投入了太多感情，所以不愿意也不能够承认它并非不容辩驳的真理。（“相信”这个词语在古英语中的本义是“珍视的东西”，这就反映了我们一旦形成某种观念，就会习惯性地爱上它。）当然其他的原因还有很多，在后续章节中会陆续提到。不过，现在我想提出一条相对不明显的理由——我们之所以把观念当真理对待，是因为受逻辑约束。哲学家还把这个道理取名为“第一人称之信念牵制论”（the First Person Constraint on Doxastic Explanation，可惜只有哲学家才会喜爱这种名字）。“信念”（Doxastic）意为“与观点有关”（Pertaining to beliefs），其中的“念”既可以是“正统观念”（正确的信念），也可以是“悖逆观念”（矛盾的观念）。“念”的传统语义表明，我们每个人都有多种方式来解释自己的想法。

而我却要抛弃这个晦涩的名称，并将其改为“因为正确所以正确牵制论”（一会儿你会明白该名字的含义）。下面就来解释这一牵制论是怎么发挥作用的。比如，我相信绿茶有益健康，20 年来我每天喝 3 杯绿茶，我是一个“绿茶迷”，也是家族企业“绿茶国际有限公司”的首席执行官。旁观者会立刻发现，有 3 条重要的理由促使我必须相信绿茶的益处，但没有哪一条跟绿茶的真正效果相关。首先，我或多或少地抱着延年益寿、强身健体的目的，喝下了太多绿茶，所以肯定不想听任何人说那些绿茶都是白喝的（甚至反而对身体有害）；其次，我对绿茶的忠心耿耿也代表着一项神圣而牢固的家族传统，怀疑绿茶的价值会严重损害我的亲情关系，更别提我还要靠家族企业营利；最后，我已经把我的金钱、学识和地位都押在绿茶的养生效果上了。

简而言之，我相信绿茶的好处是有非常充分的社会原因、心理原因和现实原因的。但“因为正确所以正确”的要旨就在于，我不会承认这 3 条是促使我相信绿茶的主因；相反，我认为事实证据才是重点。譬如本例里面，我相信绿茶是因为它有益于身体（而不是它有利于我的收入、情感和家庭关系）。换句话说，我必须相信，自己相信绿茶是因为绿茶真的有强身健体的功效。就像哲学家瓦尔德·琼斯所说的，“自己一边相信某观点是对的，一边又知道自己相信某观点的理由跟它本身正确与否无关。这根本讲不通”。

你也可以说，“因为正确所以正确”的道理其实不证自明，甚至自证自明。我们当然应该认为自己的信念是对的，否则为什么相信它呢？这种说法也言之成理。但哲学家最擅长的就是检视那些“不证自明”的事情。一旦你仔细反思“因为正确所以正确”，你就会看到错误是怎么滋生出来的。具体来说，你就会明白为什么你坚信自己的信念必定正确，而别人的观点又未必如此。

那么就仔细想想吧。“因为正确所以正确”的理论必须满足几项条件。第一项条件是，它只适用于我当前相信的观念。我可以毫不迟疑地承认以前的想法不符合事实，譬如，我过去相信通奸者会受到地狱之火的永恒炙烤，其实是小时候受了信奉新教的家人的影响而已。又如，我加入国际社会主义组织，其实是为了向保守的父母抗议。还有，我一旦放弃了某种观点，往往就只记得之前秉持该观点时抱着怎样的心态，而想不起有什么证据表明该观点本身严谨合理。

“因为正确所以正确”的第二项条件是，它只适用于具体的观念。它不适用于全套观念，也不适用于我对“观念”的整体感觉。此前我提到过，个人看法在理论上会受到诸多主观因素的影响，大部分人都会承认这一点，甚至会进一步坦白说，此时此刻自己的一些观点肯定受到了干扰。但一旦谈起某件深信不疑的具体事情时，“因为正确所以正确”的效力就体现出来了。如果你询问我的看法会不会沾上个人偏见的色彩，我承认会。但如果你问我的女朋友是否忠贞，我的养生之道是否可靠，以及我刚刚在某著名杂志上报道的数据是否准确，那么我告诉你，我的答案全都是“是”，原因不在于我不敢承认错误，也不在于我不敢想象错了怎么办，而在于“上天作证，事实确实如此”。

“因为正确所以正确”的最后一项条件（也是最重要的一项条件）是只适用于“第一人称”。它只适用于自己的观念，放在别人身上则行不通。艾伦笃信上帝，在我看来他是为了减轻对死亡的恐惧；鲁道夫反对枪械管制，依我看是因其父供职于全美步枪协会理事会；你相信行为主义愚蠢，据我分析也是因为你所在的终身制委员会的其他人持此观点。我们总是看到别人观点里的自利动机和个人偏见，却不考虑自己的想法是否有失偏颇。最重要的是，我们这么做几乎都是为了贬低别人。比如，我说绿茶有限公司的首席执行官相信绿茶有益是为了赚钱，最起码我在暗示这位首席执行官没资格确保自己的言论可信——我很有可能还在暗示她的话根本不足为信。[①] 换言之，想要怀疑一个观点，就要说明此观点对说话者有利；想要捍卫一个观点，则要说明此观点的确可靠。这就是为什么我们都含糊带过甚至闭口不提自己的自利动机，却很容易从别人的观点中找到自利的成分。

心理学上把这种区别对待叫作偏见盲点（the bias blind spot）。形成偏见盲点的一个原因在于“乌比冈湖效应”，也就是统计学上那个让人哭笑不得的悖论——每个人都认为自己高于平均水平，甚至自己的态度也比一般人客观中立，可笑吧？原因之二在于，我们看得到自己的想法，却看不透别人的心。所以判断的方法有失公允——我们以外

① 这是一种强盗逻辑。从某种观点中获益后，我对它的客观评价可能会受到影响，但不代表这种观点就是错误的。毕竟人们不仅能从正确观点中获益，也能从错误观点中获益。

在表象来判断别人的观点是否偏颇（也就是看那些观点是否对他们有利），却以内心的感受来评判自己是否客观。又因为前面提到的，大多数观点是在潜意识中形成的，根本不会在意识层面留下痕迹，所以我们的结论全都是为自己开脱。我们顶多承认自己可能会受某些因素蒙蔽，最后又断言自己不曾受其害。毫无疑问，这种鉴别办法只能欺骗自己，却说服不了别人。正如普林斯顿大学心理学家艾米丽·普罗宁及其同事在偏见盲点的研究报告中谈道的："如果有人说他审视内心后确定自己是公平客观的，难免会让人不放心。"

于是，我们剖视内心而自认客观，检视大脑而自觉理性，反思观念而自以为是真理。"因为正确所以正确"的精髓就在于，每个人都把观念和现实混为一谈，这么做既不是偶尔为之，也不是无意为之，而是时时刻刻必然为之。这种现象无处不在，由此导致了一系列必然结果，这决定了我们会怎样对待反对意见。但很可惜，对待的方式令人叹惋。

第一个必然结果是无知假设（Ignorance Assumption）。既然自己的观点有事实可依，那么反对我们的人一定没有接触正确信息，所以，只要告诉他们真实情况，他们就会心甘情愿地投降我方。这种假设流行甚广。拿最明显的例子来说，所有的宗教传道者和一部分的政治激进分子（尤其是"草根出身"的政治激进分子）都以为，只要依靠说教就能改变人们对某些事情的观念。

无知假设不一定总是错的，有时候对方确实不知实情。但这种假设也未必正确。无知未必是一块等待被填塞的真空，它也可能是人们刻意维护的一堵墙壁。更重要的是，我们未必是正确的一方，真理也许站在对方一边。或者，事实可能比较模糊，好几种解释都说得通。但我们经常无视这种可能性，这充分证明了我们在应用无知假设时的心态并不平等。其他人拒绝我们的观点，是他们知识欠缺；我们拒绝别人的观点，却是我们见识高明。

如果无知假设失败了——任你再怎么开导对方，对方依然坚持原来的意见，你便会转向愚蠢假设（Idiocy Assumption）。这时候，我们承认对方已经了解了真相，却又认为他们愚蠢得理解不了事实。这个假设可以针对某个人对某件事的具体看法，也可以"一棒子打死"所有反对我们的人和组织。就在写本书的时候，我跟一个"左翼"律师聊过。她说自己生长于崇尚政治革新的氛围中，后又就读于一所自由（各个意义层面的自由）艺术学院。结果她告诉我："考入耶鲁法学院后，我发现那些反对我意见的人都聪颖超群。说出来有点儿好笑，但是直到那时候我才发现，保守党派中也有聪明人。"这样的情况说它可笑也就罢了，可是我们经常听到类似的说辞并早就习以为常。（除非直接斥责对方傻，否则大概谁都不会惊讶。）想想吧，我们说了多少遍"白痴才会相信"，恐怕不计其数了吧。

哪种白痴才真的会相信呢？最常见的答案是"心怀不轨的白痴"。这就是邪恶假设（Evil Assumption），即认为反对者既不是不知真相，又不是不懂真相，而是故意背离真相。邪恶假设跟宗教渊源颇深，宗教里"异教徒"就是"恶人"的同义词。这种假设在政治领域也很常见。威廉·华兹华斯在其长诗《序曲》里如此一针见血地形容法国大革命："没有人敢站起来反抗，除了那些迷失、被抛弃、自私、骄傲、卑鄙、痛苦、自甘堕落，以及仇视公平与真理的人。"（这段话在很大程度上是华兹华斯在谴责自己过去的迂腐，所以诗集的另一个名称叫作《一个诗人的心灵成长》。）从诗句里可见，观念冲突导致的暴力争斗很容易催生邪恶假设。而反过来邪恶假设也很容易点燃暴力争斗。（既然观念伴随结果，相信反对者都是坏人，想想看结果会如何。）未必要等到对方威胁到你的生命或者拒绝相信你的信仰时，你才会断定对方是堕落的人。现在只要打开收音机多收听几个台，就能听到各种“邪恶假设”。主持人、嘉宾和听众都把观点异己者说成是良知泯灭的无赖，说他们抱定了破坏文明的宗旨，不知悔改。

用这种话来抨击持不同意见的人真是够狠。由于我们容易把思维模型当作现实，话语中的强盗逻辑不言而喻。想想看，我们说那些反对者“没有生活在现实中”，意思其实是他们没有生活在我们所见的现实中，他们的世界观与我们的不同。因为他们看不到我们的世界，所以降低了我们的世界的可信度，甚至还可能引导这个世界走向毁灭，但我们对他们同样构成威胁。我们直接或间接地否认他们掌握了与我们同样的智力和道德水平，也对他们的生活经历的重要性和价值予以否认，因为那些源于他们生活经历的观念一无是处。

在无知假设、愚蠢假设和邪恶假设中，邪恶假设最让人不寒而栗，但起决定作用的是无知假设。我们以为自己知道事实，所以假定别人不知道事实，继而（在“因为知道所以知道”的效力下）又认为自己的观点出自事实，换句话说，就是我们以为自己证据在握。这种想法正是本书要探讨的核心，应该强调一下，所以下一章便要说到“证据”的话题。我们相信自己解读的是实情，坚信自己正确，断然否认那些反对者是有见识、有修养、有智慧的人，所以轮到自己出错后，我们才会如遭雷殛。

最值得警惕的是，不仅是极端分子，一般人竟然也对这些假设泰然处之。艾伦·格林斯潘在我看来算不上患了“失心疯”的思想家，我甚至可以大胆地推测，他绝不经常把“邪恶”挂在嘴边形容那些抨击其经济政策的人。不过，他确实把反对者视作危险人群，还会找机会堵上他们的嘴巴。（真正的极端分子也这么做，这么做的人数之多无以计量。）这种行为反映出，格林斯潘肯定没考虑过他的模型是否有误，更没想到他的观点会在今天置我们于水深火热之中。

这就是硬币的正反面，我们创造理论的热情也可能导致这些负面结果。就像 3 岁孩童和专制暴君一样，我们容易把自己编造的故事当作无懈可击的现实，轻易鄙视所有反对者，以为他们不是脑子坏了就是别有用心。这种倾向可能助长仇恨、挑起争斗，固然令人不安，而更让人担忧的是，这种冲动也让我们很难接受自己也有可能会犯错的事实。既然在你我看来，犯错者都是无知、愚蠢，甚至居心险恶的人，难怪大家宁愿逃避也不愿面对自己可能会犯错的事实。

第 6 章　我们的大脑之三：证据与推理

罗森·克兰茨：那边肯定是东方。我们可以这么推断。

吉尔·登斯特恩：我可没推断什么。

罗森·克兰茨：来吧，没错的。太阳从那边出来了。所以那边是东方。

吉尔·登斯特恩（抬头）：哪里？

罗森·克兰茨：我看着太阳升起来的。

吉尔·登斯特恩：不是……天一直都是亮的，是你在慢慢睁开眼睛。要是你背对那边睁眼，肯定会以为另一边是东方。

——汤姆·斯托帕德《君臣人子小命呜呼》

1692 年，美国正处于殖民时期，威名远扬的立法者兼法官威廉姆·斯托顿面临一个不寻常的诉讼问题："邪灵托梦"能够作为证据在法庭上使用吗？斯托顿当时在审判萨勒姆女巫案件，他得出的结论是"能"——不幸的是，150 个无辜平民因此被关押，还有 19 个平民在受尽折磨后被处以绞刑。如果你活在那个年代，夜晚梦见死去的普罗克特[①]现身卧室想要掐死你，你可以把梦境作为法庭陈词的证据。现代某评论家不以为然地讽刺道："说得好像普罗克特本人跟他的幽灵没有区别似的。"

现在的法律界已经很少有比承认幽灵证据更违背正义精神的事情了，这反映出几个世纪以来法律完善了不少。然而，斯托顿面临过的问题仍是法律上的重要问题。什么能算作证据呢？应该怎样搜集证据？哪种证据才可采信？不同证据孰优孰劣？该重视哪个又不该重视哪个？正义能否得到伸张，关键要看我们怎样回答这些问题。是的，法律是否公正可靠，很大程度上在于取证是否公平可信。（但有时候法官根本不考虑证据，或者直接无视证据，这种审判有很多名字，比如叫作"女巫审判"等。）

法律界的真理并不仅仅在法律界是真理。虽然我们很少考虑证据的意义，但证据也是生活的重中之重。在科学领域里，我们依靠求证来提高技术能力、增进对宇宙的了解；在新闻报道中，我们凭借证据来把控消息，确保受访人和单位都言必有依；在政治领域里，我们需要证据来决定通过哪项法律条款、落实哪些政策、发动哪场战争；在医学领域里，我们也需要证据来救死扶伤、延年益寿等。

以上提到的公共机构就像法庭一样，已经发展出一套完善而独立的证据观，明确了怎样采集和评估证据。对于我们这些非机构独立人士来说，证据的作用也同样重要。我们从上一章了解到，没有信念，我们的生活就无法运转；有了信念，我们才知道自己在哪儿、自己是谁、下一步该干什么。但信念不是自己送上门的，而是我们亲手塑造

① 普罗克特是萨勒姆女巫案中的一个人物。——译者注

出来的。我们利用证据形成观点，就像法官依靠证据做判断、陪审团凭借证据下结论一样。当然，我们的信念未必可靠，依据也未必充分。此前已经看到，我就很善于利用少得可怜的二手信息，不靠谱地大谈弦理论；而汉娜也善于利用脑中的错误信号，以为自己的视力毫无问题。换句话说，法官面临的问题也是我们所面临的问题——能否搜集到好的证据，能否做出准确的评估，会影响我们最终的结论是否公平、正确。报纸上的文章、地下室的异味、母亲的神情、你的直觉……你应该把所见所闻都当作支持或反对你的证据。

在一个完美的世界里，我们会怎样评估这些证据呢？调查发现，大家对这个问题的答案出奇地一致。所有人基本赞同，有着理想状态的思想家在面对问题时，会保持中立态度，尽可能多地搜集证据，然后冷静地判断这些材料，最后得出结论；大家又进一步赞同，我们不仅应该这么做，实际上我们正是这样做的。前一章提到过的丽贝卡·塞克西说过："我们都相信，总体来讲，支持我们观点的是客观事实分析和逻辑推理。"

大脑的这种思维模式，比起朴素现实主义大有进步。起码我们不再像 3 岁小孩似的，以为自己看见的就是全部现实，现在我们知道自己看到的只是部分现实，搜罗到的也只是零星的证据，因而我们对现实的理解难免会以偏概全，甚至大错特错。与朴素现实主义不同的是，这种认知模式承认了犯错的可能性，同时也隐晦地指出了解决之道。证据搜集得越多，评估得越全面客观，最后的想法也就越准确。正是基于这种思维，笛卡儿总结出，错误不是指相信错误的观点，而是指相信证据不足的观点。

乍一看，这一定义似乎很切合实际。很难说服他人别把假的当成真的。因为我们此前分析过所有人都很自以为是。相对而言，要劝别人放弃那些证据不足的观点似乎更为简单可取。不过，这一理论很快也陷入了困境。首先，如何判断多少证据才算“充分”、多少算“不充分”？其次，如果找不到新的证据该怎么办？出于这些顾虑，比笛卡儿早 1 200 年的奥古斯丁放弃了类似的想法，但主要原因在于他发现这一理论不利于神学——鼓励别人拒绝那些证据不足的论点，会不可避免地劝导他们怀疑上帝。

其实奥古斯丁无须担忧。你不妨劝说别人不要相信缺少证据的观点，但直到你说得火冒三丈也说不通。因为实情是，仅凭一点儿信息就轻信一件事，正是大家一贯的做法，不是偶尔才这样：当我们懒于思考或者知识欠缺的时候都会这样做。当然，这种武断也有碰巧不犯错的时候。我是说，人类神奇的认知机制之所以不断发展，就是依靠我们这种武断的轻信。

笛卡儿担心如此思考会促使我们犯错，他担忧得很对。由于笛卡儿渴望发现并确认真理，他归纳了一套以减少错误为宗旨的思维模式。（后面我会详细地说明这套思维模式。）其实历史上的大部分时间里，大多数思想家提出来的最佳认知模式多半是为了避免犯错。而我们大家对完美思想家的普遍要求，也是他应该从不出错。以笛卡儿为代表的一些学者提出，要减少错误就只能怀疑到底。其他人则认为应该利用形式逻辑，即以正确的假设推导正确的结论，不给错误以可乘之机。还有一些人认为（大家普遍也这么想），只要在该认真的地方认真了，就能减少犯错，比如小心地处理证据和反证、谨慎避免大脑有预设等。

以这些标准衡量，我们现在的认知系统称不上最优系统。这个认知系统里没有彻底的怀疑，也没有依靠形式逻辑，没有努力搜集证据乃至反证，也没有祛除先入为主的成见。现在的犯错能力倒是一流。换句话说，大脑的默认模式完全不同于上述模式，却比上述模式好用。虽然大脑的犯错天分很高，可正是这种天分助了大脑一臂之力。

现在我就向你证明这一点，其实应该说是你向我证明。请完成下面 3 道简短的选择题。若那位 4 岁的小朋友还在身边，不妨叫他也做一做。你可以向他保证这些问题都不难，所以无须想太多。请看题：

1. 长方形阴影的后面是什么？

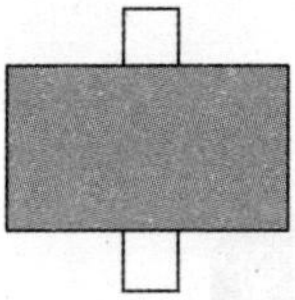

A. 　　B. 不知道

---

2. 你到“奎因国”旅游，当地的“奎因人”指着这幅图告诉你：“这是一只Gavagai。”请问Gavagai是什么？

A. 兔子　　B. 我怎么知道？

---

3. 把句子补充完整：“长颈鹿____很长。”

A. 脖子　　B. 我晕了

你会发现问题过于简单，但其实这个测试一点儿都不容易，起码题目本身就不见得容易。是的，你做得出来，我也做得出来，所有敏而好学的 4 岁小朋友都做得出来。然而，要是电脑做，它就只能崩溃。

虽然趁你打喷嚏的间隙，电脑可以计算出圆周率小数点后上千位数，但是它面对这种问题却一筹莫展。现在复杂的问题来了：为什么对人类而言不费吹灰之力的事情对电脑来说却难如登天呢？

要摸清楚答案的脉络，不妨想想电脑在做这份问卷时需要考虑的一些可能的答案：

1. 长方形阴影的后面是什么？

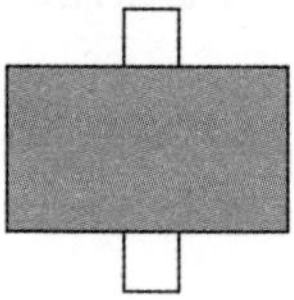

A. 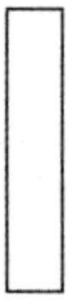

B. 

C. 某明星的裸照

---

2. 你到“奎因国”旅游，当地的“奎因人”指着这幅图告诉你：“这是一只Gavagai。”请问Gavagai是什么？

A. 草地　　B. 兔子和草地　　C. 晚餐

---

3. 把句子补充完整：“长颈鹿____很长。”

A. 舌头　　B. 从肯尼亚迁徙来的路程　　C. 吸毒史

这些问题在我们看来简直荒唐至极，可是电脑并没有“荒唐至极”的评测体系，所以它无法排除这些答案，也无法排除上万个类似的不靠谱答案。从逻辑上讲，这些情况未必不成立，甚至在生活中也未必不会发生。是的，完全可能在某个时间，某个地方的某个人（也许是动物园的管理员、兽医、儿童书作者等）感慨长颈鹿从肯尼亚迁徙来的路程很长。同样，长方形阴影背后完全有可能是某明星的裸照（不过概率可能比某些读者期望的要低），或者也有可能是你的裸照，或者是地球上 70 亿人中任何一个人的照片，甚至是 3 个人的两张照片，7 个人的 10 张照片……你懂了吧？所有这些问题都能对应无数逻辑合理、理论可行的答案。电脑知道这一点，所以只能缴械投降。

人类回答这些问题却轻而易举，因为我们根本不管有多少逻辑合理、理论可行的答案，我们只在乎最有可能的回答，而这最有可能的答案源于我们之前的生活经验，这就是证据发挥作用的地方。对于任何问题，我们都在对比以前经历过（或未经历过）的类似情境后选出最合适的答案。这一生中，我们总结过关于长颈鹿的结论，也接触过一些命题，更接触过一些关于长颈鹿的命题，所以看到这个有关长颈鹿的具体问题时，就能给出富有经验的答案。注意，对长颈鹿和命题了解多少并不重要，我们不用像笛卡儿那样非要找到足够的证据不可，何况找不到也挺好，否则就陷入电脑的困扰中了。无论是哪种证据，我们唯一关心的是它能不能帮我们选出一个答案。所以，4 岁的小朋友也答得出这种问题，虽然他们接触过的命题相对较少，对长颈鹿的了解（应该）更是少之又少。

参考过去的经验而进行的推测就叫作归纳推理。我们此前已经看到，正是有了归纳推理能力，我们才能在做小测试时比电脑聪明 100 倍。但以笛卡儿为代表的哲学家却深感不安，因为这意味着我们的观念未必一定正确，只是很有可能正确而已。这一观点还是哲学家大卫·休谟（David Hume）首先提出并发扬光大的，他也是当之无愧的第一个完全理解归纳推理的长处与不足的人。借用休谟的著名例子来说，如果我只见过世界上的一部分天鹅，怎能断定所有的天鹅都是白色的呢？倘若世界处处统一、标准化且可预测，那么我的归纳应当正确无疑（所有的归纳都应当正确无疑）。可惜，休谟发现，从逻辑上讲，世界未必会如此规律，何况从经验上看世界也确实会出现例外。我可以睁大眼睛寻找更多白天鹅，但不管看到多少只，始终只能得出白天鹅数量不少的结论，但不能证明世上就只有白天鹅。换句话说，归纳的结论是无法被证实的。你可以证明归纳错误，却证明不了它正确。（休谟的例子就是这样。在他死后，人们在澳大利亚发现了一种黑天鹅。）我们只能知道，这些结论比起其他答案起码更可能正确而已。

如果是做多项选择题，我们有自信凭借以前的经历都能够选出最贴切的答案。做到这点并不难，毕竟我们从小学开始就已身经百战。但归纳推理的用途不只是用来做无关痛痒的测试题，相反，神经学家和心理学家们逐渐发现，归纳推理是人类认知系统的根基。你依靠每天接触的证据做出判断，不管是无意识的（比如运动神经判断手臂怎样挥击棒球）还是有意识的（比如你打赌红袜队会输，结果向朋友诉说自己赌输了多少），最终你将依靠这些累积的证据得出最靠谱的推测。

你所知道的一切都是这样猜出来的。就拿语言举例，当初牙牙学语时，你不是坐在板凳上听父母一条条地解释“英语是主谓宾结构的语言”“英语中多数动词加上词尾‘-ed’就能变成过去式”“形容词一般放在名词前修饰名词”等。幸好大家都不必这样学习，而只需要听大人闲聊，比如妈妈打碎了牛奶瓶，劳拉画了幅漂亮的画。然后你自己就弄懂了这一切——说到这里，“这”也是个神奇的词，它可谓整套复杂的英语语法体系的基础。你不仅通过这种方式学会了说话，而且在 4 岁以前就已经学会了，虽然当时听到的单词和词组不过是茫茫辞海中的一小部分，但你依然掌握了语言[①]。笛卡儿说，我们不能凭少数的证据就得出结论。这难道不是最好的反驳吗？

当然也有其他反例，毕竟语言不是唯一靠归纳推理就能掌握的重要技能。你还能学习种属类别等。所以只要看一些金毛猎狗、狮子狗、史酷比，你就能掌握“狗”的概念，同样你也能学会前因后果的关系。就像没有人教你语法规则，没有人教你狗的一般特征一样，也没有人教你如何分析因果。比如，点亮电灯通常只需按开关即可，只要看别人做几次，你的大脑立刻就会把开关和灯泡关联起来。（如果是成年人，站在室内时突然发现电灯亮了，就会马上回头看开灯的人是谁。）

你既能掌握外界的因果，也能弄懂生理上和情绪上的因果。多亏了归纳推理，我们才能立刻明白鼻子痒是打喷嚏的前兆，而骂脏话会惹母亲生气。从母亲这个例子也反映出，归纳推理是我们了解别人和自己的重要方式。是的，精神分析家大多相信，我们从小时候就开始的跟身边一小群人的交往，永久地框定了我们对自己、对别人的看法，以及我们对这一生成就的期望。

语言、分类、因果、心理学——若没有这 4 个领域的过硬技能，我们何以走到今天？若没有归纳推理（依靠极少的数据得出极宏观的结论），我们何以掌握这些专业技能？虽然粗看之下很草率，但这种

① 伟大的语言学家纳姆·乔姆斯基之所以认为语言是天生的能力，原因之一就在于全部的口语加起来，似乎也没有包含足够的信息可以让孩子学到全套的语法（更别提 4 岁以下的孩子听到的口语还不是全部口语）。乔姆斯基把这个问题称作“刺激匮乏”（the poverty of stimulus）。他还特别指出，孩子也从没听说过像“倒妈妈牛奶”或者“图画画得漂亮劳拉”这种句法结构不成立的句子。所以，他们怎么知道这些句法是不对的呢？因为按照严格的逻辑来讲，从来没听到过这样的句子，不代表这种句型就不存在。（就像逻辑学家所说的，没有证据并不等于证明没有。）不过，如果是用归纳法来学语言，“刺激匮乏”就不构成问题了。既然你连续 4 年都没有听过这种句型，那么很可能就是大家不使用这种句型。用归纳法来看，没有证据确实能证明没有。

“猜测最佳答案”的推理方法却是人类智力的关键。实际上最近的研究还发现，归纳推理很可能就是人类智力本身。

不过，笛卡儿也言之有理。归纳推理确实导致我们从根本上无法避免犯错。此前就说过，归纳出的结论有一个显著特点，那就是有可能正确——也有可能错误。比如在动词后面加 -ed 构成过去式，这就是个聪明的归纳推断。结论大体正确，你在记住之后可以一口气学会很多单词，否则一个个地死记硬背，简直会让你痛不欲生，还说不准能不能背完。不过，仅仅懂得这个结论，你迟早有一天会说出 drinked、thinked、bringed、runned[①] 之类的话。虽然这些小错误总有一天能被改过来，但是下面就会看到，归纳推理也能导致一些不可小觑、影响深远的大错误。

在讨论具体错误之前，先简单地回顾一下错误的整体概念。本书的目标是督促我们反思对错误的看法，而有了归纳推理后，反思的原因便一目了然。我们习惯上认为犯错始于认知懈怠，是我们走捷径、图省力、妄断言的后果。但既然把它视作问题，也就是说它必有对应的答案。解答的方法是合理评价证据，以正确而严密的方式推导出结论。不过，我们也见识了做得过火的代价，那就是你不得不把上万个单词的过去式一个个地背诵下来，也不得不坐下来思考长颈鹿到底哪里长，直到已然来不及做完测试，也因此耽误了生活中许多“测试”的时间。所以，我们虽然有别的推理方法，但都不如归纳法那么好。我们现有的认知系统已经令人称奇、举世无双了。

这就是我们在“我们的感官”那一章所吸取的教训，也是归纳推理教给我们的最基本的道理——错误是智慧不可缺少的一部分，而不

---

① 列举的都是不规则动词，正确的过去式变位应该是 drank、thought、brought、ran。——译者注

是思维走岔了路后只能带给人悔恨的凄凉结果。我们在生活中的选项，不是仔细的逻辑思考与差劲的归纳推理，而是可能正确的归纳推理与可能错误的归纳推理（正因为可能正确，所以也可能错误）。中肯地说，笛卡儿其实只说对了一半，仅凭借有限、杂乱、零碎的信息就冲动地相信某些事，确实是我们犯错的主因，但这也恰好是我们的思维方式。那个指引我们走向真理的系统，也会把我们引入歧途。

好听的说完了，不中听的是，归纳推理不仅使我们出错，还会让我们错得颜面扫地，严重破坏我们原本认识清楚、思维公正、谨慎负责、通情达理的形象。

给你讲个从唐纳德·莱卡[①]那里听来的故事。1978 年，莱卡在两个女儿念小学期间自愿为家长教师联谊会筹集资金。为了在给生活添点儿乐子的同时也赚一些钱，他设立了一座提供法律咨询的岗亭，收费是每次 25 美分——这座岗亭类似于史努比漫画中露西设立的那种咨询站，只不过莱卡提供的是法律建议。虽然主要是为了娱乐，但莱卡是位很负责任的律师，所以他还是指定了一些法律从业者来提供建议。后来，当他听说有位客人从岗亭获得的医保建议，不是从同事吉姆那里而是从吉姆的妻子那里获得时，他大为震惊。唐回忆说："我当时很担心，虽然咨询亭只是开着玩儿的，但我不想看到所有人的妻子都跑来胡乱提供建议，所以我连忙找到吉姆，跟他讲他的妻子做了些什么。"结果吉姆告诉唐，自己的妻子是市内最大的健康维护组织的总法律顾问。

不必说这件事很令人尴尬，更不必说最尴尬的那个人就是唐。他把这一错误总结为"盲目的性别歧视"，而且至今想起来仍不寒而栗。

---

① 后文中的"莱卡""唐""唐·莱卡"均指"唐纳德·莱卡"。——编者注

然而，我们犯错并不是因为盲目的性别歧视这么简单，也有归纳推理在作祟。截至 2007 年唐给我讲这个故事时，全美律师中仅有四分之一是女性，而在 20 世纪 70 年代，女律师所占比例甚至不到 10%。唐的偏见就是在这种背景中孕育出来的。1967 年，他从哈佛大学法学院毕业，当时全年级 525 个人中仅有 26 个女生，不到全年级总人数的 5%。而找到第一份工作时，唐接触的女律师人数所占比例也才二十三分之一，刚好少于 5%。依他的所见所闻，95% 的律师均为男性。而我们多数人不是都愿意赌那 95% 的概率吗？所以，在咨询亭里上演的就是这么一回事。不知不觉中，唐已经处理好数据并下了赌注，结果赔得精光。但无论结果好坏，这不是个糟糕的赌注，只是个错误的赌注而已。

这就是认知系统做猜测时所面临的问题。如果认知系统运转良好，我们会是反应快、效率高的思考者，并能依此获得非凡的成就。但就像其他系统一样，长处反过来也能成为短处。归纳推理纵然兢兢业业地为我们付出甚多，但也不出意料地制造了一些偏见。

唐·莱卡不幸成为犯错的典型，从他身上反映出归纳推理的经典偏见——妄下定论。其实前面已经说过，人类都是在匆忙之中得出一些结论的，只不过平时感觉不到，只有当结论错误、归纳无效时，才会幡然醒悟，意识到是自己太冲动了。这时候，我们平时所依赖的习惯突然之间显得很傻，连带我们也跟着显得很傻。但更糟糕的还在后面。唐的故事也表明，这种偏见还会导致一个特殊的恼人问题。既然归纳推理的精要在于仅凭有限的证据闪电般地得出结论，所以归纳推理也成了制造套路的不二之选。想想从“这只天鹅是白色的”归纳出“世上只有白天鹅”有什么影响？似乎毫无问题。不过再试试这句话，由“这个阿拉伯人是恐怖分子”推出“所有阿拉伯人都是恐怖分子”——霎时间，你会发现归纳推理不是看起来无害了吧？

如果由一小部分证据所引发的这种先入为主的偏见，只需一小部分反证就能被推翻，那么归纳推理的这一缺陷倒也无关紧要，只要出现一两条反面证据就会致错误于死地，我们也能相应地改正或放弃观点。可惜，归纳推理的悖论就在于，虽然你可以冲动地得出结论，但要修正那个结论，仅凭一点点证据还远远不够。

现在来讲另一个故事，是一个叫伊丽莎白·奥·罗诺文的女士给我讲的。很多年前的一天，伊丽莎白与朋友争论冬天能不能看到猎户座。（由于地球绕太阳公转，很多星座都只在一年中的某一段时间可见。）伊丽莎白斩钉截铁地认为看不见。“结果尴尬的是，”她说，“当时是 12 月，就在我和朋友站在停车场争得面红耳赤时，我抬手指向天空说：‘奇怪，现在怎么会看得到猎户座？明明只能在夏天看到。’”

你可能认为，眼睁睁地看着铁证摆在面前，伊丽莎白总该住口了吧？可是她没有。相反，争论还在不断升级，最后她跟朋友打赌，由输的一方连续一个月每周请对方吃一顿大餐。伊丽莎白回忆说：“我当时太钻牛角尖了，居然以为自己看到的是某种罕见的天文学现象。我当时想：‘那又怎样，所有人都知道，每隔 51 年，猎户座连续 18 个月都可见。’”下面会讲到，当新的证据威胁了理论时，人们常用这种扭曲的逻辑来扩充理论以扭转危机。如果你自己陷入了这种逻辑中，就预示着你马上要赌输了。（插一句，不管在南半球还是北半球，猎户座都是从 10 月到次年 3 月在天空中可见。所以，伊丽莎白请她朋友吃了 4 周的烤鸡。）

伊丽莎白的故事反映了归纳推理的另一种偏见，这种偏见很有名，在心理学领域有一个专门的名称，叫作“确认偏误”（confirmation bias）。你可能已经猜到了，“确认偏误”就是指我们容易重视那些支持自己的证据，而忽视那些反面证据。乍一听，这种行为好像很不理智

（有时候表现得也不太理智，正如伊丽莎白的糗事所表明的那样），但实际上“确认偏误”本身往往是十分合理的。毕竟我们接纳任何观点都有因可循。具体说来，原因就是我们之前接触的正面证据证实了这些观点。虽然听起来有点儿死脑筋，但相信早前的证据其实是聪明的做法，比相信后来那些乱七八糟的反证好。还记得我们的观点是“可能正确”的吗？“可能正确”的理论告诉我们，某件事越寻常，我们越会在早期频繁地接触它（就像长颈鹿、白天鹅、主谓宾结构的句子一样）。所以，偏信早期的证据是有道理的。

但是，尽管“确认偏误”情有可原，但它还是打击了我们理想的思想者形象。我们在上一章中提到，大家赞赏的那种人会尽可能多地搜集证据，客观地评估证据，最后才推导出结论。此前归纳推理就已经把这种形象打倒了一半。原来我们不会为了下结论而尽量多地搜集证据，却会依靠最少的证据而尽量多地下结论。现在连剩下的一半形象也被归纳推理推翻了。原来我们评估证据的时候态度也并不中立，由于我们借助之前的证据已经形成了一些观点，判断后来的证据时就带上了先入为主的偏见。

科学史学家兼哲学家托马斯·库恩（Thomas Kuhn）在1962年出版的《科学革命的结构》（*The Structure of Scientific Revolutions*）一书中对这一观点有过著名的论述。在库恩之前，人们普遍把科学家看作理想思想者的化身。大家认为那些治学严谨的科学家一定会依靠逻辑而非猜测来推导，他们会拒绝正面证据（白天鹅）而努力寻求反面证据（黑天鹅）；他们会广泛测试自己的假说，客观搜集并分析证据，经历了这一系列活动之后才会提出理论。但库恩对此不以为然。他认为这种思维方式存在诸多问题，且不说别的困难，仅仅不带预设地研究科学这一点就无法办到。

库恩的话不是批评，起码不仅仅是批评。他断定，若没有现成的信念体系，我们连该问哪些问题都不知道，更别提该如何理解答案了。若没有预先想好的理论，我们非但不能自由中立地鉴别证据，反而连哪些可以被算作证据都不知道，更不知道应该用证据来证明什么。库恩最伟大的发现是，预设理论对于探索科学的本质是不可或缺的。科学史上俯拾即是的例子也证明，是理论引导人们寻找证据，而不是证据引导人们寻找理论。譬如 19 世纪早期，天文学家发现天王星运行轨道的摄动违背了牛顿力学定律，对此大感疑惑。因为不想放弃牛顿学说，他们便断定是一颗未知行星的引力影响了天王星的运行轨道。他们还计算出那颗行星应有的公转轨道。正是在这一工作的指引下，当后来的天文学家把更先进的望远镜对准天空时，果然发现了海王星——其轨道跟理论家预测的轨道相差不到 1 度。①

库恩认为，理论既是科学探索的起点，又是终点。海王星的发现正是这一观点的明证。我们有了理论便知道该问什么问题（“为什么天王星轨道有异”），该寻找哪种答案（“肯定有个大型星体对天王星施加了引力”），该去哪儿寻找答案（“根据牛顿理论推测，星体应该在那边”）；我们有了理论也知道不该问哪些问题。所以，天文学家没费心

① 我此前说过，扭曲理论是打赌输钱的先兆，但海王星的例子从某种意义上驳斥了我的观点。具体说来，海王星的例子表明，只有在理论出错了之后，你才能看出它是扭曲的。如果海王星不存在，那么科学家说天王星的轨道受影响是因为太阳系外围还有一颗未被发现的大行星，明显就是在绝望地瞎编。再看一个尚未解决的问题吧。物理学家目前认为宇宙中 96% 的物质和能量都是不可见的——所谓的暗物质和暗能量。这个假设似乎有悖于我们的直觉（甚至荒唐可笑），但是为了不违反地心引力理论，只能提出这个假说来解释某些科学发现。这又是一个先来的牢固观念（我们真的很相信地心引力理论）压倒后来的强有力的反驳的事例。到底暗物质的理论最后会像“猎户座每隔 51 年长期可见”那样愚蠢，还是像海王星的存在一样有先见之明，让我们拭目以待。

思寻找所谓的星际战舰，看看是不是它拖弯了天王星的运行轨道。理论是宝贵的向导，是科学研究，以及做很多事情的前提。艾伦·格林斯潘在听证会上发现，有一阵子大家攻击他，只是因为他选择了一种意识形态。他便回应说："意识形态是一个概念性的框架，是人们应对现实的方式。每个人都有这个框架，包括你。要生存，你就必须得有意识形态。"

格林斯潘的话不错。要生存，就要应对现实，我们就必须要有概念性的框架，必须要有一些理论告诉我们哪些问题该问而哪些不该问，该去哪里寻找答案而不必去哪里寻找。这个框架运转良好时（这种时候，它会为我们省下不少工夫，让我们不必想长颈鹿还有什么东西很长，或者长方形阴影背后到底是哪个明星的裸照），我们会觉得自己很聪明，会说自己是在归纳推理。而一旦运转失灵，我们则会骂自己笨，会觉得自己犯了"确认偏误"的错误。伊丽莎白的例子表明，一旦犯了"确认偏误"的错误，以既有观念的角度审视后来的证据，得出的结论有时候是很稀奇古怪的。

其实，伊丽莎白的事例只展示了"确认偏误"诸多面孔中的一面。要看到其另一面，不妨听听天文学上的另一个故事。这个故事是库恩讲述的。在15世纪中期以前的西方，人们一直认为天空是永恒的，这个理论源自一套比科学更为宏观的信仰——天空亘古不变（相对于人间的浮生万变）正是前现代基督教教义的奠基石。然后，哥白尼提出了日心说，顿时动摇了教会的统治。突然之间，许多天文问题也都有待斟酌。在哥白尼引发这场革命后的55年里，西方天文学家渐渐在天穹上观察到几百年来一直不曾注意的许多变化：新恒星的出现和消失、太阳黑子的出现和消隐。中国人看到的是同一片天空，但因为所持观念不同，所以500年来他们一直在记录这些变化。可见西方早期的天文学家比伊丽莎白还“略胜一筹”，他们不是不相信反证，而是干脆对反证熟视无睹。

有的时候我们也能看见反证，只是由于“确认偏误”作祟，让我们以为那些反证不影响自己观点的正误。这种偏执在逻辑上有个好听的名字，叫作“真正的苏格兰人绝不会做”理论。譬如你相信真正的苏格兰人不会在粥里放糖，我反驳说我在格拉斯哥的叔叔安格斯·迈克格雷戈就每天放糖。于是你回答：“是啊。但我是说‘真正的’苏格兰人并不会放糖。”可以看出这是个万古长青的修辞技巧，尤其在宗教和政治领域屡试不爽。每个人都知道真正的基督徒不会支持堕胎合法化，真正的民主党员不会支持伊拉克战争……

伊拉克战争也展示了“确认偏误”的另一张面孔。据记者乔治·派克（George Packer）讲述，在陆战情况明显恶化时，时任美国总统的乔治·W. 布什却解释说：“伊拉克不断升级的暴力，正代表敌人对美军的胜利感到恐慌。”有时候我们就像布什一样，直勾勾地盯着反证，硬把它说成是自己观点的证明。负责“哥伦比亚”号航天飞机的美国国家航空航天局高层领导也犯了同样的错误。“哥伦比亚”号于 2007 年返航时爆炸，导致舱内 7 名宇航员全部遇难。在事故发生前，这些领导再三申明，此前飞机所遭受的损坏不代表飞船有致命的设计缺陷，反而是其强韧的证明。由此推断，我们在强调“例外能反证规律”时，也在犯同样的错误。想想这句谚语吧：一条大家公认的反证看似能推翻假说，实则证明了假说是正确的。

最后，我要介绍“确认偏误”最普遍、危害最大的一张面孔。虽然它表面上看起来很温和，不需要我们耍任何花招儿（不必像伊丽莎白一样拒绝相信反证，也不必像顽固的苏格兰人一样不承认反证的影响，更无须像乔治·布什一样把反证据为己有），你什么都不必做，干脆连任何不利于自己的信息都不要去找。16 世纪的科学家、哲学家兼政治家弗朗西斯·培根把这种消极回避称作“人类理解道路上最大的误导和障碍”。他这么说的原因很明显。我们明知道只有黑天鹅才能证明自己观点的对错，却坚决不找黑天鹅，这种回避难道不是“障碍”吗？

对于这种形式的偏见，我最爱的两个例子分别来自人类学和物理学领域。这两个领域在早期是坚决不接纳任何证据的。第一个例子是，传统犹太基督教认为女人比男人多一根肋骨（因为上帝从亚当身上取下了一根肋骨以制造夏娃）。1543 年以前这个观点一直大行其道。后来，佛兰德斯的解剖学家安德雷亚斯·维萨里发现事实并非如此。他用的办法就是把男女肋骨数了一遍。第二个例子是老普林尼（Pliny the Elder）所做的断言。他是公元 1 世纪古罗马的科学家和作家，堪称历史上最具影响力的错误信息传播者，也是名副其实的“苹果佬约翰尼”[①]，只不过他播撒的是坏思想。在他所谓的“经典”文集《自然史》里，有一段对月经的叙述，不妨来看一看：

> 一个处于特殊时期的女人靠近牛奶，牛奶便会发酸；她碰到的种子会绝育；她嫁接的花草会枯萎，花园的植物也会干枯；在她所坐之处，头顶上的水果会掉落。甚至只要被她看了一眼，镜子就不再明亮，钢刀就不再锋利，象牙不再光滑，蜜蜂会立刻死去……而如果狗品尝了女人排泄的液体，就会精神错乱。被这种狗咬伤会中毒且无法治愈。

① “苹果佬约翰尼”（Johnny Appleseed）是 1774 年美国同名童话的主角。他是美国民间的英雄人物，穷尽 49 年时间播撒苹果种子，梦想创造一个人人衣食无忧的国度。——译者注

要做个实验来证实这些论断显然不难，然而在受到科学革命的刺激前，没有人想过寻找证据来推翻这盛行了 1 500 年的中世纪思想。

尽管这些行为看起来很荒诞，但正是这些异想天开的躲避反证的方法彰显了反证的重要性。无论我们怎样无视、否认、曲解、扭曲证据，证据依然举足轻重。其实，正是因为证据举足轻重，我们才会无视、否认、曲解、扭曲它。这就是认知学领域的双重面孔——如果我们希望自己的观念真实可靠，就必须找证据支持它。从某种意义上来说，这也是“因为正确所以正确”积极的一面。既然我们认为自己相信现在的观点是因为有据可依，那么当新的证据出现时，我们也应该要求自己修正观点。所以，无论我们一开始多么排斥某个命题，在跨过了某一道门槛后，总会由不接受变为接受。比如，你驾驶宇宙飞船降落在我家门前，旁边还跟着一个绿皮肤的小朋友，然后我们一起飞向了冥王星，那么我会立刻相信世间存在不明飞行物。在家里，我们更是随着证据的积累而频繁地改变主意。这就是为什么曾经最极端的假说“地心说”被广泛接受，为什么全球逐渐就环境变化达成共识，为什么伊丽莎白·奥·罗诺文最终赞同猎户座也在冬季出现。

但也有很多门槛没被跨过，有时候几个世纪都是如此，老普林尼的中世纪理论就是其中一例。“确认偏误”纵然顽固，但它也不全是我们长期拒绝寻找反证的主因。在众多信念系统里还有另外一个明显或不明显的因素，那就是用心去找反证是很危险的，这会危及你的健康、家庭，甚至国家，会损害你的品格乃至灵魂。寻找反证耗时耗力，需要你牺牲自由的时间去学习，还需要你有充足的社会资源，如此才会坚持不懈地面对守旧者的怀疑和讥讽。由于上述种种原因，“确认偏误”才会越发顽固。如果当前盛行的理论对你不利，那么这些资源很可能都不在你手中（设想一下，普通的中世纪女人如果反驳老普林尼会出现什么情况）；如果当前的理论对你有利（或者至少对你无害），那你又何必自讨苦吃去颠覆它呢？

这一切都表明，我们跟证据之间的关系不只是认知学问题这么简单。诽谤经期女人、诬蔑穆斯林为恐怖分子、谋杀塞勒姆案中的无辜平民——由此可见，证据也不可避免地会带来政治、社会和道德问题。再来看一个十分突出的例子，第三帝国军备和战时生产部部长阿尔伯特·施佩尔是阿道夫·希特勒的密友，也是忏悔过自己行为的最高级别的纳粹官员。在其回忆录《第三帝国内幕》里，施佩尔坦率地承认他当时忽视了周围所上演的一幕幕。“我没有追问一个叫我不要造访奥斯威辛集中营的朋友，没有追问希姆莱，没有追问希特勒，”他写道，“我没有跟朋友说过话，什么都没调查，因为我不想知道外面发生了些什么……因为害怕自己发现的东西会导致我背离现在的生活，所以我闭上了眼睛。”

在麻省塞勒姆案中的法官威廉·斯托顿接受了本该忽略的证据，于是变成了不公正与谋杀的同谋；阿尔伯特·施佩尔忽视了本该接受的证据，于是变成了纳粹的同谋。这两个人的例子结合在一起，展示了误判周围证据可能导致的最严重的后果，同时也表明了更好地处理证据是多么重要。要做到这一点不无可能，我们每个人都像美国司法系统一样，随着时间的流逝对证据的态度也更加公正一致。施佩尔本人也间接带了个头。他写道：“我没有追问，我没有说话，我没有调查。我闭上了眼睛。”这些是忽视的罪过，是被动的罪过，从中反映出如果我们想要更好地处理证据，就应该在思考时担任更主动的角色，我们在某种意义上必须掌握驾驭自己思维的缰绳。

要做到这一点，我们必须追问、说话、调查、睁大双眼，具体说来，我们必须主动遏制自己的归纳性认知偏见，这是很重要的一点。

我们必须决心找出那些挑战现有观念的反证，然后认真思考。达尔文就深深地意识到了这样做的无可估量的价值，他在自传里回忆道："多年来，我遵循一条黄金原则，不管何时看到刊载的事实、新发现，或者产生某个新想法，只要跟我的实验结果不符，我都要立刻记下来。因为经验表明，忘记这些反面事实和想法，要比忘记那些对我有利的容易得多。"

无须成为史上最伟大的科学家，你就可以反抗自己的偏见。记住，要观察那些反证并不难，只是要养成思维习惯而已。就像其他习惯一样，这需要大脑有意识地去培养，否则我们碰到的第一份证据就决定了我们相信的真理。这就是为什么自己很多根深蒂固的观点都是由命运中的一些偶然因素决定的，关于这一点，我们将在下文中看到。比如我们的出生地、父母的观念，以及其他在早期塑造了我们的信息。一旦早期证据成为主宰，我们就开始驰骋世界。不管那些信息多么贫乏、多么扭曲，它们也成了我们之后一系列观点的根基。归纳推理确保了这一切的实现，也保证了我们会找到足够多的数据来支持自己，而只有极少数的信息会反驳我们。但这一丁点儿信息却极为珍贵，它保证了我们的理论会立于不败之地，再难坍圮。

第 7 章　社会压力与同类原则

我们的信仰就是信任别人的信仰，在最重大的事情上，
我们特别仰赖他人。

——威廉·詹姆斯《信仰的意志》

这里是瑞士。这个国家政治稳定、军事中立，盛产美味的巧克力和精准的钟表。但令人震惊的是，瑞士虽然拥有世界上最古老、最完善的民主制度，但直到 1971 年，妇女才获得投票权。

毋庸多言，跟其他民主国家比起来，瑞士在这方面的落后相当夸张。新西兰在 1893 年妇女就解放了，芬兰在 1906 年紧随其后，奥地利、德国、英国、匈牙利、波兰也于 1918 年跟上了脚步，美国则在 1920 年赶上了浪潮，就连慢吞吞的法国和意大利也在“二战”后赋予了女性投票权，阿根廷、日本、墨西哥和巴基斯坦紧接着也纷纷响应。直到 1971 年，瑞士仍是少数未解放妇女的国家之一，其他国家包括孟加拉国、巴林、约旦、科威特、西萨摩亚和伊拉克。

与另外几个国家不同的是，瑞士在全球的其他领域里始终是“领

头羊”。瑞士不仅人均国内生产总值和就业率傲人，而且政局的稳定性和个人的自由度也领先，在医保、教育、扫盲运动（包括对女性的扫盲）和生活综合质量方面更是翘楚。可为什么偏偏就在妇女投票权上落后呢？从更广泛的意义上讲，我们作为社会的一员（无论是国家那种大社会，还是街坊这种小社会），社会对我们的价值观造成了哪些影响？为什么有时候与别人分享了意见，反而导致我们对外界的异议置若罔闻？

起初，瑞士在女权问题上并不特立独行。跟其他发达国家一样，瑞士的妇女解放斗争也始于 19 世纪末并成型于世纪之交。随着该运动逐渐推进，其他国家的女权主义者节节胜利，西方世界一步步承认妇女的政治平等地位，唯有瑞士却越走越偏。早在 1929 年，这一趋势已初现端倪，当时美国杰出的女权主义者凯莉·查普曼·卡特责备远在大西洋彼岸的朋友“落后于时代”，她不明白“为什么瑞士的男人和女人跟不上世界其他地方的风潮”。

对于 1947 年去世的卡特来说，这个问题在她的余生一直困扰着她。1959 年以前，提倡妇女选举权的议案始终没能进入瑞士全国公投。而到 1959 年，也就是卡特发表看法的第 30 年，议案虽然被提交到公投阶段，却以 31∶67 的比例惨败。但沉重的打击之下也闪烁着希望之光，瑞士史上第一次有行政区域（即坐落于西南部的沃州）把选举权赋予女性公民。几年后，其他行政区域（瑞士共有 26 个行政区域）也相继效仿。

这虽是一个值得欣慰的进步，却导致了一个有点儿荒唐的结果。瑞士的行政区域虽能决定本地和本州的选举权，但是国家的议案权和公投权还得由联邦政府说了算。这种权力分配制度原本运行良好，可是随着国家和地方关于选举权的冲突愈演愈烈，情况就不妙了。1968 年，莉斯·吉拉丹成为日内瓦首任女市长，拥有管理瑞士第二大城市的权力，但她依然没有资格在国家选举中投上一票。

就在吉拉丹上任的同年，又一事件刺激了瑞士原本举步维艰的女权运动。在《欧洲人权公约》（*The European Convention on Human Rights*）出台 18 年后，瑞士首次表示有意向签署公约，但前提是可破例获准不赋予妇女政治权利。听到这一提议，愤怒的女权主义者涌上伯尔尼街头，组织了瑞士女权斗争史上为数不多的几次国家大游行之一。

不知是由于人权公约引发的骚乱，还是由于联邦和地方政府对投票权的分歧越来越大，或者仅仅是由于时代的影响（虽然奉行孤立主义的瑞士以中立而闻名，但面对 20 世纪六七十年代世界各国风起云涌的社会运动，它不可能完全无动于衷），总之，纯男性选举团存在的时日已经屈指可数。1971 年 2 月，瑞士再次举行公投，而这一次瑞士男性决定本国女性应当享有投票权。最后的票数是 66∶34，差不多正好是 1959 年票数的逆转。

故事还没讲完。社会的类型有大有小，虽然整个瑞士在 1971 年已经意识到剥夺妇女的投票权是错误之举，但国内的一些地区却不以为然。全国公投通过后，多数行政区域纷纷修改法案表示配合，但还有两个地区抗令不遵。其中一个是外阿彭泽尔州，当地男性直到 1989 年才把投票权赋予女性；另一个是内阿彭泽尔州，该州从来不曾赋予女性选举权，直到瑞士高级法院强制执行才算了结此事。说来很讽刺的是，高级法院此举也是因为许多书籍上提到联邦政府已通过（男女）平等权利修正案，为了做到名副其实而已。当时已经是 1990 年。放眼全球，一般国家的妇女获得选举权比男性平均晚 47 年，而瑞士男性早在 1291 年就聚集在市中心广场投票，全民普及却用了整整 7 个世纪。[①]

---

① 即使十分保守地估计，从 1848 年瑞士联邦立宪制的成立算起，这个国家也比全球平均水平晚了 143 年。比阿彭泽尔的女性等得更久的是哈萨克斯坦（1992）和科威特（2005）的女性，以及南非的黑人女性（1994），还有某些阿拉伯国家的女性迄今仍在等待。

1968 年的一张反对女性投票权的海报。海报上方的文字说的是：别让我们参与进来！下方的文字意为：不要女权主义！

在今天的发达国家里，人们已经把女性拥有投票权视作天经地义的事情。而这个议题居然在西方被搁置了那么久（而且是在瑞士那么繁华、高素质、民主化的国家），这实在是个振聋发聩的警示。从此事可以看出，我们以为不言自明的信念可能只在某些社会受到追捧，在另一些社会却遭到唾弃。由此便出现了一个让人不安的有关信念本质的问题。所有人都希望自己的世界观哪怕不够完美，起码本质上还是趋近于正确的。但是，如果我们的观点不随证据而改变，却像语言、货币和限速一样因地域而不同，这又意味着什么呢？

1267 年，即瑞士联邦第一批成员开始投票的前 25 年，英国哲学家兼修道士罗杰·培根送给教皇克莱门特四世一本讨论错误的书。书的内容包罗万象（题目恰如其分地叫作《大著作》，主题从神学、哲学到语言学，再到光学和火药的制法等应有尽有）。此书开篇讨论了人们为什么会犯错。在培根看来，所有的错误都可以被归结于四大问题，即他所谓的“人心的障碍”。其中一个障碍是 13 世纪版的“现代蠢蛋”——不懂装懂；第二个则是权威的威慑力；第三个是对习俗的盲从；最后一个则是大众观点的影响。

此前我在论述错误和观点时，都只提到错误是个体单独跟外界互动的产物，这种互动包括感官刺激、归纳推理等。然而，罗杰·培根却把 4 个障碍中的 3 个清清楚楚地归结于社会原因。在他看来，错误是一群有才智的人聚在一起时接踵而来的暴乱。这种对错误根源的分析，在 300 年后的弗朗西斯·培根那里得到了响应。（弗朗西斯算是罗杰精神上的继承人，此外无直接渊源。）弗朗西斯·培根同样认为人类错误有四大源头，他称之为“四假象”。其中“种族假象”大体对应本书前 3 章的内容，也就是讲述人人皆有的一些容易导致犯错的认知习惯；“洞穴假象”指的是沙文主义，也就是我们对反对派的人和观点嗤之以鼻；“市场假象”类似于罗杰所说的大众观点的影响，也指语言和言辞的潜在误导；最后一个假象是“剧场假象”，指的是宗教、科学和哲学权威所宣传的某些教条与事实不符，以及一些作为社会根基、无人质疑的世界观未必可信。

弗朗西斯·培根同罗杰·培根一样，也认为错误不仅仅是个人认知问题，而是滋生于社会和集体的流行病。在错误史上有个永无终了的争论经久不衰——到底我们在盲从时更容易犯错，还是在闭门造车时更容易犯错？我把这个问题称作“五千万法国人”，因为有句话叫作“五千万法国人错不了”。此话出自1927年一首嘲笑美国假正经的热门歌曲：

我们的时装都来自巴黎，
就算下装短不及膝，
五千万法国人错不了。
……
如果他们希望女人的衣服穿得越来越少、越少越好，
五千万法国人错不了。
……
我们为自由而自豪，
虽然遭到他们的嘲笑，
五千万法国人错不了。

简单总结一句，即大家都做的事情一定是好事。这个观念不仅在流行歌曲里被唱出，在其他领域也广受支持。康奈尔大学的心理学家和行为经济学家托马斯·季洛维奇发现：“在其他条件相同的情况下，相信某件事的人数越多，那件事就越有可能是真的。”而法律学学士凯斯·桑斯坦指出，“这种顺从并不是毫无意义的愚蠢举动”。因为“你可以从其他人的决定中得到启发，知道哪些是真正该做的事情”。金融作家詹姆斯·索罗维基把这一概念称作“社会证据”，也就是说，“如果大多数人都在做某件事或相信某件事，那么一定有很充分的原

因”。[①]

然而“五千万法国人”也有另一面，那就是你妈妈最爱问你的问题：“如果所有人都跳崖，你也跟着跳吗？”所以，你不能做一只旅鼠，你应该独立思考而不是盲从。罗杰·培根和弗朗西斯·培根也赞同这个看法。（两位德高望重的英国人和你妈妈错不了。）以约翰·洛克和大卫·休谟为代表的哲学家进一步明确了这种观点，他们认为二手信息不管多么普及、多么有说服力，始终不足以作为理论的依据。在这些思想家看来，只有亲自观察和经历过的事情，才是自己真正懂得的事情。

独立思考自然是值得嘉许的目标，但未必是规避错误的好办法。因为尚存三大问题。第一个问题是，过于美化独立思考，就会让它一不小心成为那些稀奇古怪的思想的庇护所。只要把反对派看作受了集体的荼毒和群众疯狂的蛊惑，把自己看作唯一清醒的人，无论反对者如何多、如何聪明、如何了解事实，你都可以一概置之不理。第二个问题是（我们已经见过），第一手观察和经验未必就比二手信息靠谱。如果罗伯特·巴特利特船长看到 350 英里外有冰岛的冰川时，相信自己所见是真，而航海图记载是假，那么他就会对自己所处的位置得出错误的结论。（这是一手信息不如二手信息靠谱的典型案例。）

最后也是最重要的一个问题，坦白地说，我们不可能完全独立

---

① 应该澄清一点，季洛维奇、桑斯坦和索罗维基都承认这种“从众”的逻辑有严重缺陷。先不说别的问题，季洛维奇指出，我们大家都以为自己的意见代表大部分理性同胞的意见，可是我们未必清楚群众真正的共识是什么。索罗维基很相信群众的智慧（2004 年他还出版过《群体的智慧》一书），不过前提是群众的决定是由很多意见独立的人士共同协商出来的，而不是由一小群人滚雪球似的灌输给大家的。桑斯坦则承认“从众”是产生危险的前提，在政治领域里尤其危险，所以他在著作《为什么社会需要不同意见》中着重讨论了这个问题。

思考。每个人从根本上都是依赖别人的，如果真的不惜代价完全独立思考，那么绝大多数自以为知道的事情都不能算是知道。奥古斯丁在《忏悔录》(*The Confessions*) 里写道：

> 我发现自己相信的很多事情其实都没有亲眼见过，或者发生的时候我都不在现场。比如世界上的许多历史事件，比如很多我从未去过的城镇、地方，再比如从朋友、医生或其他人那里听来的许多话。但如果不相信这些事情，我们的一生必定会一事无成。

请记住，这是在 1 600 年前写下的感想。当时拓荒时代还没有开始，数据和思想还没有开始传播。工业革命之后，信息进入加速传播的时期，而直到现代信息技术出现后，数据才以超乎想象的速度被传播。今天我们每个人都要以传统或新兴方式获取很多信息，每当我们读报纸、乘飞机、查询网站信息、给孩子打（或不打）疫苗、相信父母是亲生父母时（奥古斯丁认为这个例子再好不过了，因为我们大多数人都理所当然地认为现在的父母是自己的亲生父母，但谁也没有在现场了解过），我们都是在依赖二手信息。

就连专家学者也时常依赖别人的知识，依赖程度可能比你想象得高很多，甚至会让你毛骨悚然。比如我嫂子最近在看病时，瞥见医生在上网查找应服药物的剂量；还有李奥纳特·苏士侃的例子。苏士侃是斯坦福大学的理论物理学家、美国国家科学院院士，也是弦理论的提出者之一，无论从哪个角度来看，他都是当之无愧的科学界专家。但他有一条基本原则："如果我把硬币扔 100 万次，我可以肯定，扔出来的绝对不可能都是正面。"他曾写道："我不是个赌徒，但我愿意拿自己的生命和灵魂打赌……大数定律（可能性理论）是对的，对这一点我能百分之百地肯定，大数定律一定会保证我正确。它也是所有科学的基础，”但他总结说，“但我无法证明大数定律，也不清楚它的原理是什么”。

换句话说，这位世界顶尖科学家对自己研究领域里的基本概念也没有十足的把握。可以推想，苏士侃对其他领域所知更少。过咸的食物是否会使血压升高，而萝卜是否在沃土中生长得最好——这些他不清楚，我们也不清楚。我们大部分的观念仅仅是一种信任，相信自己正确是因为相信别人正确。

如果能把握好依赖别人（不管是前人，还是身边人）的尺度倒也挺好。浮生短暂，有多少人愿意把时间浪费在逐一验证有关萝卜的事实上呢？借助别人的成果可以节省自己很多时间。在本质上还相当于给自己增加了亿万个大脑。我就是从别人的叙述中才得以知道托马斯·杰斐逊私下里的为人如何，攀登珠穆朗玛峰的感受如何，马里亚纳海沟深处潜伏着什么生物。正是有了二手信息，生活才变得高效、有趣。

既然说到对二手信息的依赖，就不得不提及一个有关观念本质的重要问题。我们周遭的世界到处充斥着二手信息源，从白宫新闻秘书到《世界新闻周刊》，从知名演员汤姆·马格里欧茨、雷·马格里欧茨到犹太学者拉比摩西·本·纳赫曼（Rabbi Moses ben Nachman，1194—1270）。我们显然不是一视同仁地对待所有信息。那么怎样知道该相信哪些信息呢？一种办法是（又回到上章所说的理想思想家标准了）要以一系列理性标准来评估这些信息源。比如看这个消息源以前是否可靠，提供正确消息的概率为多少，是否对公布的信息做过公开合理的检测，是中立还是带有偏见，是否为其他人（尤其是该领域的权威人士）所信赖等。

我们所有人都不时地以这种方式来仔细全面地审核信息源，因为这是一种探索知识的理想方式，所以我们把这个办法教给别人并期许他们这么做，特别是学术领域的教授、学者、学生更应起到表率作用。然而，在日常生活中不按这套规矩办事已成为惯例，我们相信信息不是因为审核过信息源，而是先相信信息源再接纳信息。哲学家阿维夏伊·玛格利特精辟地总结道："我不是身陷观点的网络中，而是身陷证人的网络中。"所谓证人，就是那些证实各种观念的人和机构。我们对证人的态度，预先决定了我们对其提供的消息的态度。正如玛格利特所说："我相信证人在前，相信其观点在后。"

对证人的信任在前——这虽然不符合我们的感觉，但实际上我们却奉之为首要原则。所有人都身陷玛格利特所谓的"证人网络"之中——不是一个网络，而是很多个；我们也不是偶尔陷进去，而是从呱呱坠地到灵魂归地一直陷在里面。无数评论家总结道："'证人网络'导致我们的观点有了一定的偶然性。"比如蒙田就说过："（人们）要么因为国家习俗，要么因为成长环境，要么因为机缘巧合而被分配到某一观点中，就像被一阵暴风雨卷来卷去一样，他们自己做不了主也别无选择。因为这种分配经常在他们懵懂之初就完成了。"① 言下之意既明显又让人气恼——主要是因为它违反了"因为正确所以正确"的原则。由于我们都相信自己的看法有事实依据，所以当然不喜欢听到有人说你相信这些观点主要是因为出生在塔斯卡卢萨而非迪拜。

社群和观念的作用是相互的。我们因为社群而形成了观念，也因为观念而建设了社群。现代社会中最好的例子恐怕莫过于网络。有

① 最好的证据是，要知道某人的政治倾向，只要看看他们父母的政治倾向即可。

了互联网，相隔万里的人也能凭兴趣组成同盟。但物以类聚的现象其实古已有之，早在方便的搜索引擎出现之前，伊壁鸠鲁主义者、正统犹太人、女权主义者、身着紧身牛仔衣的独立摇滚乐手等，便同你我一样，想找出观点类似的人，他们在条件允许时还会定居在同类中间。

社会学家把这种偏好称作同类原则，即同类相吸的倾向。但我们未必公开支持同类原则。比如美国号称是多元文化的大熔炉，三分之二的人称自己愿意同背景、观念迥异的人一起生活，但实际上多数人都生活在相貌、收入、信仰，乃至政治立场类同的圈子里。（就像《华盛顿邮报》在 2008 年总统大选后指出的："接近半数的美国人生活在政见分明的某个州，这些州总是固定支持民主党或共和党。"由此可证明"人以群分"的确是存在的，这样的例子还有成千上万个。）不管是因为赞同那些人的意见才跟他们聚在一起，还是因为聚在一起才赞同他们的意见，重点都一样。我们不只是持有观念，我们还是持有类似观点的小社会中的一员。

这种成员身份带给了我们一些明显的好处。其中有些是生活上的好处，之前我也谈到过。因为集体观念根基深厚、备受支持（即使不被事实支持，起码也会被人支持）且令人感到亲切熟悉，所以绑定集体观念对我们来说必然既高效又省事。有些好处则是利益上的回报。典型情况是，社会为那些支持主流观点的人提供职业机会和政治权力等，而叛逆者则两手空空。但最重要的好处还在于情感皈依，我们身处那些赞同自己、理解自己的人群中间会感到放松、快乐而安全。就是这些心理上、物质上和实际生活中的益处，强烈地刺激了我们跟周围人保持一致意见——尽管我们在后文中就会看到，保持一致的后果很可能是犯错、犯傻、曲解别人的意思。

20 世纪 50 年代，社会心理学家所罗门 · 阿希做了一个在该领域研究史上最有名的实验。他把一组人（5~8 人）领到教室，同时拿出两张卡片给他们看，一张上画了 1 条直线，另一张上画了 3 条直线。然后，他让大家一个个大声地回答，第二张卡片上的哪条直线跟第一张上的一样长。

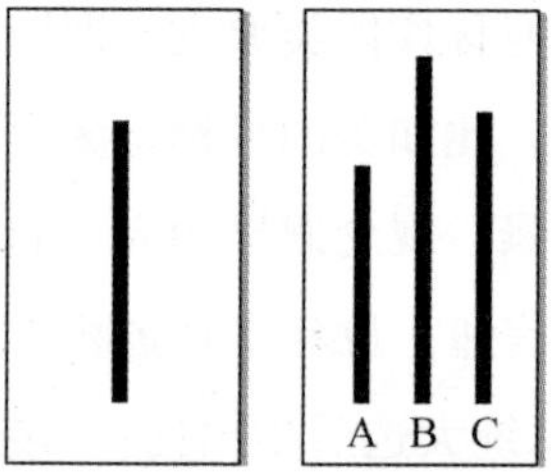

你从上面的图片中可以看到，这个连幼童都能准确完成的任务没多大挑战性。为了确定基准正确率，阿希也做了一个对照实验，发现被试都能够轻松地通关。

不过，实际测试中还有个陷阱——屋子里只有一个人是真正的被试，其他都是阿希的“托儿”（心理学术语称为“伪装被试”）。他们听从阿希的要求，在头几轮测试过后便众口一词地开始报出错误答案。最后，那位唯一货真价实的被试表现得令人震惊。四分之三的实验对象起码错过一次，而四分之一的人错了一半甚至更多。分开测试时，这些被试的平均错误率不足 1%，身处群体之中却骤升至 37%。

阿希的直线测试结果自然令人不安。谁都不想自己过分屈服于同辈的压力之下，所有人都宁愿相信自己选的就是自己所想的，跟周围人选什么无关。所以，就连想一想自己为了从众而果断放弃亲眼所见的证据都会不寒而栗。人们更不愿去想的是，这一切还是无意识中做出的。这种无意识的可能性由埃默里大学精神学家兼神经学家格雷戈里 · 伯恩斯（Gregory Berns）提出，他于 2005 年改良并重做了一遍阿希的实验，得到的结果大同小异（“托儿”占主导的情况达到 41%），但他的被试是在功能性磁共振成像仪器里接受测试的，该仪器可以检测大脑各部位的活跃情况。对于那些回答错误的被试，仪器显示他们大脑活跃的部分是负责空间感的区域，而不是负责高级认知（譬如做决策、解决争端）的部位。伯恩斯由此总结，被试以为说出的是自己的观点。他们不是为了迎合群体而有意不说正确答案，而是因为群体判断干扰了他们的判断。

阿希的实验和那些高科技后续实验这些鲜明的例子反映了一个普遍现象——我们都像哥白尼生前遇到的那些古人一样，观点深受周围人左右。其实，实验也表明，即使身边的人不是邻居、亲友，而是由陌生人组成的相关社群，也一样会剥夺你的判断力，哪怕是由几个人组成的社群。阿希在后续实验中发现，只要伪装被试达到 3 个以上，就能显示出“社会趋同”的效果，哪怕测试的答案非常简单，我们也一样做不对（比如判断直线的长度）。由此看来，当我们身处人群之中，跟周围人享有同样的历史、文化、生存环境，面对的又是模棱两可且复杂难辨的证据时，我们该多么容易屈从于群体意识的压力。所以，真实的社会对我们观念的影响又会强烈到何种地步呢？

要回答这个问题还得说回内外阿彭泽尔州，这两个州直到 1989 年和 1990 年才赋予瑞士女性投票权。不过，在深入了解这两个州之前，先要明白瑞士行政区的整体情况。瑞士州郡的独立性在其政治文化中拥有神圣而不可侵犯的地位，如同国家的顶梁柱一般，全体国民一谈起它便兴奋沸腾、颇感自豪。有个笑话讲得很到位——有一个德国孩子、一个美国孩子和一个瑞士孩子坐在一起讨论婴儿是从哪儿来的。德国孩子说是鹤叼给父母的，美国孩子详述是通过性交产生的，瑞士孩子则尖声说：“在瑞士，各个州的情况是不一样的。”

这里的重点在于，在瑞士，各个州的所有情况几乎都不一样。其中一个差别就是交流。瑞士承认 4 种官方语言（德语、法语、意大利语和罗曼斯语），各个语族内部的凝聚力很强，而互相之间的隔阂却根深蒂固。（瑞士也有类似于美国“红州”“蓝州”的分裂情况，即德语族群与法语族群之间的分歧。德语族群偏于保守排外，而法语族群则更加自由开放。）另一个差异是地理位置，南部州郡山多人少、农业发达；北部州郡人口多且城市化程度较高。最后还有宗教差异，瑞士的天主教徒和新教徒各占一半。1847 年，天主教主导的行政区跟新教主导的行政区之间还爆发了一场内战，差点儿就把瑞士一分为二。

正是天主教、新教之分造就了外阿彭泽尔州和内阿彭泽尔州的分裂，本是一体的两个州在 1597 年由于宗教冲突而分裂。现在内阿彭泽尔州主要居住着天主教徒，而外阿彭泽尔州主要居住着新教徒。但两个州在其他方面都很相似，都是重农业、山峦多、人口少的小地方，而且居民几乎都讲德语，此外，从女权主义的事例中可以推测出这两个州都非常保守。阿彭泽尔（外阿彭泽尔州和内阿彭泽尔州的合称）的旅游局有一个相当恰当的座右铭，即“仿佛时间在此驻足”。

阿彭泽尔的选举规则一向是保存得最完好的一项传统，这种情况直到最近才有所改变。早在 14 世纪之初，人们就在格梅恩德广场投票，这种投票方式可能代表了地球上最古老、最持久的直接民主形式。在选举的日子里，有资格的男子佩戴刺刀或利剑集结在指定城镇的广场上，这些刀剑往往是从父亲处继承的，既是代代相传的传家宝，又是投票资格的证明，此外不需要其他公民身份的证明，即使带了也不算数。（直到今天，内阿彭泽尔州仍保留着这一项传统，女性投票需要携带官方投票卡，男性则只需带上刀剑。）当时的投票是公开举行的，人们口头表决或举手表决，既没有投票箱，又没有电子投票机，毫无疑问，更没有女性。

那么阿彭泽尔州的男人是如何做到把女性排除在外的呢？在打击女权主义的早期，他们主要借用全世界都在重复的老论调，比如参与政治的女人不像女人（“过分聪明的女人最惹人厌。”瑞士的一位女权反对者说）；大多数女人根本不想拥有投票权（因为“她们可以影响男人的观点，对现状已经心满意足”）；“强迫”女性走进公共场合会破坏家庭和睦；瑞士 100 余年来没有女性投票，却依然保持了和平安稳，依然两度置身于世界大战之外并发展得繁华富足，由此可见瑞士根本没有缺憾，又何必补足；政治是男人的事，女人担不起保卫国家利益的重任等。

以上所有论点与最后一个最强势、最持久也最独特的论点比起来都不值一提，那就是女性权利会毁灭格梅恩德广场投票的纯男性传统，同时毁灭这一传统的衍生意义。讽刺的是，瑞士那源远流长、形式多样的民主也正是该传统的象征意义之一。宾夕法尼亚大学政治科学教授李·安·巴纳斯泽克研究过瑞士女权运动，她说：“这是一个非常重要的、独特的政治和历史机制，它是直接民主的源头。如果赋予女性投票权，就会破坏这一机制。”女权反对者还委托专家做了相关研究，表明自古以来都是在小广场举行投票，容纳不下所有成年男女。这就意味着要么废除“格梅恩德广场”选举，要么保留纯男性选举团。

不过，格梅恩德的内涵还不只这些。在瑞士，投票权跟军役一向挂钩（所以男性才佩戴刺刀、利剑），就像军队一样，格梅恩德广场投票也给大家造就了一种“女性禁入”的俱乐部心态，造就了一种关乎荣誉和责任的男性自豪感。巴塞尔女性历史学家瑞珍娜·维科谈道：“在 20 世纪 60 年代，公共投票已经是男人所剩无几的根据地之一……事情不是你投票结束就完了，而是你走到广场上投票，投完票后就去泡吧。这其中包含着男人的集体感、身份意识和权力欲。”而赞同女人投票则会危及这一切，也会终结几个世纪的传统，会打破社会和睦，还会剥夺男人和女人在社会中的独特地位。有句话叫作：女权主义会抹去阿彭泽尔与众不同的特点。

从当今时代文化的先进角度来看，反对女权主义似乎已是旧石器时代的做法[①]，所以我们可以轻易嘲笑那些阿彭泽尔人，他们就像牢牢抓住玩具不放的男孩一样，为自己对女孩的厌恶感到理直气壮。这群人毕竟充满激情地相信过投票权跟所有物有关，那是父传子一代代传下来的传家宝……不妨就称它为剑吧。我们在本章末还会继续讨论这种嘲笑别人的习惯，讨论为什么我们如此鄙视阿彭泽尔人，急于跟他们划清界限。不过，现在要谈的是我们跟他们的共同点。当然，这共同点不是像他们一样相信女人在政治上低男人一等（多数读者会觉得这点可笑），也不是像他们一样尊重社会历史传统（多数读者会觉得这点很合理），而是我们共有的问题，身为社群信徒的一员，我们都被这个问题迷惑。我称之为“反对意见不足”，具体可以分为 4 个部分。

这 4 部分本质上可归纳如下：第一，我们在社群中得到的意见支持者众多；第二，社群为我们隔绝了外界的异议；第三，就算听到外界的反对声音，社群中的我们也会恍若无闻；第四，社群会平息内部分歧。这 4 点相当于整个社群层面的“确认偏误”，导致的问题也相同。不管社群有多少其他的优点，但只要具备了以上 4 点，就很容易助长我们自以为是的情绪，蒙蔽我们对犯错可能性的认识，这是很危险的。

在“反对意见不足”的 4 个方面中，第一方面出现的原因最显而

---

① 也不是每个人都这么看。“右翼”那个惹人讨厌的安·库特曾说：“如果取消女性的选举权，就再也不用担心民主党人会当选总统了。可惜这只是个幻想，只是我个人的一厢情愿，估计是实现不了的吧。”

易见。因为我们之前已经看到，社群要么依靠相同的价值观而组成，要么会培养相同的价值观，所以我们能经常接触附和己见的人。（比如，在 1959 年女权主义逐渐普及全球之时，内阿彭泽尔州女性选举权议案的反对率仍高达 95%。）我们的意见持续受到这种过分肯定的影响，所以感觉上似乎合情合理、广受认可，实情却未必如此。这就是“反对意见不足”的另一面，即“赞同意见过剩”。

看完第一点，再来看第二点导致社群“反对意见不足”的原因，就是我们接触到的唱反调的消息源太少。只有在医学问题上大家才喜欢听从劝导，而在做其他很多事情时，我们便完全安于死守自己的想法。托马斯·季洛维奇发现，宗教激进主义者一般不会抽时间读达尔文的书，同样，我们大多数人也丝毫不愿意研究那些自己不认同的观点。

屏蔽反对意见是很容易的，因为多数人不会花太多时间同价值观迥异的人待在一起，就算待在一起也绝少讨论双方的分歧。我们谈天气，不谈气候变化；谈最近度的假，不谈最近堕的胎。没有人会为此指责我们，因为这是社会普遍赞同的行为方式。我称之为“反对意见不足”的元凶之一，而大多数人只会说这是礼貌之举。美国礼仪文化的“旗手”艾米丽·波斯特（Emily Post）劝导说：“只说别人愿意听的话，只做别人接受的事。”

这条建议对于不善社交的赴宴嘉宾或许适用，却丝毫不能帮助我们修复观念中的缺陷。为了达到后一个目的，最好听一个不太礼貌的消息源给我们提出的不太礼貌的建议。魔术师兼喜剧演员佩恩·吉列特（Penn Jillette，他说的话应该会吓倒彬彬有礼的波斯特）曾经在电视节目上嘲笑传统礼节都是“狗屁”。他在接受著名男性网站 AskMen.com 的采访时批评了“忍住反驳的冲动是对别人的宽容”这一见解。他说：

“憋着话不说是故步自封，是拒绝批评。你想到什么疯狂的事，如果只在脑袋中想想，就听不到别人说，‘你脑袋坏了吧？’”换句话说，吉列特认为：“要发现自己的错误，最快的办法就是说出你的想法。”

吉列特也许言之有理，但波斯特及其追随者推崇的礼仪才是社会主流。很多人面对反对者不愿陈述己见，同时也不愿反驳他见。我有个朋友是出了名的内向，她说她已经彻底放弃反驳自己不赞同的人：“不管那个问题对我多么重要，不管大多数美国人不赞同我的感觉这一点想起来多么可怕，我还是在 99.9% 的时候选择沉默，因为反驳之后的生活更糟。”

当然不是每个人都这么看。比如，福音传道士就认为传播他们的看法、纠正别人的错误是他们义不容辞的责任。还有杰瑞·斯普林格之类的人，看到任何冲撞了他们高调言论的事，都敢于骂“狗屁”（就像吉列特一样）。但我的朋友担心改变不了别人的思想，这是普遍存在且有根有据的忧虑。这就谈到了“反对意见不足”的第三点，即我们在听到外界非议时，往往置之不理。实际上，我们不自觉地倾向从信任的人那里获得信息，也不自觉地屏蔽不熟悉或不喜欢的人的论点。

阿彭泽尔的女权反对者就是很好的例子。随着瑞士及其他地区的女权运动声势逐渐浩大，覆盖面逐渐扩大，各行政区受到的压力也越来越大。但阿彭泽尔人丝毫不为所动，外界的压力反而促使他们越发顽固。巴纳斯泽克在一本著作中比较过瑞士和美国的女权运动，书中写道，瑞士的女权反对者认为女性投票权是“不受待见的改革”，“是国家政府、政客、媒体和国外势力强加在女人身上的权利”。其实，外界的压力对阿彭泽尔的唯一影响，就是激起他们更偏激的反抗。巴纳斯泽克引用了一个女权主义者的见闻，当时那位女权主义者正在会见一个阿彭泽尔人，后者本来有意向支持妇女解放运动，结果“在格梅恩德广场，看到外地人包围了选举团并高声呼喊（抗议），声音吵得选举团成员不得不请求他们安静一会儿”。目睹这一幕后那人就变卦了[①]。外界反对（尤其是当这种反对像是威胁或侮辱时）不但不会促使我们反思价值观，还会导致我们越发坚持自己的立场。

这样我们就陷入了“做也不好，不做也不好”的两难境地。因为研究发现，即使听不到外界的声音，我们也会越发坚定自己的思想。这种臭名昭著的现象叫作“群体盲思”。1972 年，心理学家欧文·贾尼斯（Irving Janis）把群体盲思定义为：“当人们紧密团结在凝聚力极强的小群体中时，会非常重视群体内部统一的意见，而不太看重外界的真实评价，这时候就会出现群体盲思。”“群体盲思”出现的社群往往结构紧密、同质化程度高且与批评绝缘，社群成员普遍认为自己与外人不同或外人在攻击自己。群体盲思的症状包括审核异议、拒绝或曲解批评、自居道德高位、丑化反对派。群体盲思往往导致我们对信息的评估不全面或不准确，不能认真考虑其他可能性，喜欢冲动行事，对做出的决定死不悔改。

还需要我一个个点名吗？贾尼斯认为，“猪湾事件”中的肯尼迪政府和“越战”时期的约翰逊政府都受了群体盲思的欺骗，当然很多读者也在心里暗暗地加上了伊拉克战争时期的布什政府。显然，群体盲思可以导致灾难性的后果，甚至这种现象本身的存在就让人忧心。此前我说过，我们加入社群是不可避免的，这既是精神上的享受，又是

---

① 这个人的反应是心理学家所谓的典型的“侮辱效应”（insult effect）。实验表明，如果你与另一个人正在争论某个观点，然后对方突然辱骂了你，你马上会更加顽固地坚持自己的立场，同时也更加坚定地认为对方必错无疑。这种反应似乎很正常，但对方是否有礼貌跟他是否有道理毫无关系。（他的态度倒是跟你是否愿意加入他们的团体有关。）这反映了生活中一个惹人恼火但无可置疑的事实：你讨厌的人有可能是对的。

心理上的必要需求。成为社群一员后，我们有了信仰，却走向偏激，而脱离社群后则没有这种感受。由此看来，我们的内心世界似乎比外界更博大、更兼容，现实中我们由于同伴的压力和外界的阻力，无法选择中立态度，但在内心却可以保留一点儿选择空间。如此看来，社群岂不是会危害我们的智力和道德水平？同时，这又反映出我们一直处于两难境地：一方面，被他人牵着鼻子走会降低我们的智商和道德水平；另一方面，完全独立思考根本就是天方夜谭。

不过，要主动预防群体盲思的危害也不是不可能。欧文·贾尼斯提出了很多预防措施，其中包括公开鼓励异议、安排规谏者的角色、积极了解外界意见等。不少人认为，肯尼迪总统对古巴导弹危机的处理就很妥当，很好地抑制了群体盲思的危害；而另一些人则从奥巴马“要在白宫内部掀起激烈争论”的承诺中听到了希望。我最喜爱的例子则源于《塔木德经》（Talmud），这部经书是犹太教教士对《摩西五经》（Torah or the Five Books of Moses）的评述，也是正统犹太教的根基。据《塔木德经》记载，如果在审判死囚时，所有人一致决定判决死刑，那么犯人就可以被无罪释放。这条规定是为了确保在性命攸关这种大问题上，起码会有一个人提出反对意见以打破群体盲思。

群体盲思的出现源于反对意见不足，此前介绍过这种不足的 3 个方面，其一是周围支持者过多，其二是身边反对者过少，其三是我们对反对意见充耳不闻。此外，群体盲思还跟第四点有关，那就是社群会镇压内部的怀疑和反对意见。有时候这种镇压表现得不明显，有时候是成员自愿接受言论——如果有东西危及我们对社群的信任、损害我们的物质与心理基础，我们自己就会远远地躲开它。阿彭泽尔的反女权运动如此声势浩大，必然也有成员自愿认同的功劳。在第一次有关女权主义的公投上，不仅 95% 的人投了反对票，还是公开举手表决的投票。想象一下，身边 95% 的人都没有举手而你却要举手的感觉，再想一想阿希的直线实验，你就能明白了吧？

还有些时候，社群会主动公开地镇压异议。就像约瑟夫·查斯特罗在《人类犯错的故事》里所写的那样，人们为了确保群体意见一致而不断地流放、驱逐、攻击那些异己分子。他写道："实验室是后来才出现的，而在塑造观念的早期，更直接、更有效的是像棍棒、战场、竞技场、暴民、异端法庭、木桩之类的传统工具。"他的意思总结起来就是那个老生常谈的话题——强权就是公理。在历史上，以及今天的很多社群里，命令就是真理，社群成员因受到暴力威胁而不敢提出异议。但阿彭泽尔的反女权主义运动中并不曾用到这个办法。所以，如果要全面地分析一下这一手段，我们就先要跑到地球的另一端。

1990 年，阿富汗男子阿布杜尔·拉赫曼成了基督徒。阿富汗有 99% 的国民都是伊斯兰教徒，这种信仰基督的行为实为罕见。然而，拉赫曼一直任职于天主教慈善组织，在为难民提供医疗救助的过程中，他逐渐接受了同事的信仰。成为基督徒之后，拉赫曼的生活彻底崩溃了。他的妻子是一位虔诚的伊斯兰教徒，她坚决地与他离了婚，理由就是他是个异教徒。随后，他又以同样的原因失去了对两个女儿的监护权。甚至连他的父母都不承认他，说"因为他背叛伊斯兰教而改信其他宗教，我们不想在家里看到他"。

雪上加霜的是，2006 年，拉赫曼被警方以叛教为由逮捕拘禁。起诉人要求依据哈乃斐派的伊斯兰教法，判处拉赫曼死刑。其中一个叫阿布杜尔·瓦希的人说："应该（把拉赫曼）从伊斯兰世界里赶出去，然后立刻正法"。阿富汗大法官同意这一意见，敦促执法人员把罪犯送上绞刑架。后来，迫于国际社会的巨大压力，阿富汗警方才不得不把拉赫曼从监狱里释放出来。鉴于拉赫曼面对法外处决的威胁，意大利同意为拉赫曼提供庇佑。于是，拉赫曼背井离乡逃离了祖国。这个阿富汗男人被迫与爱人断绝联系，被驱赶出家门，又被迫漫游在陌生人中间，成了漂泊者。

拉赫曼的事例无论以什么标准衡量都是极端的。不过，在背离主流价值观后，遭到攻击、排挤、威胁，乃至失去亲友、财产、前途，都是见怪不怪的情况。甚至被流放也算不上特别，只是很多人被流放得不太明显而已。想想看，我们的观点其实象征了我们在社群中的成员身份，所以放弃这一观点后，社群的大门必然对我们紧闭——就算不闭上，我们在社群中的地位和待遇也会大不如前。（幸而我们在放弃某种观点后，就不那么在乎持有这些观点的人了，所以社群冷落我们，我们也冷落社群，这种冷遇是双向的，因此我们不会感觉很受伤。）

拉赫曼的例子也反映了很重要的一点。你得罪社群的真正原因，不在于你相信了反面意见，而在于你抛弃了社群所推崇的观点。譬如，尽管阿富汗的非伊斯兰教徒生活很艰辛，但法官也不会动辄就判处土生土长的基督徒死刑。所以，连累阿布杜尔·拉赫曼陷入困境的，不是他改信基督这件事，而是他脱离伊斯兰教的行为。

想想我们之前分析过的社群特征，就能很好地理解这一点。那些偏执的小团体虽然不受外界异议的影响，却高度依赖内部成员间的相互支持。所以，外界反对虽无关紧要，但内部的叛变却可能给社群致命一击。阿希直线测试也表明，所有“托儿”里只要有一个说出正确答案，被试就能跟着说出正确的答案。乐观地看，这是个鼓舞人心的发现，因为这代表着只要有一个人敢于说真话，就足以打破群体对大家的束缚——就像《皇帝的新装》里那个讲真话的小孩子一样。但这又意味着只需一个异议分子就能破坏社群整体的团结。从这个角度来看，怀疑和异议是一种传染病，可以迅速摧毁社群组织的健康。所以，很多社群才会以迅雷不及掩耳之势教育、隔离、驱逐（甚至消灭）那些拒不服从者。

社群里若有某一个成员转变了观念，不仅仅会瓦解整个社群的凝聚力，更严重的是会让大家怀疑相信的意义。这也是我在本章开篇时表明的，既然我们的观念随着所到之处而变化（或随碰见的基督教救助组织同事而改变），那么所谓的真理似乎不过是一个狭隘的个人观点而已。若是这样可就糟了，因为真理之所以成为真理，就在于其具有普世性。信奉伊斯兰教的记者兼评论员沙那瓦兹·法鲁奇（Shahnawaz Farooqui）在赞成处死拉赫曼的决定时坦言：“拉赫曼必须受死。因为像他这样先接受真理，而后又拒绝并否定真理的行为，会动摇所有真理的地位。”

法鲁奇说得很对。当然，这不是说他支持处死拉赫曼很对，而是说他对这种“先相信再放弃”的行为的后果分析得很对。我在本书中一直强调，我们之所以害怕错误，不仅仅是因为错误会打击我们的某个观点，还因为错误会让我们从根本上怀疑相信的意义。一旦发现以前的信念有误，我们也会在一瞬间瞥见永远犯错的可能性。由于思维的局限、世界的复杂、大脑跟世界之间的鸿沟，以及这整套不靠谱的机制，错误必然会一直冒出来。这一发现意义重大、发人深省（甚至醍醐灌顶），但是却跟社群的主要职责起了冲突。要知道社群的主要功能是加强我们的自信心，防止我们一直思考犯错的可能性。

所以，社群成员理所当然地会排斥这一发现，他们也理所当然地会惩处那些改弦易辙的个体。如果只是察觉到自己的观点出了错，代价不过是颜面扫地而已。但若是认为大家共有的观念有误，代价便不可同日而语。前面已经讲过，这其中要牺牲的包括你从社群那里获得的情感支持和物质享受。不仅如此，你还会失去这个社群本身，丧失身边最熟悉的人对你的信任、尊敬、陪伴和爱护。更糟的是，你原本熟悉亲切的身份也会因此变得模糊（比如作为虔诚的伊斯兰教徒），你对真理的信心也会摇摆不定。更坏的结果还包括你会牺牲生命或者导致肢体不健全，可见代价之高已经登峰造极，而且再没有其他经历会像犯错一样要你的命。

考虑到这些风险，便不难理解为什么我们倾向于跟周围的人保持一致，倾向于把大家的观点当作真理而指责那些叛逆者和异己分子。但这种对社群的愚忠如果无人监管，便会惹出大祸。历史的轨迹和本章中的事例都表明，盲目服从社群可能结出恶果，其影响之恶劣，但凡有道德良心的人都会立刻觉得反感。我不想打击你，但道德良知的作用也很有限。没有人想当历史的罪人，但很少有人愿意停下来想一想自己现在是否已经做错了。所以，我想问的不是上述例子中的社群是否造了孽——答案当然是“是”。我想问的是社群怎么能在犯错的同时如此理直气壮呢？你我在面对同样的情况时，怎么才能确保自己不会犯同样的错误呢？

我们当然都希望自己是清醒的人。但是在阿希直线测试中，只有25%的人在听到其他人的错误回答后仍能坚持正确答案。而100%的人都认为自己是那25%的人，这可能吗？我想这跟幻想自己会参加法国抵抗运动一样。如果生在“二战”时期，我们都相信自己会是反抗纳粹统治、帮助虐囚偷渡的英雄人物。可现实中只有2%的法国人积极参与了抵抗。也许你我会是那2%中的一员，但概率毕竟很小。谁也不能一口咬定自己生在当时就不会做沉默的大多数。由此推之，谁又能肯定自己若是当年的德国公民，或是1971年的阿彭泽尔男性公民，或是当今阿富汗的伊斯兰教徒，会做出怎样的举动呢？还有一点也关系重大并令人挂怀，那就是我们怎能保证自己现在的观念不会在将来沦为大错特错的褊狭之见呢？这种时候，“错盲症”就成了道德问题——我们不可能始终清楚，在历史和自己未来的眼光中，现在的哪个观点会站不住脚。此前已经讲过，社群的束缚实在太强，而窥视外界的小孔又太小，所以我们很难确保自己比历史上那些犯错的人更独立、更清醒。

但这不是说我们脑袋里不能保留最后的自由地带。毕竟我们不是机器，除非在科幻小说中，否则再严厉的社群都无法将我们彻底洗脑。当然，亲友、教会、邻居、国家的影响都不可小觑甚至不可超越，但观念就像骡子和人马一样，本质上是混血的产物。我们的观念一半来自外面的社会，一半来自内部的心灵。最好的结果是让内外两界相互监督。身边人可以阻止我们“脑袋烧坏”（佩恩·吉列特语），而内心不断的呼唤则可以打破社群对我们的外在控制，避免社群成为与世隔绝的密室。

一旦把握好这种平衡，我们就能体会到在社群生活的快乐，同时不必担心丧失自主权（更不用害怕丢失了自己的灵魂）。而如果只把重心放在某一边，你就可能面临两种危险，一种是脱离社会控制的个体，另一种更可怕，就是脱离个体控制的社会。要保护好这种平衡，首先要理解什么会毁灭它。所以接下来我就想谈一谈确定性的吸引力，谈一谈到底是怎样的诱惑会把一群观点相似的个体变成一个狂热的社群。

第 8 章　不确定感带来的恐惧

严格来说，根本就没有所谓的确定，只有自认为确定的人。

——查尔斯·雷诺维叶 《批判概论》

古往今来，麻烦总是由税收开始。公元 6 年，罗马帝国为了扩张领土并巩固统治，决定在当时的朱迪亚，也就是现在的以色列和约旦河西岸，对当地的犹太人加征新的税收。这些犹太人已经被残忍且多变的罗马人统治了 70 年，沉重的税收只不过是他们诸多痛苦中的一项。不过，这条政策还是引起了众怒，关于如何处理这个问题还引发了犹太人的分裂。大部分人听从主教乔撒的意见，为了维持和平只好不情愿地纳税。而加利利的犹大却带领一小群人奋起反抗。他看不惯乔撒对罗马人的逆来顺受，誓要建立新的犹太宗派。用公元 1 世纪犹太历史学家约瑟夫斯的话来形容，即“(新教派的教徒) 拥有不可侵犯的自由，并且只承认上帝是他们的主和统治者”。[①]

① 约瑟夫的说法并非完全可靠，他因为同时为罗马人和犹太人进行辩护而备受争议。但他有关加利利的犹大及其追随者的记录是现存最丰富的版本，即便是那些对这个年代犹太人生活解读有异的历史学家，通常也会引用约瑟夫的说法作为出发点。

这种态度听起来可敬可佩，而且勇气可嘉。犹大及其追随者只是少数被边缘化的人士，他们却要挑战历史上最令人生畏的一个国家。历代的犹太同胞似乎都应该把他们当作英雄看待——也确实有些人带着这种崇敬的眼光欣赏他们。但在约瑟夫，以及其他犹太人眼中，犹大这伙人没比歹徒和杀人犯好到哪里去。他们奉行“焦土政策”[①]（包括反对其他犹太人，夺走他们的食物，占领他们的房子，迫使他们加入宗派的斗争中），他们不仅直接宣扬要消灭罗马人，同时也杀害犹太“通敌者”（即所有不像他们那样一心一意信奉上帝的人）。他们将耶路撒冷引向毁灭，他们的极端暴力、拒绝和谈等行为也引发了罗马人的疯狂报复。约瑟夫记录道，有一次他们洗劫犹太人居住地恩盖迪（Ein-Gedi），当时青壮年都逃跑了，“而那些妇女和儿童则成了牺牲品，被害者数量至少有 700 余人”。这是一次典型的暴行。约瑟夫对这个教派的所作所为及影响总结如下：

> 所有的厄运都源于这些人，整个民族受他们的信条影响之深简直令人难以置信。在他们的预谋下，一场又一场的暴乱接踵而至，我们失去了安慰自己的亲友。他们还发动了针对正派人士的大规模的抢劫和屠杀……这些人密谋的变革带来的是毁灭性的影响。正是由于犹大和萨达克（鼓吹暴力的另外一个领导）创立的第四哲学教派得到了众多支持者的追捧，使得当时的政局混乱不堪，甚至还为未来埋下了苦果。

那么，从他们毫无哲学可言的残暴行径来看，谁才是所谓的“第

① “焦土政策”是一种军事策略，指在军队前进或后撤过程中破坏所有土地资源和建筑而不给敌军留下任何有用的东西。——译者注

四哲学教派”的成员？那些人就是最早的犹太狂热分子。历史没有写明犹大的命运，但那些狂热分子的命运却有迹可循，他们中的大多数在爆发于公元 66 年，持续了 4 年之久的第一次犹太—罗马大战中死去，而那场战争也以耶路撒冷的神庙被毁和犹太人的失败告终。一小部分犹太幸存者撤退到死海东岸马萨达的一处城堡，他们在那里同围攻的罗马人整整僵持了 3 年。当城堡最后沦陷时，960 位战士为了避免被罗马人俘虏或杀死，组织了一场大规模的自相残杀。（因为自杀在希伯来法律中是被禁止的，所以他们选择互相残杀的方式。）①

从“狂热分子”这个词的使用方法上就可以看出，它传达给后世更多的是一种方法论而不是意识形态。在狂热分子出现之前，以信仰、宗教或其他为由的屠杀虽然不时发生，然而在他们出现之后，这一做法才得以被确定下来并被奉为一种典范。在犹大的最后一个追随者牺牲之后的 2 000 年里，共有 1 000 名狂热分子继承这一做法，他们以“狂热”为名行凶杀戮。这些人的背景、信仰各不相同。但奇怪的是，他们心中却同样相信真理只掌握在自己手中。[英文中“狂热”（zealot）一词源于希腊语，意思是“眼馋真相，并为之奋斗捍卫”。] 而狂热分子的共同点是绝对坚信自己是对的。其实，可以说他们用一套象征性的“1”和“0”来编写他们的意识形态程序——譬如“我们”和“他们”、“相同”和“不同”、“正义”和“邪恶”，而其中最基本的则是“对”和“错”。狂热分子彻底拒绝承认犯错的可能性。

坚信自己绝不可能出错，这就是确定的感觉。我们已经看到了许多关于确定感的例子，人们要么确信自己耳聪目明，要么确信自己看到了山脉和孕妇，要么确信自己的观念、预测和回忆准确无误。似乎

---

① 在马萨达抵抗的可能是匕首党（Sacarii），这是犹太狂热分子中更加狂热的一个分支。约瑟夫对两者进行过区别，但前后不一致，同其他的记录有出入。

这些五花八门的确定感跟狂热分子的行径毫无关系——从某种意义上来说的确如此。比如你坚信自己对猎户座的看法，跟屠杀那些玷污国家的清教徒、犹太人、重婚者、亵渎者、同性恋和巫婆等行为毕竟不可同日而语。并不是每个有十足把握的人都是托尔克马达①。

但确定感又的确和狂热行径密切相关，这一点从"邪恶假设"中就可以窥见一二。如果我们坚定不移地认为自己所相信的才是正确的，那么那些持相反观点的人就是在诋毁事实、引诱他人误入歧途。这样我们会很容易联想到自己有道德权利（乃至道德义务），并想方设法让那些持异见者闭嘴——所用的方式可以是交谈、胁迫，甚至必要时也可以是谋杀。这就是一念之差导致的悲剧，实际上，历史上这种例子比比皆是，一旦你百分之百坚信自己正确，任何暴行都可以顺理成章。我们往往认为那些由意识形态导致的血腥冲突总是由某些机构组织发起的，譬如极端分子组成的宗教教派，有种族或道德优越感的族群（卢旺达种族大屠杀、纳粹德国），以及极权主义国家。② 但公共机构并不是操纵人类实现利己目的的超人组织。公共机构本身没有目的性。人类创造并运营了公共机构。所以，公共机构所利用的确定感（或者说是对确定感的渴望）本来就存在于人的心里。

狂热行径归根结底源于我们自己。当我们与人生气吵架时认为是对方不讲理、不让步，是对方的错，这其实和那些带来毁灭性后果的

---

① 托尔克马达（Torquemada），西班牙第一位宗教裁判所大法官。他被认为是"中世纪最残暴的教会屠夫"。——译者注

② 我并不是暗示这些事件在道德上可以相提并论，在性质上也不全是那种被奴役的小团体为解放而奋斗（如最早一代的狂热分子）或者统治阶级通过斗争来巩固自己的政权（如第三帝国）。暴力冲突的根本原因复杂多样，而且各不相同；另外，在五花八门的狂热分子的组织中，它们的强弱高低之别非常明显。不过，我感兴趣的不是它们的不同，而是它们的一个共同点：坚信自己是对的。

确定感大同小异。尽管我们没有像那些最早的狂热犹太分子一样去洗劫恩盖迪，也（但愿）永远不会用暴力将自己的世界观强加在别人身上，但必须承认，我们同样渴望真理。

由于我们之前分析过的种种原因，产生了这种坚定不移的确定感也是逻辑上的必然结果。确定感首先源于一种以为自己知道的感受——内心觉得有些事情就“是”如此。从这个最基本的动词“是”中，就可以看出我们百分之百的自信，似乎那些事情都是不言而喻的。从某种意义上讲，“知道的感觉”和“确定的感觉”似乎难以区分，但大部分人所确信的事情其实比知道的事情要多，且对于那些不知道的事情反而更加确信。美国著名讽刺家安布罗斯·比尔斯称之为“用最大的声音说出错误的观点”，就是这种“大声喊出来”的特点把确定感区别开来的。“知道的感觉”从定义上讲只是一种感觉、一种心理状态，而“确定的感觉”则是进一步表露出来的情绪。可以说，“确定”比“知识”的社会性更强，也更容易激发一些行为后果。

因此，“知道的感觉”与其说是确定感的近义词，倒不如说是其先决条件。我们也早已见识过确定感的其他前提条件，譬如最直接、最有说服力且最不容置疑的感官认知；还有逻辑上的必然性，由于“因为正确所以正确”的牵制，我们总是认为自己确信的就是事实；以及我们在评估证据和反证时戴上的有色眼镜。最后，还有信念跟社群不可分割的联系，我们一旦怀疑某种信念，就有可能失去来自那个社群的支持、自己在社群中的地位和身份归属。

这些因素合在一起本应该让我们警惕确定感，而实际上却促进了确定感的出现。我们都知道知识是一个站不住脚的概念，所以感觉知道并不代表你就真的知道。而我们也知道有时候感官会欺骗人，头脑会误导人，现实环境会蒙蔽人。我们还知道确定感有可能会演变成一场道德灾难。甚至我们还讨厌别人十分确定的样子，就算他们不是在为不公平或暴力行径辩解，我们也难以接受。那些我们不认同的人如果显得理直气壮——不管是关于该由谁来统治这个国家或者该由谁来洗碗——在我们看来，一点儿都不合情理，甚至还令我们倒胃口。我们多半会把他们的确定感当作对其先前观点的恋恋不舍，或者归咎于他们思维狭隘、目光短浅、胆小如鼠，甚至冥顽不化。而我们对于自己所确信的却只会理所当然地接受，因为我们相信自己就是正确的。多么不可思议啊，尽管我们思维敏捷、想象丰富又乐于推断，却不能以别人的目光来看待自己。我们无法想象也不会在乎，其实别人眼中的我们也像我们眼中的他们一样无凭无据、无药可医。

这就是确定感最危险的一个基本特征：它会妨碍我们转变视角。如果说想象力让我们能够将心比心地欣赏别人，同情心让我们认真严肃地关注别人，那么确定感就会剥夺甚至毁掉这两种品质。当我们执迷于自己的信念时，别人的说法在我们眼中就无足轻重了。这种事情不仅在历史上大规模上演（个人通常跟狂热分子没有关系，只有在个人为团体服务时才会激起狂热分子的攻击），还发生在我们每一个人身上。不信的话，你可以在下次跟家人吵架的时候试着观察自己的言行举止。你会发现我们早已失去往日的慷慨体贴，变得自以为是、高高在上、盛气凌人、冲动好斗，全然忘了冲突的对象是我们至亲至爱的人。

所以说确定感会扼杀想象力和同情心——这是人类所具有的两种最人性化，也最有益于纠正错误的品质。因此，许多哲学家嘲笑确定感幼稚肤浅。（伏尔泰称其“荒唐”，伯特兰·罗素将其贬为“认知的恶习”。）它还被许多人批判成（借用美国历史学家威尔·杜兰特的词语）“害死人的（感受）”。当我们在其他人身上发现确定感时，轻者一笑置之，重者鄙视憎恨。可是，即便哲学家如此讽刺确定感，为什么我们还是觉得确定感吸引人呢？

假设有一个登山者正在攀登阿尔卑斯山脉，突然被一道狭窄且深不可测的冰隙挡住了去路，周围没有任何安全通道也无路可退。现在的问题不是他应该怎么做——他唯一的选择就是跳过这道深坑，问题是他该对此做何感想。

这一假设场景是由威廉·詹姆斯设计的，旨在帮助人们思考确定感的益处。虽然同时期的哲学家批判确定感幼稚又讨嫌，但詹姆斯却决定要捍卫它，不过也只是稍微辩护一下而已，因为就连他自己也在担心确定感可能引发的道德危机。作为一个实用主义者，詹姆斯认为确定感在实际生活中有一定的好处。而怀疑无论再怎么宝贵，至少对于这个登山者而言也是一无是处。最好他能百分之百确信自己有能力越过这道深渊①。

凭着这一假设，詹姆斯想说明的是，不能因为确定感靠不住就完全否定它。无数事例证明，充满激情地去相信一件事可以改善自己的生活乃至整个世界：譬如，你可以降低你的胆固醇，可以进入医学院，

① 詹姆斯的例子说明了一点，那就是怀疑过头就跟确定感一样有危险。这一点在医学领域有很好的证明。研究虚构症的心理学家威廉·赫斯坦将其形容为“病态的确定感”。不管那些想法是如何荒诞不稽，那些虚构症患者仍旧深信不疑。赫斯坦在强迫性官能症（OCD）中还发现了与虚构症相对应的“病态的怀疑”。跟虚构症不同，强迫性官能症患者会将“确定的标准升高至荒谬的地步”。举例来说，尽管你的同伴多次跟你确认他上楼之前已经把门锁好了，但在强迫性官能症患者看来，这还不足以说明门真的已经锁好了；甚至，即便是他们自己在 5 分钟之前锁好了门也还是不够。他们会有各种怀疑，不管对错或者有无意义。精神病专家托马斯·萨斯虽然没有研究虚构症，但是他也将难以动摇的确定感和长期性的不确定感视为心理疾病的两个极端。他曾写道：“怀疑之于确定，正如神经症之于精神病。神经症患者总是充满疑虑，什么都怕；而精神病患者则确信无疑并以此提出各种要求。”

还可以为孩子争取一个更好的未来；又如，我们最终可以根治脊髓炎，可以保护大自然，还可以让残障人士毫无障碍地享受多姿多彩的生活。正如詹姆斯所说，坚定不移的信念有时候“能够把观念变成事实”。

在上述情况下确信自然是很好的选择，而怀疑则不可取。如果一味坚持怀疑只会适得其反，甚至会带来危险。有些时候，确信是我们唯一的选择，因为根本没有怀疑可选。当同事们相信确定感本质上是荒谬的时候，哲学家路德维格·维根斯坦指出，有的时候怀疑根本就没有意义（仍旧是对确信的辩护）。他认为，要想实实在在顺利地生活下去，我们别无选择，只能把自己的某些观念当作绝对的真理，这些信念是我们世界观的基石，我们不能质疑它们，而只能凭借它们来回答其他问题。“支撑那些看似有理有据的观念的，”维根斯坦写道，“是一些毫无根据的信念。”注意，这里不是根据不足，而是毫无根据。①

维根斯坦以自己有两只手作为例子。这是最极端的例子，正如“病觉缺失”代表了最极端的错误——因为对自己身体的认识原本是不容置疑的。维根斯坦认为，我们说不出令人信服的证据来证明这一类最基础的观点，因为这些观念本身“比其他任何证据都更加确定”。比如，如果有人问他有几双手，维根斯坦说：“我不能因为看到一双手就说自己有一双手。因为我怎么能确定眼睛可靠呢？而要测试眼睛是否可靠，岂不是也要通过看看是否有两只手来判断？”所以在这样的例子中，怀疑根本行不通，只有确信才是唯一合理的选择。

---

① 对于阐释这些毫无根据的信念，我最喜欢的版本并不是维根斯坦的，而是人类学家克利福德·戈尔茨的。他在《文化的阐述》中写道：“一个发生在印度故事——至少，我听起来像是一个印度的故事——说的是一个英国人，被告知整个世界是一个平台，放在一头大象的背上，大象下面垫着一只乌龟。于是这个英国人问道，那么这只乌龟下面放着什么？印度人回答，另一只乌龟。那么另一只乌龟下面呢？印度人答道，‘啊，老爷，另一只乌龟下面垫着无数只乌龟’。”

维根斯坦据此认为，有些时候确定感是逻辑上的必然要求——如果我们连一些基本事实都不能相信的话，也就不能以此为据思考其他任何问题。（其实这是对库恩观点的另一种更深层次的阐释，库恩认为，要是没有任何理论做基础，我们就无法理解这个世界。）同时，詹姆斯也认为，这种确信有助于人们采取行动，对于我们的生存和成功十分必要。这些观点其实都说明了确信的第三种重要性，即它在进化方面具有优势。我在前面的章节曾经说明，如果我们不直接接受一个观点，而是选择怀疑并花时间去刨根问底，那么就需要动用更多的认知资源——还会引发更大的风险。所以，威廉·赫斯坦在他的《大脑小说》中将怀疑视为“一种认知上的奢侈品”，仅仅“出现在高度发达的神经系统中”。

赫斯坦言之有理，软体动物是不会怀疑的。不仅进化的过程如此，我们个体的自我发展历程亦然，所以 1 岁的小孩也不会怀疑。维根斯坦观察发现，“孩子一开始会相信大人，然后才学会了怀疑”。怀疑有各种不同的阶段和形式。怀疑圣诞老人是不是存在是一个阶段，怀疑新闻是真是假又是另一个阶段，而怀疑你自己写的新闻是否真实可靠又是更高一级的阶段。我们到底有多么善于怀疑取决于多种因素，包括我们的感情是否成熟、是否能容忍没把握的感觉（在某一时刻这一点尤为关键），以及我们过去是否了解、接受过批判性思维的训练等。所以这样看来，怀疑似乎是一种技能，我们需要不断去学习和巩固它，而相信则像一种本能。

不论是漫长的进化历程，还是相对短暂的个人情感和智慧的发展过程，甚至短暂到我们处理外部信息的一瞬间，怀疑都发生在确信之后，这一点已经由心理学家丹尼尔·吉尔伯特和他的同事于 1990 年进行的一项研究证明了。这项研究用于证明荷兰唯物主义哲学家巴鲁克·斯宾诺莎的一个论断：当我们碰到新信息时，我们会自动认为这是真的，只有在经过某个独立的判断过程后，才会认为这是假消息。而在笛卡儿看来，这一理论不够直观和理想，他认为我们应该先判断某一信息真假的可能性，然后才会相应地选择接受与否。譬如这句话，“一块奶酪可能会将灌木丛中的犰狳[①]引出来”。按照斯宾诺莎的观点，一旦读了这句话之后，哪怕只是扫了一眼，你就会直接相信这句话。在这种模式下，相信是我们默认的认知模式，而怀疑或者不相信则是在此之后额外的一个认知过程。

我们所有人都经历过斯宾诺莎所说的情况。吉尔伯特和他的同事指出，假设我们正独自在路上开车，突然看到路中央出现了一条腊肠狗，我们肯定会先转向，很久之后我们才有可能考虑我们之前的定论（“路中央有一条腊肠狗”）到底是真是假。甚至我们也可以假设，如果看到路中央有一头独角兽，我们也会转向——即使这个世界上根本就没有独角兽。实际上，很多人会因为头脑中想象的情节而临时转向。不久之前，我经过曼哈顿街头的某个脚手架，在自己反应过来之前，突然就双手抱头一下子跳开了。可能是由于光线的闪烁或者我一时眼花吧（谁知道呢），总之某个神经末梢突然发出了错误的警告，让我以为脚手架马上要倒在我身上。幸好脚手架没塌，不过我还是忙不迭地躲到一旁。这么做了总比不做好，这也就是确定感在人类进化过程中发挥的作用。

由此可以明显看出，在现实生活中，我们有时会先相信一个观点，然后再找机会验证。而吉尔伯特及其同事想了解的是，这到底仅仅是

---

① 犰狳，又称“铠鼠”，一种小型哺乳动物，属真兽亚纲贫齿目的犰狳科，是生活在中美和南美热带森林、草原、半荒漠及温暖的平地和森林的一种濒危物种。——编者注

我们表现出来的样子，还是我们的根本思维方式。他们认为，如果怀疑不只是一个过程，而是两个过程的话（先接受某个命题，再怀疑它是假的），人们一旦在接受新信息后立刻被打断，就很可能会相信那些虚假的观点。而吉尔伯特及其同事的研究也证明了这一点。在一系列的实验中，他们引得被试在接受新信息后马上分神，结果发现，被试把错的当成对的的概率会很高，但不会把对的看作错的。看来，只需要让被试在心中想象出某个画面（比如犰狳朝着奶酪爬过去），就足以让他们相信这一观点——这再次证明了我们会把大脑中想象的画面与现实混淆。

这项研究不仅证明了斯宾诺莎的推断，还指出我们在认知上的偏见——为什么人们更容易相信而不是怀疑。不过，这不仅是神经学领域的真理，显然也是感情上的至理。确定感可能在实际运用、逻辑和进化方面都非常必要，但更直观的还是它让人感觉舒服。确定感让我们放心地相信周围的世界稳定长久且有章可循，所以我们身处其中非常安全。同样它也会让我们觉得自己有见识、有智慧、有胆量。当我们感到确信的时候，我们就是世界地图的主宰者——对世事无所不知、无所不晓。

这样看来，我们不喜欢怀疑是因为害怕怀疑时的痛苦。那种心里没底的感觉会让我们陷入过于博大、过于开放又过于模糊的世界中。连伏尔泰都不得不承认，虽然确信来得荒唐，可不确定感又令人“不安”。“不安”一词虽略显保守但却一语中的：因为什么都不确定，所以我们一放松就闲得发慌，缺乏安全感。如果说确定感用答案让我们心安，那么不确定感就是在用问题来为难我们。这些问题不仅仅关乎我们的未来，还包括我们的过去，譬如我们曾经的决定、曾经的信念、曾经拥戴的人物和团体，甚至曾经的生活方式。更糟糕的是，自身的不确定感还会引发我们面对世界的不确定性——我们被迫承认没有人能完全了解世界，所以谁也无法保证自己和爱人不犯错、不遭遇天灾人祸等。

难怪我们会不由自主地喜欢确定感。这并不是因为我们忽略了确定感可能导致的知识和道德危机，而是因为那些危机毕竟很抽象，远没有怀疑的危险来得那么直接实在、令人恐慌。实际上，如果说我们对正确的喜爱是源于对错误的恐惧，那么我们对确定的执迷也是因为对怀疑的反感。为了更好地说明这种反感情绪，我列举了 3 种长期持怀疑态度的代表人物：优柔寡断的丹麦王子哈姆雷特、含糊其词的美国民主党候选人约翰·特里，以及美国政坛上最令人受挫气恼的中间选民。

《哈姆雷特》[①] 这部史上关于怀疑的最著名的戏剧很恰当地以一个问题开场："那边是谁？"这句简单却骇人的问话拉开了整部剧的序幕。故事背景在丹麦，当时的国王（哈姆雷特的父亲）刚刚去世。而"那边"的已故国王的鬼魂想要跟儿子做最后一番交谈。当哈姆雷特出现时，鬼魂告诉他自己并不是正常死亡的，而是被自己的弟弟克劳狄斯所害。在他死后，克劳狄斯又娶了自己的遗孀——哈姆雷特的母亲，并登上了王位。国王的鬼魂要哈姆雷特杀了克劳狄斯替他报仇，哈姆雷特答应了父亲的这个遗愿，但在痛苦纠结了整整 5 幕之后，他直到临死之前才终于如愿。这个时候其他主要的角色基本都已经死了，包括哈姆雷特的母亲和他的 3 个好友（拜他所赐）无一幸存——如果哈姆雷特"决心的赤热的光彩"没有被"审慎的思维盖上了一层灰色"的话，这些人或许还能活下来。

---

① 本章所有对《哈姆雷特》一书的引用均摘自朱生豪的《哈姆雷特》译本。——译者注

已经有太多人评论过哈姆雷特的犹豫迟疑，就连七年级的学生也会在学期论文上定期评论一番，所以优柔寡断已经被广泛看作哈姆雷特最典型的性格特征。但情况并非一直如此。批评家哈罗德·詹金斯观察到，至少在《哈姆雷特》最初问世的 150 年里，人们普遍认为这个人物“精力充沛、英勇大胆”——他只是受累于周围的环境，而非自己的内心。但在之后的 18 世纪，詹姆斯·博斯威尔评论道，“犹豫不决是哈姆雷特相当重要的一个性格特点”，此后这一论点便屹立不倒。之后的 100 年间，在诸如歌德和科尔里奇等作家的推波助澜之下，现代人眼中的哈姆雷特便诞生了：一个优柔寡断、不敢行动的人。

如果说一千个人眼中就有一千个不同的哈姆雷特，那么 18 世纪的英国戏迷为什么认为哈姆雷特是瞻前顾后的王子，这点实在耐人寻味。当时的社会文化风气里有什么特别的东西，能够突然把行动与思考、确信与怀疑变成如此尖锐的两对矛盾？不管是什么，这种风气一直持续到今天，证据就是目前还没有其他观点可以取代博斯威尔的描述。那个活在现代人意识中令人发狂痴迷的王子，用科尔里奇的话讲，是一个“永远在沉思”的人。

按现代的标准来看，犹豫是哈姆雷特的致命弱点。他的徘徊迟疑不仅害得自己内心挣扎，还间接导致了宫中的惨剧。不过，这般分析《哈姆雷特》其书与其人，难免有些讲不通的地方。首先，丹麦王子从最初尝试杀死克劳狄斯到最终成功共经历了 3 幕戏。中途他碰巧杀死了克劳狄斯的亲信波洛涅斯，而这竟被人们看成是行动失败而不是观念有误，这是怪处之一。怪处之二在于，他发现同窗罗森·克兰茨和吉尔·登斯特恩监视自己后，毫不犹豫地处死了这两人，与某评论家所谓的“畏首畏尾的王子”的形象实在大不相称。

不过，哈姆雷特确实有过矛盾挣扎。虽然他比我们想象中要决绝，但他的沉思犹豫也很明显。他明白情况的复杂和矛盾，也清楚自己可能会犯错。他知道不能任反思的能力“白白废掉”，而他的沉思也不仅仅是在考虑谋杀叔父，同时也在考虑自己的生命（“生存还是毁灭”），以及考虑今生和来世的普遍意义。

善于怀疑是哈姆雷特的性格特征，这点显而易见。但为什么这一特征被很多批评家看作一大缺点，原因就不那么明显了。哈姆雷特在全部 14 场戏中所犹豫的毕竟不是吃三明治还是鸡肉沙拉这么简单，而是杀人报仇这种大事情；也不是一般的谋杀，而是弑君和弑父——他需要处心积虑除掉的那个人，既是他的国王、叔父、继父，又是他母亲的新婚丈夫。任何一个有理智的人面对这种情况，不都应该要慎之又慎吗？（这种理解在博斯威尔之前很盛行，大家都认为哈姆雷特的事例是一个理性的人在陷入不合理环境后的正常反应。）

如果这些伦理、政治和家庭等方面的困难还不够有说服力，那么哈姆雷特还面临另一个问题，那就是证据不充分。他毕竟是在没亲眼见过父亲被害死的情况下就被要求复仇的。换作是你，如果有鬼魂叫你去复仇，你会怎么想？假如鬼魂说的是假话呢？假如它找你报仇是为了不可告人乃至险恶狡狯的目的呢？又假如根本没有鬼魂，是你自己出现幻觉了呢？我们既然声讨塞勒姆的执法者，责备他们在女巫案件中爽快地接受了幽灵的证据，那么对于多长一个心眼儿的哈姆雷特，是不是该予以褒扬呢？换句话说，哈姆雷特之所以犹豫不决，既因为他面对的情况有很多不确定性，也因为他的任务实在太重大、牵连太广。

为什么我们认为他的怀疑会有问题？难道不应该鼓励（或者说要

求）杀人者在作案之前先严肃思考一番吗？更何况，如果哈姆雷特在第一幕中直接杀死叔父，就能确保所有人从此过上快乐无忧的生活吗？无论是在文学作品还是在现实生活中，一时冲动从来都得不到好结果，贸然行动从来谈不上有收获，而一腔热血的领导人更不会是维护和平的高手。[①] 问题的答案不在于哈姆雷特的性格，而在于他的身份。没有人会在乎像雷奈尔多（波洛涅斯之仆）这类人的态度，他到底是信心百倍或犹豫畏缩都没人管。但哈姆雷特是个王子，而我们对领导人的态度都是极为关心的（甚至对小说中的领导人物都很关心），这样做当然不无理由。我们知道，政治家特别需要有坚定不移的把握，因为他们必须做出无数个重大决定，不像普通人那样只要安排好周五晚上怎么过就行。若有领导人在整整 5 幕戏中瞻前顾后，国家就会面临倾覆的危险。

但仅仅看实际作用，还解释不了为什么我们喜欢态度坚决而厌恶优柔寡断的领导。纯实用主义反而要求政治领域里要有鼓励怀疑的措施，因为稍微了解历史的人都知道，过于刚愎自用的领导往往危害匪浅。可我们在现实中显然不会遵循纯实用主义。无论是在政治领域还是在其他领域里，做出任何判断都会掺杂情感，而且情感往往占据上

---

① 莎士比亚自己的作品中就很好地体现了这一点。在他的全部作品中（抑或是整个文学史上）最痛苦的两个人物当属哈姆雷特王子和李尔王。如果说哈姆雷特是为怀疑所累，李尔王则是因武断而遭殃。像《哈姆雷特》一样，《李尔王》也结束于一场血战之中，最后国王及其 3 个女儿，以及其他主要角色大半都牺牲了。在这里，悲剧源于李尔王过度地轻信又急于把想法付诸行动的莽撞。从领导方式上来看，他更偏向于红心王后那种“砍掉他们的头”似的冲动，而不太像丹麦王子似的深思熟虑。评论家梅纳德·迈克如此形容李尔王，“采取行动就像呼吸一样自然，而且速度比呼吸还快一倍”。哈姆雷特那么缺乏果断（评论家认为果断也是读者对他的期待），可是李尔王的事例表明果断过度就成了武断，其结果跟怀疑一样是致命的。

风。我们在感情上确实一心一意地迷恋确信的态度。

前面我也提起过确定感，但那指的是我们自己的确定与怀疑，当时讨论的是自己拥有固定的信念会感觉多么安全愉快。而现在我们发现别人的坚定也很有魅力。我们都或多或少地被这种坚定的信心吸引过。我的方向感很好，但是有一次却不自觉地跟朋友走错了路，原因很简单，她大步流星的姿势看起来把握十足。同样，我们也会跟着那些有把握的领导走上各种象征性的道路，而根本不问他们（或我们）要去的方向。看到他们信心百倍，我们可能又犯了老毛病，误把确定感当作正确的标志了。

就像其他大多数会导致错误的行为一样，跟着信心满满的领导前进本质上不是什么不理智的举动。很多时候这其实很好地保障了劳动分工。领导不需要听大家各执一词的争辩，这对他们也是一种解脱。虽然领导代表确信，但是领导也同我们一样渴望确定感。（可参考一个例子，哈里·杜鲁门有一次被金融顾问"一方面""另一方面"的分析给搅晕了，便开玩笑说下次要委任只有"一方面"的经济学家。）同时，我们这些追随者也不必承担做决定的重任，从而会有更多的时间关注其他事情。

更大的好处在于跟随了一个自信的领导后，有的人自己就变得不那么犹疑了。因为其他人的信心会带给我们信心。社会心理学家可以告诉你，怀疑和确信都像普通感冒一样可以传染。在其他条件相同的时候，我们若身处有把握的人群中，自己就会跟着有把握；而身处犹豫的人群中就会跟着犹豫。所以，无怪乎我们往往神化那些信心如山的政客，愿意选他们当领导。（在商业、军事领域也是一样，甚至在选六年级学生会成员时亦会如此。）威廉·赫斯坦甚至暗示过，我们对当权者的感觉是，"有决定总比没决定好，哪怕那个决定（很）可能是错的”。换句话说就是，犯错的领导好过犹豫的领导。[①]

说到这里就得谈到约翰・克里（John Kerry），更具体来说，就是谈到 2004 年的美国总统大选，当时的两位竞争者是克里跟时任总统的乔治・W. 布什。一个是犹豫的男人，一个是犯错的男人，历史上真找不出比这次总统大选更经典的较量了。克里打了一场自己后来所否定的战争，资助了一场自己曾经所谴责的战争。因为这两个原因，以及其他问题，“右翼”把他刻画成一个变节者。而布什则把复杂的地缘政治问题简单地归结成“黑”“白”之分，而且不能容忍别人对自己的观点提出异议，因为这两个原因，以及其他问题，“左翼”把他刻画成独裁者和危险的肤浅人士。所以，从某种意义上来讲，2004 年那场臭名昭著的大选归根结底是两类投票人之间的较量，一类人担心领导摇摆不定，另一类则担忧领导冥顽不化。

我承认，攻击对手政策多变是美国政治剧本的标准策略。可是在约翰・克里的事例中，这样的控诉却充斥着整部剧。克里对越南战争和伊拉克战争反复无常的态度不是唯一受攻击的把柄。那些贬低他的人也提到，他甚至在死刑、福利改革、社会治安、同性婚姻、平权法案、爱国者法案、“不让一个孩子掉队”等议题上也迟疑不决。要了解当年大选期间讨论的内容，不妨看看这组例子。2004 年 3 月至 10 月间，《纽约时报》专栏作家威廉・萨菲尔（William Safire）在“论语言”

---

① 不仅在政治领域是这样，在其他需要频繁、快速、坚定地做出决断的行业里，人们也持这种观点。譬如说体育界。在《纽约时报》一篇评论裁判的文章中，作者约瑟夫・博格（Joseph Berger）观察道：“棒球飞行的速度比高速公路上的汽车还快，在这种情况下裁判难免会犯错——谁没判错过呢？但是他们不能收回判断。如果你承认自己错了，接踵而至的就是混乱，甚至更糟糕的是你还会受到嘲笑。”博格引用了一个裁判的说法：“一个好的长官对于自己的决定总是很坚定的，而且总是能贯彻到底，哪怕他知道自己已经犯了错。”

一栏里主要阐述了“优柔寡断”（wishy-washy）、“含糊其词”（waffle）、“倒戈”（flip-flop）等词[①]；杰伊·莱诺（Jay Leno）构想了两个适合克里的竞选标语，一个是“拿主意好痛苦！”另一个是“还在犹豫吗？选民们——我跟你们一样！”而在当年的共和党大会上每一次提起克里的名字，参会代表就要从左往右呈波浪形摇摆一回；当时你只需花10美元，就能买到印有克里头像的人字拖；还可以买下“抵制克里大选”的纽扣来炫耀，纽扣上画的往往是华夫饼（象征含糊其词）或者亨氏瓶装番茄酱——这种番茄酱既隐晦地指代克里的妻子特蕾莎·亨氏·克里，也直接讽刺克里“对每个问题都有57种变化的态度”[②]。

这些攻击中有的站不住脚（譬如，一个人参加过“越战”后，凭什么就不能斥责“越战”是道德和政治上的耻辱），有的却合情合理（譬如克里突然同意延长最短刑期，不是因为他再三深思过其好处，而是因为外界的压力要求他“严惩不贷”）。不过，这些攻击是否有理有据现在倒无关紧要，或者说从来都无关紧要。在我们的政治文化中，一个领导人若改变了主意，他改变的动机并不重要，关键在于他变卦这件事本身。

就拿克里对伊拉克战争的态度来说吧，这是他被嘲笑得最多的一个话题，因为他支持过伊拉克战争，后来又反对这场战争。我们从下面的例子中将看到，他这样转变政治态度的做法是完全情有可原的。每个人都认识一些改变过思想的人，而且我们中的大部分人都改变过

---

① 萨菲尔希望我说明一下，这几个词的意思是有差别的。指责某人突然倒戈（改变立场）跟指责他含糊其词（给不出明确答复）不是一个概念，与指责他优柔寡断（看起来很软弱）也不同。不过，这些词加在一起总的来说是指控对方想法太多而决定太少。

② 这句讽刺源于亨氏公司的著名口号“57种变化”，指的是1896年公司拥有的57种产品。——译者注

主张。2003 年伊拉克战争刚刚打响的时候，76% 的人投了赞成票，而到 2007 年时，一半的支持者便要么反对，要么弃权了。自从美国介入伊拉克内政以来，公众毕竟获取了很多新的信息，陆战局势产生了变化，布什政府的信誉也大幅贬值。我们原本以为美国军队会给伊拉克人民带去更好的生活，现在看来却是自欺欺人。战争不但牺牲了无数人力、财力，而且降低了美国在国际社会中的地位，代价之大远超人们的想象。当 2003 年布什总统宣布“任务完成”时，恐怕谁也料不到后来的结果。在这种情形下，那些还顽固坚持当初意见的人显然该听从约翰·梅纳德·凯恩斯的一句嘲讽的反驳：“事实改变了，我只好改变想法。要不然您还能怎么办呢？”

凯恩斯所说虽然言之有理，但是像克里那样 180 度大转变的态度，却有悖于政治文化历来的一个规矩，这个规矩虽然不靠谱却存在已久。对政治家来说，只要坚持已见就值得尊敬（而只要中途变节就会遭人唾弃），哪怕是一意孤行地坚持错误也好。正如已故的著名军事历史学家巴巴拉·W. 塔奇曼（Barbara W. Tuchman）所言：“承认错误、挽回损失、改弦易辙是政府能出的下下策。”这就跟哈姆雷特的悲剧一样，我们只注意到哈姆雷特的怀疑犹豫、反复多变，却不关心在意他态度转变的背后原因。尽管怀疑和认错是很宝贵的品质，但我们始终讨厌领导认错，还把认错看作软弱的表现。这种看法不见得正确，但却深深扎根在人们心中。

赶在某些读者发火之前，我自己先承认吧，前面说到“我们”，其实一棒子打死了太多人。虽然确定感的诱惑无处不在又难以抵挡，虽然人们在公众场合喜欢聚拢在信念坚定的人身边，但也并不是说每个人都如此敬仰坚定的人和憎恶怀疑的人，也不是说每个人都对坚定和怀疑的态度泾渭分明。从布什和克里的较量中可以看出，有的人讨厌坚定就跟其他人讨厌怀疑一样到了极点。

但容忍怀疑也有一条底线。无论是 2004 年布什与克里之争，还是 2008 年麦凯恩与奥巴马之争，大家虽然各执一词，但在一个问题上却异口同声——我们都鄙视那些拿不定主意的投票人。就连极"左"分子和极"右"分子作为死对头，看待彼此的眼光里好歹也带上了几分尊敬，但对那些犹豫不决的投票人便只有憎恶、鄙视和嘲笑。2008 年大选中的两个例子可以充分说明这一点。约翰·斯图尔特在《每日秀》节目上画了一张饼图，他把犹豫的投票者分成 4 类讨厌的人："哗众取宠者、民主党派的种族歧视者、长期无主见者，以及蠢货。"几周后，幽默大师大卫·赛德瑞斯在《纽约客》上发表了一篇文章，引起一时轰动。他在文章中想象了飞机上的情景——"空姐推着食品车走过过道，最后在我身边停下问：'您想要吃鸡肉吗？还是更喜欢这盘掺有玻璃碎渣的粪便呢？'"赛德瑞斯写道："在这场大选中考虑再三，就像你愣了一秒钟后问'鸡肉是怎么做出来的'一样。"

这就是主流观点中的犹豫的投票者，他们空虚、不安、可恶、无能，连在鸡肉和鸡屎之间该选哪个都决定不了——所以他们连鸡屎都不如。但为什么要如此关注他们呢？一个比较合理也比较靠谱的猜想是，我们怕他们犹豫与怕领导犹豫一样。这些选民需要在投票箱前做出很重要的决定，就像政治领袖每天都要做很多重要的决定一样。那些不敢选择的选民简直让我们心惊胆战。虽然他们没有总统那样大的权力，但他们手里却掌握着与他们自己人数不相称的决定权。而我们的政治前景都与这一小群拿不定主意的人捆绑在一起。

但我有种感觉，就算改善了这种选举制度（譬如说废除选举人团后便能大幅削弱中间选民的影响），我们还是会冲这些人火冒三丈、发难指责。我们在乎的若只是选举结果，则应该花更多的精力来劝说成千上万个反对派人士，而不是只关注这一小群举棋不定者。可是当选举进入最后关头时，我们往往跟自己的死对头起了同仇敌忾之心。他们虽然选择了鸡屎，但起码跟我们一样明白选举是件大事情，所以必须要亮出明确的态度。

这就是为什么迟疑不决的选民让我们抓狂。他们小心考虑的都是在我们看来根本无须思考的一些问题。我们以为选择如此之明显，他们居然还不知道该相信哪个，所以他们尚在犹豫、踌躇，等待更多信息的出现。如果不是在美国大选中，这样的态度倒也合情合理甚至值得称赞。其实，这些选民跟我们在第六章中介绍过的理想的思想者还有几分相似。倒不是说这些普通人都代表了最优秀的“哲学家型公民”，也不是说他们是我们的榜样（且不说别的问题，前面已经提到过理想的思想家其实没那么“理想”），而是说他们代表了我们早已排除的一种可能性，那就是反复斟酌重大的决定，不停地考虑犯错的可能性直到最后一刻。

这就是犹豫型选民的优点，起码他们知道自己可能会犯错。而我们的优点，则在于我们充满激情地去拥抱一种观点。这两个优点虽然乍一看互不兼容，但理论上可以被整合到一起。心理学家罗洛·梅（Rollo May）曾写道：“我们必须全心全意投入一件事，同时也必须认识到自己有可能错了，这似乎是很矛盾的。”但是请注意，梅的这句话既不是想劝我们摒弃怀疑，也不是想号召我们拒绝相信，恰恰是要我们在坚信的同时秉持公开的态度。他总结说：“最健康的态度不是毫不迟疑地相信一件事，而是尽管怀疑但依然相信一件事。”

我们大多数人都不愿当纸上谈兵的空想家，也不想做一意孤行的行动派。可是要把梅的标准付诸实践却十分困难。哪怕态度再诚恳，我们经常还是放弃不了对自己观点的十足相信。其中一个困难在于我们的确定感太强烈，从感官印象到社会关系，再到人类的认知体系，都让我们不由得产生一种“我是对的”的感觉。而第二个困难在于我们对错误的矛盾与恐惧。虽然确定感并不代表我们不会犯错，就像声音大未必就是有理的一方，但是起码确定感像一道屏障，让我们暂时不必面对犯错的可能。

利昂·费斯汀格（Leon Festinger）在 20 世纪 50 年代就记载了确定感的这种屏障作用，同时他还提出了现在很著名的“认知失调”论。他和几个同事外加几个雇来的旁观证人，一起努力让一群人相信了某位名叫玛丽安·科琪（化名）的郊区家庭主妇所说的有关人类审判日的预言。科琪说她联系到一个来自外太空的有着耶稣模样的人，那人告诉了她外星人何时会降临地球、飞船何时会登陆，以及地球何时会被洪水淹没。后来这些预言全部落空，可组内几个预言的拥趸者不但没有怀疑预言，反而表现出加倍的顽固和狂热。[①]

科琪及其同胞所持的观念并不常见，但他们在观点破灭后的反应却并不罕见。无论你相信的是宇宙飞船还是自由市场或是别的什么事物，只要是人，都会容易陷入故步自封的顽固之中，借此逃避可能犯错的事实。这就是为什么在吵架快要输掉的时候，我们反而叫得更大声——不是因为相信自己正确，而是因为害怕自己错了。还记得华纳

① 用费斯汀格的话来说，认知失调是同时持有两种矛盾观点时的违和感觉。这种失调可以是相信一个想法结果没实现所致（比如“宇宙飞船会在周二登陆”与“没有宇宙飞船在周二登陆”），也可以是观念和行为之间的失调（比如“抽烟有害健康”，以及“这是我今天抽的第二包”）。费斯汀格提出，有两种办法可以减轻这种不舒服的感觉。最直接的办法是要么改变观念，要么改变行动，但如果你长期笃信这个错误的观念或者已经对这个不好的行为上瘾了，那么这个办法就很难行得通。另一个办法要迂回曲折些，不过实现起来更容易。那就是你说服自己和别人：相信那个错误的观点其实没错，或者有害的行为其实没那么大的害处。由此你就能明白为什么当观念出错后，人们反倒更加固执己见的例子屡见不鲜了。下面还会谈到这一点。

兄弟动画片中的那只大灰狼吗？他跑出悬崖后只要不往下看就不会掉下去，而我们增强自己的确定感，就跟他不往下看一样。

以上这些引出了一个问题：到底悬崖底下有什么恐怖的东西？就像其他恐惧一样，我们对错误感到恐惧只有一半是现实的原因，另一半却源于自己的想象。"唯一值得恐惧的就是恐惧本身"这句话并没有完全说对，因为错误确实可能像悬崖一样拖垮我们的生活。不过，恐惧帮不上忙却只能伤害我们倒是事实。因为恐惧，我们更容易犯错（看不到悬崖怎么能越过悬崖），更难以原谅自己和别人的错误。所以对每个人来说，仔细看一下犯错的经历总比完全不看要好。所以下面我们要做的，就是走出悬崖边缘，体验一下坠落的感觉，并看看崖底到底有什么。

第3部分

犯错经历

第 9 章　为何一错再错

既然我的梯子已经消失，我必须平躺在那些阶梯攀升的起点——内心那间破烂的杂货铺里。

——威廉·巴特勒·叶芝《马戏团动物大逃亡》

行文至此，本书一直在探讨我们是怎么犯下错误的——也就是我们是如何被自己所感、所想、所习以为常的事物引入歧途的。接下来几章将要介绍的是，当我们认识到这些错误后会发生什么：也就是当我们深信不疑的观念全盘崩溃后，我们会如何加以应对，又会发生怎样的改变。上述这些章节分别阐述了我们犯错的“前因”与“后果”。

而本章要讲的既不是“前因”，也不是“后果”，它关注的是在犯错的过程中发生的事情——在这一阶段，原本深信不疑的当局者开始认识到自己的错误，并对此产生抗体，进行自我保护。

无论是从心理学角度，还是从结构层面上来看，这一阶段都是我们犯错经历中的重中之重：此时过去的一部分自我业已完成，全新的自我正蓄势待发。由此可见，这一阶段对我们道德和智力上的成长都至关重要：它解释了为什么错误让人畏惧，令人唯恐避之不及；它还能帮助我们理解这些负面情绪，从而超越它们。这其中的奥妙，简直难以言喻。

这一研究的难度在第一章就稍有提及，当时我指出，在谈论错误时，我们无法使用第一人称现在时。在逻辑上，“现在我所持的观点是错的”这句话压根儿就不成立，因为在察觉到某一观点不成立的同时，我们也就不再持有它了。话虽如此，从执迷不悟到恍然大悟，这二者之间总归还是存在某种“过渡带”的。但是这种“过渡带”的本质却难以捉摸。其主要原因在于我们观念的改变要么发生得太快，要么进行得太慢，以致无法辨别出错误发生的准确时刻。

不妨先以渐进的观念转变为例。我们绝大多数的观念都是在时间的侵蚀下慢慢发生变化的，到最后要么消失殆尽，要么不经意间改头换面，因此没有特别明显的转折点。这种板块漂移式的转变可见于各种各样的观念，大到对上帝的信仰，小到自以为穿喇叭裤很好看。正是由于其性质特殊，要想准确记录这种长期渐进的变化极为困难。谁能说清究竟哪年哪月山川夷为草原，冰川化为牧场？相比之下，人类的观念变化历时缩短了不知多少，却几乎同样难以察觉。我有个朋友曾有妙语：“这就好比前一刻我还口若悬河地陈述着某个观点，下一刻就跳到10年后，在鸡尾酒宴会上，我拿当年高谈阔论的自己打趣儿。我想这之间一定有一个缓慢放手的过程——先丢掉的是高谈阔论的兴致，接着连那个观点也一并舍弃了。然而在这二者之间，我却没有经历过‘承认错误’的阶段。”

百花盛放，风卷云聚，斗转星移——要想观察这些进程缓慢、肉眼难以察觉的自然现象，就得依靠延时摄像技术。同理，我们若想从渐进的变化中分离出错误发生的时刻，就需要借助体内具备类似功能的媒介——事实上，我们还真有。不过遗憾的是，它的名字叫“记忆”，并且众所周知，它是出了名的不靠谱。

更可气的是，它偏偏就在回忆老观点时最靠不住，常有差池。这一现象已有多人著述。例如，心理学家格雷格·马库斯（Greg Markus）在 1973 年曾邀请 3 000 多人就维权行动、大麻合法化，以及妇女平等一系列社会问题发表意见，在 1～7 分之间进行打分（1 分代表“强烈反对”，7 分代表“非常赞成”）。10 年后，他请回当年的受访人群就同一问题回忆出 10 年前自己所持的观点。无一例外，所有受调查者根据回忆打出的分数与他们在 1973 年持有的实际观点相差甚远，反倒与他们现在持有的观点更为贴近。这个例子显示，在观念变化中消失的不仅仅是错误，还有变化本身。

无独有偶，乔治·奥威尔在小说《一九八四》中加以痛斥的修正主义政治也反映了这种现象。小说主人公温斯顿·史密斯就职于档案局的“真理部”，日常工作就是篡改旧报纸上刊载的事实和预言，使其与当下的实情相符。这种篡改帮助政府构建起一个绝对正确的假象，从而巩固其专权执政：温斯顿是法西斯政权下的奴隶（最终还沦为受害者）。当然，尽管我们的记忆同样具有书中反乌托邦政权“真理部”的篡改功能，但这并不意味着我们都是原生法西斯党徒。与奥威尔构想的恶意篡改不同的是，我们大脑内长期进行的记忆微调大都是无意为之的，并且往往无伤大雅。但是同档案局一样，我们的记忆经常施展“魔法”，悄无声息地抹去我们犯下的错误。

菲利普·泰洛克就曾目睹这种现象发生。泰洛克是一名心理学教授兼政治学者，主要针对学者、权威人士、政策专家等所谓的“行家”做出的政事预测进行纵向研究，判断其准确与否。当然，无论专家们的预测应验与否，泰洛克都会在事后与他们进行二次接触。泰洛克发现，这些专家对当初自己所做预测的记忆都会出现偏差，认为自己的预测要比泰洛克记载在案的更准确。泰洛克由此断言，这种现象“给研究操作带来很大不便：倘若受调查者以为自己从一开始就没有错，那么要想问出他们当初为什么犯了错便是难上加难”。这一点同样适用于普通人。

通过对历史数据进行更新，使其与当下实情一致，我们也就没必要（也无法）直面曾经犯下的错误了。如果我们认为自己过去和现在的观念都一样，就不会存在摩擦、变化和错误，更不用替前后矛盾的自己找借口了。

如果说渐进的观念转变是将错误淡出脑海，从而让我们少经历几次犯错的挫折的话，观念的突变则正好相反：它将这种体验浓缩至一点，从而让错误消失在视线尽头。在这一类观念突变中，如梦初醒的瞬间正是领悟新知的灵光乍现。我们的犯错经历就如同高能物理学中的粒子一样：转瞬即逝、闪烁不定，乍现的光芒转眼就黯淡。绝大多数情况下，物理学家只能通过观察某密闭系统中物质与能量的转换来间接侦查出该类粒子的存在。我们的高速错误粒子也是一样。我们迅速地跳过犯错的挫败，最终唯一证明我们错误的只有我们内心的变化。

这种从真理A跳到真理B的倾向阐明了一个重要事实，即我们的观念是如何改变的，以及我们是怎样固执己见的。科学哲学家托马斯·库恩这样描述科学家在优势理论逐渐明朗时的反应：“当科学家遇到极其严峻或长期的异常情况时……他们从不谴责将其引入这一危机的范式，”相反，他还会总结道，“一种科学理论只有在另一可行理论出现并将其取而代之时才会被宣告无效。”这就是说，科学理论很少因其自身的缺陷而不攻自破。它们往往会在更新、看起来更优秀的理论出现时才会坍塌。

这一现象不仅适用于科学家，也适用于我们所有人。在生活中，我们会经历失业、失恋，甚至有时还会无家可归。但是我们几乎从未发现自己没有观点，我们往往在形形色色的观点中进行选择，坚持现有观点，直到更好的观点出现而不是根据某一观点的自身价值来对其加以评判。这一策略本身是没有问题的——事实上，它可能是唯一真正行得通的方法——但它将犯错的过程缩短到了仅仅数毫微秒。直到刚才那一刻，我们还都对某观点深信不疑，可你瞧瞧，还真奇怪，下一刻我们就拥护了新的观点。

不过，有时我们也会摔跟头。我们尝试着从“犯错前”跳到“犯错后”，从真理 A 的坚实土壤跳到真理 B 的稳固大地，却不曾想落入了二者之间的深渊。这道深渊就是百分之百错误的境地——当我们过去的某一观念散了架，而一时间又找不到其他观念取而代之时，我们就会坠入其中。这个地方既不安逸，也不舒适。我也要奉劝大家，此地不宜久留。（尽管我向来对错误兴趣浓厚，同时也在努力重建它的名声。）意识到自己犯了错可能会让我们恼羞成怒、迷惑不解，或者垂头丧气。而“犯错进行时”的体验——这种实时陷入错误的泥潭，无处可逃的经历——更是几乎会将我们摧垮。

幸运的是，这种情况并非常事，我们也不会因为一些琐碎或者不太重要的观点的坍塌而陷入这个泥潭。我们只有在重大观念出了错时才会裹足不前。这些观点至关重要，影响深远，所以我们既不能轻易找到它们的替代品，也无法在没有它们的情况下轻轻松松地过太平日子。如果说琐碎的观点有时会像泡泡一样轻轻破碎——冷不丁发出“噗”的一声轻响，然后就无影无踪——那么这些重要观念的坍塌就好比行星陨落，只留下无助的我们和一个黑洞。如果你将全家的未来前景都押在对伯纳德·麦道夫[①]的信任上；如果你将前程寄托于某个教条或者神明，如今却发现无法相信它；如果你发现至爱之人并非心中所想，你曾经设想过的生活不是现在这副模样；如果你不择手段，背叛了自己的原则（我们每个人的一生中都会碰到这种情况）——只要上述任何一种情况发生在你身上，你就会在“百分之百错误”的境地痛苦挣扎。[②]

有一个人对这个空间了如指掌，她就是安尼塔·威尔逊[③]。初见安尼塔时，她 31 岁，住在纽约，为残障学生提供特殊教育。与她谈话期间，我凭直觉认为她一定是一名优秀的教师。一见面，我就喜欢上面前这个恬静、富有同情心、理性而可亲的女子。然而，她为了拥有现在的生活——事业成功、定居纽约、岁月静好、生活美满——却跋涉了漫漫长路，历经千辛万苦。

安尼塔 8 岁时，举家从芝加哥搬至加利福尼亚州的中央谷——按她的话说，就是从“按时做礼拜的普通基督教信徒”中间搬到了“狂热的新教教徒”的社群。幼年和少年时期，安尼塔都对上帝深信不疑，虔诚至深。平日空闲里，她会向陌生人派发宗教宣传手册，还会参加隶属教堂举办的各种青少年活动项目。她很担心她在芝加哥的朋友们会因为不够虔诚而下地狱。同样，她也担心自己会因此而下地狱。“我

① 伯纳德·麦道夫，美国前纳斯达克主席，亲手炮制了一场“庞氏骗局”，即以客观的回报为饵，骗取客户的本金。诈骗金额高达 650 亿美元，成为美国史上最大的诈骗案。

② 库恩曾评论道：“所有具有重大历史意义的理论都与实际情况相符，但也只是大致相符。我们无法准确回答出究竟一项理论是否符合事实，或者有多么符合事实。但是……我们大可以追问关于同一事实的两种理论中究竟哪一个更准确。”库恩在此探讨的是正规的科学理论，但这段话也基本能套用在一般观念上。

③ 安尼塔·威尔逊，应本人要求，我对她的姓名和身世经历等细节进行了改动。

记得很清楚，当时我认定自己活不过 30 岁，因为到时候我就会被提[①]了，”安尼塔对我说，“我还记得一些胆战心惊的时刻：要是他们把妈妈带走却把我留下来了怎么办呢？我还会焦虑自己究竟能不能得到真正的救赎：我真的相信耶稣的存在吗？但最后我还是把这个想法放在了一边，因为要是不相信的话，我就会下地狱——而我那时对这一点确信无疑。”

安尼塔在艺术上很有天分。20 岁那年，她被纽约的一所艺术院校录取。她没想到父母竟然同意她去那儿读书。（“我想，他们是担心如果阻挠我，就会彻底失去我，”安尼塔回忆道，“我还觉得，他们认为不出 6 个月，我一定会逃回来。”）就在她快要出发的时候，一位备受教民爱戴的，安尼塔视作大姐姐或者第二位母亲的教会成员被一场车祸夺去了生命。对安尼塔来说，这场飞来的横祸在她的信仰上撕开了一道可感知的裂缝。“她代表了耶稣想要传递的一切美德。而且她好不容易心想事成：有丈夫，还有 3 个小孩——她死的时候才 30 岁。我当时悲愤交加，我还记得当时教堂里歌声和掌声一片，根本没有悲痛悼念的余地。每个人都说着‘哦，现在她回到真正的归属地了’之类的话，那是我记忆中第一次觉得：简直是一堆屁话。”她说。

安尼塔动身出发，搬到了纽约。在那儿她邂逅了一位男子，我们姑且将他称为一名虔诚的无神论者。就如同其他人笃信上帝一样，他的无神信仰也塑造了他的道德观和世界观，以及他的圈子——他的家人和许多朋友也和他一样是无神论者。意料之外，也在情理之中的是，安尼塔和他坠入了爱河。在和他交往的过程中，她开始排斥从小耳濡目染的新教，并渐渐接受了他的世界观。尽管这个转变看似突然，但

① 因某种力量，以强迫的方式，将某人或某物夺走，与《圣经》中末日降临有关，详细解释见第 10 章注释。

在她的回忆中，“这个过程来得并没有那么难。我得到了这些无神论者的支持，他们个个聪明、通达人情。和这样一群对世界充满好奇、敢于提问的人待在一起，这对当时的我来说新鲜无比”。

后来安尼塔和男朋友分手了——从这时起，属于她的犯错的故事才真正开始。通过与这个无神论者及他的圈子的相遇，安尼塔迎头撞上一个与她从小接受的信仰体系截然不同的体系。夹在这两大截然相反、水火不容的世界观中，这简直就是前文库恩提出的范式冲突——最终，她选择了男友的无神论。但当他们分手之后，当时支持她做出这个选择，并且让这个选择显得有利且合理的体系也随之坍塌了，于是她的整个信仰体系也随之灰飞烟灭。然而，如今想要回归到曾经的家庭信仰也为时已晚。曾经的家庭信仰已经千疮百孔，与她眼里的世界和内心的呐喊也格格不入。1 000 年前，波斯哲学家安萨里恰恰也思考着同一个问题。在谈起一旦与信仰决裂便无可挽回时，他写道：“一旦摈弃了旧日的信仰，人们便再也不会想要重新皈依，对其俯首称奴；因为做一名忠实奴仆的先决条件是其本人并未意识到自己的奴仆身份。”“但当他意识到自己之前的信仰站不住脚的时候，”安萨里又接着写道，“他原来的耿耿忠心就如同被震碎的玻璃杯一般，成为一地无法修复的烂摊子，再也不能靠修修补补重新拼凑起来，”他最后总结道，“相反，它只能浴火重生。”[①]

“浴火重生”，真是一语中的。安尼塔从小就畏惧“地狱”（这在她看来是真实存在的），而现在她发现自己跌进了一个象征意义上的地狱。她谈及分手后的情形：“我的生活简直糟糕透了。”她再也不相信

① 在另一个不那么尖刻辛辣的翻译版本中，译者将“俯首称奴”译为“盲目相信”。但不管是哪种译本，安萨里的论点在本质上就是“正确约束”理论的重申。当我们意识到自己相信某一观点并不是因为它是正确的，我们就再也无法相信它了。

儿时的信仰了，但她不知道没有它自己该如何生活，并且也同样不知道自己该信仰些什么。她在无意间与一种信仰决裂——这一信仰确实庞大而重要，包罗万象——然而，当下她却没有能取而代之的信仰：这一切便构成了“百分之百错误”的先决条件。她发现自己正陷入其中，抽身不得。并不是单单抛弃了基督教，并不是单单拒绝了无神论，并不是在过去犯了错，而是——错着。这一秒错着，这一刻错着，下一秒还是对不了。

这个不为人知、循序渐进的犯错经历究竟是怎样的呢？“我脑海中浮现出的第一个词，”安尼塔告诉我，“就是恐惧。长期的恐惧，我是说，没日没夜地感到恐惧。我记得我会一边感到发自内心的惊恐，一边洗着衣服。”她同时也证实“犯错”的体验有时和发疯没什么区别，“我知道，这听起来肯定有些极端，但是我真的快到发疯的边缘了。当你谈论宗教信仰的时候，你谈的是对世界的整套理解。当你开始质疑它的时候，原来的坚定开始退去，面前只有内心的混乱——这是一场为人生而厮打的苦战。它让我彻底失去方向。我不知道自己是谁，不知道自己相信什么，不相信什么。我就像个在曼哈顿中心迷了路的幼童”。

小孩子独自一人站在地球上最让人眼花缭乱的地方，这是我在写这本书时经常思考的景象，并且在日常生活中也经常思量回味。我之所以一次又一次地回顾它，是因为它将犯错经历中那么多难以捉摸的体会都囊括其中。我们突然意识到世界之大、天地之广，而自己身在其中渺若蜉蝣，不知所措，不堪一击。惊慌、痛苦、愤怒——这就是我们身临其境时做出的第一情感反应。我们还会担心自己没有能力或手段重新找回原来的世界。另外，百感交集中我们还有一种莫名蒙冤的愤怒和哀恸，认为自己从一开始就不该在这儿—— 一定是某个冷酷无情或马虎糊涂又无比强大的存在将我们遗弃，由我们自生自灭。（想想看，如果你丢失的正是对上帝的信仰，那你的感受必定会更加糟糕：因为上帝的职责就在于担当成年人心中的家长：天父，在天之父。）

安尼塔构想出的这个迷路幼童的意象还捕捉到了“百分之百错误”的另一面。在极端错误面前，变得动摇、未知和陌生的不仅仅是这个世界，还有我们自己。无怪乎极富创见的错误行为学家詹姆斯·萨利在1881年写道：“我们周围环境发生的任何剧变，都会引发些许自我身份的迷失。环境的剧变不仅仅会给我们的情感和观念带来巨大改变，由于自我认知的本质即本体与外界的联系，所以其中一方的任何巨大变革，都会让另一方的认知变得含糊不清。”8年后，社会学家海伦·梅里尔·林德发表了几乎完全相同的观点。“因为对自我和外界的信任是共同发展的，”她写道，“所以对自我和对外界的怀疑也是密不可分的。”这一切安尼塔都再熟悉不过：她将自己与过去的决裂形容为，在某种程度上，“一种对自我身份的深刻吊唁”。

如此一来，当我们陷入错误的深渊时，我们会迷失两次：一次是对世界的迷失，另一次是对自我的迷失。尽管这过程听起来颇为痛苦，但它也能充当我们的救星。这也是独自站在纽约街头的小孩的这一意象带给我们的启示。大错特错的经历让我们返老还童，这种方式有些难以接受，但也是最好的途径。我已经谈到了它带来的磨难：我们变得渺小、胆怯，牺牲了部分的自我认知，失去了在这个世界上的归属感。但是，倘若把一个小孩儿放在时代广场的中心，不管他走没走丢，过不了多久，他就会抬头张望，目瞪口呆。同样，我们中绝大多数人最终都会从错误带来的绝望中抬起头来，体会到一种类似于孩童面对广袤神秘的世界时发出的惊叹。最终，我们也同样会收拾行装，探索那片宏大的新世界——不仅是外面的世界，还有我们内心的世界。事实上，我们从“犯错进行中”所学到的最重要的一点，就是我们还需要不断地成长。“我和男友分手后的那段日子简直黯淡、凄凉得让人难以置信，”安尼塔回忆道，“但它同样也是一种奇妙的探索与学习。在那之前，我一直沉浸在别人的身份里。而现在，我真的觉得我在做自己。这听起来老套极了，但如果没有这段迷失自我的历程，我根本就无法找到真正的自我。”

这就是错误的百分之百体验的意义。它剥去了我们全部的理论外衣，包括我们对自我的理论。这要是真的发生了，一点儿也不好玩——我们有一种被抽丝剥茧之感，觉得自己彻底暴露在外——话虽如此，它的确让一件极其罕见的事情发生了：真正的改变。一路读至卷尾，我们就会发现，如果每次错误发生时我们都能察觉——要么让它的发生放慢速度，将其延长，而不是像往常那样把它压缩到数秒之内；要么让它加快步伐，得以压缩，而不是使其延续数年乃至数十年——我们一定会发现，每次错误的核心都是改变。这就解释了我们讨厌错误的原因，因为我们中绝大多数人起码是不喜欢改变的。它同样也解释了为什么“百分之百错误”的地带会困难重重、沸腾激烈，充斥着起起落落的情感戏码。一言以蔽之，这就是一个精神施工场地，一地的坑坑洼洼，散落着落锤和起重机：这就是我们毁灭和重建自我的地方，这就是大地坍塌的尽头，“那些阶梯攀升的起点”。

因此我们要么在犯错的深渊里挣扎，要么一跃而过，要么用时间来淡化。不过，无论我们如何选择，最终都是殊途同归：我们从“相信”走到“不相信”。想想我们迄今为止读到的全是我们有多么讨厌犯错，有多少力量合谋让我们自以为正确，但我们最终确实完成了这个转变，真是堪称奇迹。虽然谈不上频繁，我们偶尔还是能够改变：一定有某种力量以某种方式把我们从高高在上的自以为是中推搡出来，使我们如梦初醒。伴随犯错而来的最基本的挑战，就是弄明白这种力量究竟是什么，它是怎样发挥作用的——以及，它为什么在很多时候又会怠工失效。

我们确切地知道一件事：只是明白我们错了，还不足以让我们改变观点。我们之前已经了解到，我们经常收到信息预示我们犯错了——但是我们几乎每次都对它视而不见。

比如，最近我在俄勒冈州的第二栖所小住了一段时间，期间我忙里偷闲骑自行车去兜风。目的地是某个高山湖，一路上我还和一个看起来脾气有些古怪的老头儿搭了几句话，他最近一直在附近的一条小河边飞钓。他问我去哪儿，知道我要去那个高山湖后，他说我走错路了。我和颜悦色地向他道谢，但还是继续骑了下去。我猜想他以为我会走主干道好早点抵达目的地，其实我是特意绕了远路想多看看沿途美景。我还揣测他看我是个女自行车手，就想把我带到更容易的路上去，因为我选的这条路陡峭又难骑。

骑了 8 英里之后，我转过一个拐角发现骑进了死胡同，面前是一座私人住宅，外面还围了带刺铁网。这时我才意识到那位老人告诉我的是大实话。我之前拐错了弯，这条路根本不通往湖边。要是我当时肯跟他多聊会儿，或者把他的话当真，我就能少骑这 16 英里难骑的路了。而且要是他看起来再友善点儿，或者同样是个骑行者，或者是我在市区的熟人，再或者是个女人的话——我很有可能就照他的话做了。

换句话说，我听不听他的意见跟他说的话本身正确与否毫无关系。虽然很遗憾，但这是我们的通病。当别人指出我们的错误时，我们有时听取，有时忽略，但往往与其信息的准确性无关。相反，在讨论共同体的过程中我们还发现，意见是否被采纳几乎全由人际交往的态度决定：信任或者怀疑，吸引或者排斥，共鸣或者疏离。难怪别人的建议往往不足以让我们意识到自己的错误。

更意想不到的还在后头。尽管我最终面对眼前的带刺铁网承认了自己的错误，但我们通常“见了棺材还是不掉泪”，在客观证据面前仍然固执己见——尽管这一证据更公正，因此（我猜想）也更能让人心悦诚服。我们周边环境中的危险信号在本质上类似于一种强加函数——工程师的专门术语——用来表示物质世界中提醒我们正在犯错的某些特征。假设你刚从杂货店走出来，试着去开一辆和你的爱车一样的黑色轿车，钥匙卡在锁孔里转不动——这就是与轿车相关的强加函数之一，它是汽车业长年通行的标准协议。

强加函数总体来说是颇有成效的。但它们仍然不能阻止你，比如，在锁孔里晃动钥匙，冒着快把它拧断的风险，最后抽出来，端详一会儿，反过来再插进锁孔，最后终于放弃，然后又去试副驾驶座边上的门——这个时候，你突然发现车座上多出一个没见过的多功能妈妈包，却没看到你的咖啡杯，这时候你才恍然大悟。这个例子说明，来自外部环境的信息反馈和来自旁人的建议的区别不大：它让我们注意到自己的错误，却无法说服我们来承认它。[①] 事实上，除了我们自己的大脑，地球上没有任何力量能一次又一次不容分说地让我们发现自己错

① 还有一个例子可以体现我们对外界反馈的漠视，就拿我姐姐来说，她头脑聪颖，但不知怎么回事，就是分不清东南西北。（在我的记忆里，她在餐馆迷过路，在鞋店迷过路，并且我强烈怀疑她在中型飞机上都会迷失方向。）有一次参加完在她的办公楼举行的会议之后，她想要回办公室。她以为转过弯后，面前就是办公室的大门，却发现自己正对着一条走廊，尽头是一扇窗户。很明显，我们的外部环境已经直截了当地告诉我们，我们错了——但是，据她说：“当时我脑子里第一个反应不是‘我迷路了’，而是‘谁在那儿开了扇窗’。”和其他情况一样，不到万不得已，我们根本不会想到可能是我们自己把事情搞砸了。

了。无论我们接受了多少来自旁人或外界的建议，是否选择直面错误，还是我们自己说了算。

那为什么我们有的时候承认错误，有的时候又不承认呢？别的不说，我们前文才提到，如果一时找不到新的观念来代替的话，人们要放弃一种信仰是很难的。另外，利昂·费斯廷格在关于认知失调的研究中发现，如果我们已经将血本投入某种观念，想要放手就要困难得多——用经济学术语来说，我们已经积累了“沉没成本”。一般来说，沉没成本指的是已投入又无法回收的成本支出。打个比方，你花 5 000 美元买了一辆二手车，3 周之后轮胎瘪了。你把它开到修车行，维修人员告诉你后轮两只轮胎都得换，还要重新调整轮胎准线。这犹如当头一棒，250 美元又花出去了。一个月后，离合器坏了。为了修好它，你又花了整整 900 美元——可没过多久，点火器又坏了。结果又得修燃油泵，于是又花掉 350 美元。为了让这辆 5 000 美元买来的二手车上路，你共计又花掉了 1 500 美元。

现在怎么办？是扔掉这辆破车换台新的，还是往好处想，得过且过地凑合用下去？经济学家会说，无论你如何决定，都不应该把已经投入的 6 500 美元作为考虑因素算在其中。那就是你的沉没成本，现在无论如何决定，花了就是花了，作为理性的参与者，应该将它略去不计。但是人类是出了名的斤斤计较，舍不得这份沉没成本，因为我们并非理性的参与者。我们是“准理性参与者”，我们的舞台上除了理性，还有自尊颜面、期望设想、固执己见、厌恶反感和耿耿忠心登台共演。因此，最后我们还是对损失念念不忘——不仅在钱上如此，我们还会被血本无归的努力与付出所迷惑。比如那些攀登珠穆朗玛峰的登山队员，即使实地情况明确地告诉他们该掉头往回走，他们还是会继续向上爬。当然，除此之外，我们还会被为信仰付出的沉没成本所迷惑。

有些信仰投资可能微乎其微——比如，我们和友人打赌损失的那一丁点儿自尊心；但有时它们又可能是我们毕生的精神积蓄。我们已经看到安尼塔·威尔逊一度对《圣经》里的一字一句充满了虔诚的信仰。首先，她的沉没成本包括对父母的信任，社会地位和联系，公众身份和自我认知，以及她过去 20 年的人生。这张账单长得触目惊心，更何况我们还没有提到从属的数不胜数的观念（比如进化论的价值或者堕胎是否道德等），也没有提到一些相对独立的观念，比如对大自然和生命意义的认识。大千世界，芸芸众生，它们只是为了神而存在吗？是否有一位慈爱的天父在关注庇佑着我呢？最后的审判日那天，我可以得到救赎吗？审判日究竟存不存在？以及最基本的问题：从最长远的角度来看，我是否安全、聪明、有用、正直、正确呢？拥有一个能回答上述所有问题的信仰无疑就是付出了难以丈量的精神成本。

问题是，和我们自以为正确的感觉一样，我们在信仰中的投入（或我们对它的漠视）与信仰的真假没有必然的联系。付出再多的沉没成本也不能把错的变成对的，就像再怎么修理一辆破车的轮胎也不会把它变成新的一样。不过，我们的沉没成本确实和我们对信仰的忠诚息息相关。我们对某一信仰的投入越多，就越难从中抽身。正如安尼塔形容的那样，“有些事情，你可能会接二连三地错下去，有些错误你能承受，有些却不能。我现在仍然无法完全接受自己以前对地狱的理解可能是错误的。但你知道的，其中有一部分原因是，要是我在这一点上错了，就等于我被骗了”。

由此我们重归主旨：即使不甘于放弃沉没成本，又情愿忽视针对我们观点的消极反馈，我们中仍然不乏勇者承认了自己的错误！我们有时能做到这一点想必应该归功于人类大脑——但究竟是哪一部分则是众说纷纭。要分离出“犯错进行中”的瞬间已经如此困难；而要弄清在我们直面或者逃避错误时，我们体内究竟发生了什么变化则更是难上加难。不过，从自身经验中我们可以总结出面对错误的态度和错误发生的背景有关。确切地说，是和两个大背景有关，即外界活动和内心活动。

外界活动可归结为两大问题。其一是我们的信仰暴露于可以挑战的环境下的程度。我们声称那些和我们观点相左的人“生活在泡泡里”，言下之意，就是他们的外界环境并没有强迫（或者说容许）他们正视其观念中的缺陷。其二则是我们的人际圈是否能让我们轻松地承认自身错误。利昂·费斯廷格曾对异教徒进行研究，发现他们在预言失灵的时候会遭到公众的嘲笑。（他们会把有些预言事先发布在当地的报纸上。）费斯廷格指出，这些嘲笑不仅心胸狭隘、有失风度，还会火上浇油，适得其反。众所周知，在此之前已有瑞士反妇女政权论者的先例。他还写道：“来自非信徒的嘲笑只会让信徒们更难从运动中抽身并承认自己的错误。”无论我们有多么乐于对他人的错误幸灾乐祸，但这给不出什么理由让信徒们改变观念，考虑选择我们的信仰。①

如果说外界活动还相对简明易懂的话，内心活动就复杂到了极点。就像所有动态系统一样，统领我们内心世界的是一种混沌理论：极度

① 《大西洋》杂志商业和经济版主编梅根·麦克阿德（Megan Mc Ardle）于 2008 年在博客中义正辞严地批评了与她并肩反对伊拉克战争的同胞们，她指责他们落入了陷阱。“你们每说一次‘我早就跟你说过了’，每一次要求主战派向你道歉，你都让他们更加坚定了决心，”她写道，“我知道你或许觉得，他们要是不道歉你心里就不舒坦，你要他们承认他们错了，他们很蠢，他们对战争的所有信念都错得一塌糊涂。其实他们自己早就知道了。事实上，在你连珠炮似的声讨一通后，许多人会拒绝承认自己的错误，因为要是承认了，你就舒坦了。他们才不想让你舒坦呢。说实话，你也没给他们任何让你舒坦的理由。”

敏感，细微波动都会带来意想不到的反应；极不稳定，经常显得毫无规律可循。在这样一个系统里，很难解释为什么有时候谦卑和幽默会战胜自大和小气，更难提前预测出结局。因此，我们承认错误的能力在某种程度上将会一直这样扑朔迷离——和其他事情一样，由我们一时的心血来潮决定。

不过，既然有时我们对错误的态度是短时间内的产物，它也可以是我们人生的结晶。承认错误是一种智商上，更是情商上的技巧，并且，伴随着我们认知和心理的发展，这种技巧也会提升。例如，在我们眼里，青少年往往冲动狭隘，而长者则睿智成熟，这其中有部分原因源于我们在不同阶段与错误的关系。青少年的一大标志就是自以为无所不知，因此喜欢指出他人的错误——而要是有成年人婉言指出他们的错误，这个好心人也只会自讨苦吃。（这些青少年时期的倾向既能帮助也能阻碍观念的转变。当我问安尼塔·威尔逊怎样改变像信仰这样重要的观念时，她说这也可能与年龄有关，“有一点对我产生了影响：我当时基本上还处于青少年时期，所以与父母发生分歧也是正常的叛逆现象。”）①

① 在错误的研究史上，青少年是很有意思的一个研究对象，因为他们与错误的关系跟普通人的比起来放大到了最大倍数。无论年龄大小，几乎每个人都对别人犯的错更敏感。但年轻人在这一点上表现得更为极端，无人能与之匹敌；他们通常对他人身上体现出的错误极度憎恶，同时对自己的正确深信不疑。我是带着感情，甚至敬佩说出这番话的。有时候这个世界的确需要年轻人毫不动摇的信念：圣女贞德被处刑时还是个少女（虽然和现代的标准略有不同）；鲍勃·迪伦发起音乐界的民权运动时也不过 20 岁出头；20 世纪和 21 世纪的许多民主革命的组织者和参与者都是来自高中和大学的学生。然而，字里行间我也看到了自己的影子，于是更杂糅了一份悔恨和对父母的歉意——有这种感受的不止我一个。在我与人们谈起这本书时，几乎所有人，哪怕不乐意，都承认了自己也曾年轻气盛、思想激进——而在绝大多数故事里，这些信念最终还是在之后的岁月里磨平了棱角，或者干脆遭人舍弃。青少年大都将事后认错当作无可救药般的背叛行径——这一点更强调了本书主旨。

反过来，我们在长辈身上发现的智慧，通常来自他们摸爬滚打中获得的道理：没有谁是无所不知的。他们认识到，从长远看来，我们每个人都会有搞砸的时候、误解的时候、判断失误的时候，以及低估他人高估自己的时候——并且周而复始。在这一方面，他们的睿智是谦虚的表现，使得他们能不那么死板僵硬地与世界相处。(遗憾的是，这条发展曲线有时候会连成一个圈，形成死循环。关于老年人的另一个司空见惯的看法就是，他们脾气乖戾、墨守成规，这也是认知发展——更确切地说，是认知衰退的产物。因此老人有时倒更像是青少年：对他人的短处咬住不放，对自己的观点确信不疑。)

那么，我们认识错误的能力与我们的年龄和阅历都有关系。但是它的方方面面几乎都与我们是谁有关。我们经常会看到那些自负、固执、死脑筋的人难以承认错误，而那些比较谦虚、好奇、灵活变通的人则好得多。但是这个答案仍然不尽如人意。别的不说，正如我已经提到的，我们都是上述这些特质的混合体。另外，这种解释绕了一圈又回到原地：那些固执狭隘的人不肯承认错误，这话听起来就好像在说“不肯承认错误的人”不肯承认错误一样。此话虽然不假，但并没有告诉我们究竟为什么每个人对待错误会有不同的感受。

纽约的心理分析师厄娜·加德（Irna Gadd）给出了一个更好的答案。她说道：“我们能承受多少错误取决于我们能承受多少情感。”从情感的强度来讲，我们犯下的大多数错误都比不上安尼塔·威尔逊经历的“百分之百错误”，但基本上它们都让我们感受到了一些东西：沮丧失落席卷而来，突然意识到自己的愚蠢，自觉愧对那些口出真言我们却不屑一顾的人们——我还能举出很多很多。(事实上在接下来的章节，我确实会举出更多的例子，从而更进一步观察错误究竟能引发哪些情绪。) 正是由于预感到这些情感，害怕它们作祟，我们才会在潜在的错误面前气势汹汹。在这方面，“百分之百错误”的经历尽管罕见，但却表明：我们对错误的抗拒很大程度上都是因为不想一个人孤零零地被抛置在太多疑问和太多情感之中。

对有些人来说，这种经历相当难以承受。在与安尼塔·威尔逊交谈的过程中，我问她父母（她和父母间的关系至今仍亲密无间）在她宣布不信基督教后是否对他们自己的信仰产生过质疑。“我妈妈在私底下做出了一点让步，”她告诉我，“但是我爸爸要更死板一些。他曾对我说：‘要是我不相信《圣经》里的每一个字，我真不知道该信什么才好。’而我的反应就是：拉倒吧。《圣经》里的很多篇幅要是从字面上来理解，根本就说不通，有一些内容自相矛盾，还有一些我爸爸肯定是不相信的——比如认为女人在月经期间是肮脏的，什么都不能碰，等等。但是他不得不坚持他的信仰。要是没了信仰，他的整个世界都会随之坍塌，他会疯掉的。我真的不知道到时候他能否承受得了。”

我们都认识这种人——他们的死板只是为了保护内心的脆弱，他们不会弯腰让步，因为他们有可能一折就断。从这一点来看，我们有时都是这样的人。无论我们多么富有百折不挠的精神，一次又一次地面对自己的错误仍然是十分艰难的。有时候我们根本就做不到。有时候我们身心俱疲、悲痛欲绝，抑或处境尴尬，不敢再多受煎熬（或者哪怕更多的感受）；于是取而代之，我们变得固执、戒备或者干脆刻薄起来。当然，讽刺的是，这种滋味同样不好受——而且也不会让对方感到愉快。诚然，我们能拉起吊桥，躲在城堡，一味地逃避问题，不承认自己可能是错的。但我们同样能成功地（如果非得这么说的话）与对方发生冲突——并且经常是与我们爱的人。同样，因为我们自己拙劣的表现，我们也能成功地将自己围困在那座毛骨悚然的孤独城堡之中。

不能直面错误还会带来另一个不太引人注意的问题：我们错过了犯错经历本身。之所以说承认错误的能力取决于承受情感的能力，是因为犯错同悲伤或者恋爱的感觉一样，都是最基本的情感经历。这种经历可能会让人痛不欲生，但老生常谈地说一句：如果你不曾经历过，你就没有真正地活过。爱情、失去和错误都是如此。的确，你可能会受伤，但唯一保护自己不受伤害的方法就是将自己封闭起来，不再接触到全新的体验和更多的邂逅。这种做法无异于一棒子打沉整条船。

幸运的是，我们并非必须如此。尽管我们接受错误的能力反复无常、神秘莫测，但知道这一点便足矣，即它是可以改变的。和所有能力一样，它来自我们自身，因此是培养还是忽略都由我们说了算。绝大多数情况下，我们都选择忽略，所以我们与错误的典型关系是疏远防御型。但如果你在实际人际交往中照搬这一套的话，你就会发现忽略错误是通往灾难的捷径。要想避免这样的后果，方法只有一个：用坦诚来代替戒备，用亲密来代替疏远。我之前曾说过，本书的目的，不在于让读者自助，因为我的首要目标不是帮助大家避免犯错（其原因既有实用因素，也有哲学因素）。但要是把目标反过来，变成“不要逃避错误”的话，我们就能从中获得一切所需的帮助。本书的余下部分旨在与错误近距离接触，从而审视他人亲身经历的犯错体验，并最终学会与我们自己的错误共存。

第10章　哪里出了错？

一旦系错了第一颗纽扣，后面就再也系不好了。

——约翰·沃尔夫冈·冯·歌德

1844年10月22日的清晨，一群人聚在一起等待世界末日的降临。他们在家中、教堂里、户外复兴布道会上碰头，这些人大都来自纽约和新英格兰，也有来自美国和加拿大的，甚至还有从英国、澳大利亚和南美远道而来的。没人知道这支队伍有多庞大。有学者估计有25 000人，还有人说超过了100万人，而更多的人认为聚集人数有几十万。无论确切数字是多少，聚集队伍之庞大远远超过任何邪教，参加人员之庞杂更无法归结为某一教派。信徒里有浸礼会的、卫理公会的、圣公会的、路德教的，还有来自基督教门下的三教九流，此外还有几拨新近皈依但不从属于任何教会的前无神论者。他们几乎囊括了19世纪中期社会各个领域的人。社会学家再三声称有关世界末日的预言，对穷人，以及未获得公民选举权的民众——即那些后世比今生更有盼头的人——尤其具有煽动性。但在1844年的那一天，律师、医生、农民、工人、被解放的奴隶，受过教育的和未受过教育的、家财万贯的和一贫如洗的——所有人都万众一心，等待着“被提”[①]。

这群信徒在其他方面都各不相同，但唯一的共同点是：他们都信服威廉·米勒的教义。威廉·米勒是自我修行的牧师，通过对《圣经》文本的钻研与分析，他最终坐实了耶稣再度降临人间的确切日期。米勒于1782年生于曼彻斯特，在家中16个孩子里排行老大，祖父是一名浸礼会牧师。在他4岁时，全家搬到了纽约州北部，后来被称为“第二次大觉醒”的举国宗教复兴运动才刚刚在这里露出苗头。此后数年之间，米勒家附近的地区便被称作“燎原之地”，因为宗教信仰之火在这里熊熊燃烧，几乎所有人都皈依了基督教。

天时、地利、人和（家系背景）都预兆了一位未来宗教领袖的诞生——然而，当时还年轻的米勒却发出了退教的声明。他后来写道，自己当时心存疑惑，因为“《圣经》中有多个自相矛盾之处”；并且，在携新婚妻子搬到佛蒙特州之后，他在几个朋友的建议下开始阅读伏尔泰、休谟和托马斯·潘恩的著作。这三大思想家都拒绝拥护宗教教条的权威，提倡自由理性的思考，于是渐渐地，米勒也开始接纳这些观点。

1812年，美英战争爆发。许多人在沙场上重新皈依了基督教，其中也包括米勒。作为第十三步兵团的团长，米勒参加了普拉茨堡战役，美军以少胜多击败了英军，从而扭转了战局。对米勒来说，这场意外的胜仗证明了上帝之手的存在：“在这种差距下还能打赢，实在出人意料，在我看来更像是比人类更伟大的存在所为。”他后来如是写道。不

---

① “被提”一词出自拉丁文的“raptu”，意为“提离或提起”。专指世界末日来临之际，被复活的和改变形象的基督信徒们将被提在空中与主相遇，就是在天与地之间的大气层中相遇，最后升入天堂。

过，我却禁不住揣测，当时真正让米勒改变信仰的是与死亡零距离接触的经历。长时间以来，他都对唯理论[①]怀有疑虑，尽管它有诸多优点，但“无法脱离开‘往生’这一概念，并且也倾向于否认往生的存在”——这一缺憾想必在米勒目睹战争的残酷后更能切身体会。（再加上米勒的父亲和妹妹也在战争期间相继离世。）米勒曾写道，与其接受灵肉俱毁的可能性，他“宁愿选择《圣经》中的天堂或地狱，来试一试自己的运气”。就这样，这位左右摇摆的浸礼会教徒又重新开始信奉《圣经》。

但是，早年基督教中让米勒困惑烦恼的矛盾点仍然未能得到解决。1816 年，他在佛蒙特州结识的一位旧交告诉他，要么化解《圣经》中的矛盾，要么就索性退教；米勒接受了挑战。在接下来的几年里，他全心全意致力于构建一个体系，该体系最终由 14 条法则组成，意在让《圣经》文本从此前后一致。自此以后，他反复宣传这个体系是多么简明易懂且无懈可击，当然不信教的人要是不这么认为也情有可原。（法则 8：“图像符号始终具有象征意义……比如山峦象征政府，野兽象征王国，水流象征人民。”法则 10：“图像符号有时会有两个及两个以上的不同含义，如白天可用于象征 3 种不同长度的时间：1. 无限的时间；2. 有限的时间，一天代表一年；3. 一天代表 1 000 年。”法则 11：“如何判断一个词是否使用了象征意义。如果它从字面上就能说得通，并且不违背自然法则，那么它在此使用的即是字面含义；反之，则为象征意义。”）正是这些解释文本的法则让米勒推断世界末日已近在咫尺。《圣经》里既然这么写，那就准没错。

许多人对地球的命运都给出了各种千奇百怪的推演——除此以

① 唯理论，又称理性主义。认为唯有理性才可靠，片面强调理性的认识作用，与经验论相对立。

外，关于永动机是否存在、微波炉是否会给身体带来危害，以及韦科惨案[①]究竟是怎么回事儿也有五花八门的说辞——但能成为国际标杆、跃居万人之首的人屈指可数。如果米勒没有和那个人合作，终其一生他也只能默默无闻地传播基督降临的理论。那个人就是乔舒亚·海姆斯。他可谓集拉斯普京[②]、沃伦·巴菲特、卡尔·罗夫[③]和威廉·伦道夫·赫斯特[④]的才能于一身：他是精明狡诈的智多星，是一呼百应的筹款人，是才华横溢的政治家，还是一位人情练达的高手。他和米勒在1839年相遇，那时米勒还是个名不见经传的巡回牧师，对着新罕布什尔州埃克塞特镇的一小撮人宣讲他的教义。

海姆斯在成为这个小型米勒运动的信徒后便立即开始对其进行改造。他迅速地建起两家报社，《时代标志》（*Signs of the Times*）和《午夜呼声》（*The Midnight Cry*），很快两家报社合计发行周刊6万份。（其他报社也接踵而至。）他还发行了上百万份小手册、赞美诗集和海报，对世纪末日的最后期限进行了详细解释，并且在全美建立书库以保证发行刊物能够得到普及。他要求米勒不要只停留在小镇和农场社群周围传教布道，而是要将教义推广到东部沿海的大城市去。同时，他下

---

① 韦科惨案：1993年2月28日，美国联邦执法人员出动坦克和飞机，对大卫邪教设在韦科的总部进行围剿，在长达51天的武装对峙后，联邦执法人员在坦克的掩护下攻入山庄。混战中，山庄被大火烧毁，80名包括妇女和儿童在内的大卫邪教教徒在枪战和大火中丧生。此事引起美国媒体和民众对政府行为过当的批评。2000年，政府在记者招待会上宣布80名大卫邪教教徒丧生是邪教内部造成的，政府方面没有任何过错。

② 拉斯普京（Rasputin），神秘主义者，俄国沙皇及皇后的宠臣。

③ 卡尔·罗夫（Karl Rove），协助布什策划竞选总统，辅佐执政，被称作“布什的大脑”。

④ 威廉·伦道夫·赫斯特（William Randolph Hearst），赫斯特国际集团创始人。报业大王，新闻史上饱受争议的人物，被称为新闻界的“希特勒”，20世纪初掀起煽情报道浪潮，对新闻传媒产生了深远影响。

令开始修建大型帐篷以保证米勒教复兴会议能在农村地区举行。他把主要精力放在牧师招募上（据他本人估计，招募总人数达到 400 人左右），而不仅仅是吸纳更多会员，这样才能提高每一位皈依者的声势与影响。接着他又为每一名牧师制定了相当繁重的传教时间表——在这种阵仗面前，就连美国总统的拉票运动也相形见绌，就像是在公园遛个弯儿那么容易。有了这些准备在先，又搭上了当时有利于宗教复兴的时代风潮，米勒主义很快就成了家喻户晓的名字。

一开始，米勒教教义并未说明耶稣基督再度降临的确切日期。因为圣主能否降临取决于其他一系列预言能否应验，而这些预言本身的细节模棱两可，米勒的追随者们也一直为这些预言是否已经应验而争吵不休。米勒本人一直认为“被提”可能会发生在“1843 年左右”；在众人的催促之下，他最终宣布世界将会在 1843 年 3 月 21 日到 1844 年 3 月 21 日之间的某一天终结。当 1844 年 3 月 21 日平安无事地过去之后，米勒的追随者们开始有些焦虑不安了，但他们仍然坚信世界末日越来越迫近了。（回想一下前文提到的利昂 · 费斯廷格的发现：未能应验的预言往往会让信仰愈发坚定不移。）最终不是米勒，而是另一位信徒塞缪尔 · 斯诺提出了 10 月 22 日这个日期，并提供了相应的算式证明。

或许因为人们的焦虑和期待已经达到了极点，斯诺的提议很快就如野火燎原般迅速传播开来。很快，10 月圣主将要降临的消息就成为米勒教普通教众的信仰。

或许是被斯诺的越位行为惹恼了，或许也是对上一次预测的失败心有余悸，米勒、海姆斯，以及米勒运动的其他骨干并没有立即入伙。米勒也写道，自己“直到离 10 月 22 日只有两三周的时间才相信了预言，因为斯诺的预言在广大教徒之间空前盛行……我也只能告诉自己这是上帝的安排”。（言下之意，即 5 000 万的米勒教教徒们不会有错。）

直到性命攸关的 10 月初，几乎所有人的观点都达成一致：期冀已久的“被提”就快来临了。

上图为威廉·米勒曾用过的宣讲图，上面详细列出了 2 520 年来接连应验的预言，并声称最终耶稣基督再度降临的预言将在 1843 年（他最初预测的时间）得到应验。

无论世人对米勒、海姆斯，以及他们的追随者做何评价，在绝大多数情况下，他们的信仰都是虔诚的，这一点显而易见。这份虔诚的信仰弥漫于当时的社会风气中，这既可见于文学作品（在有些情况下），也可见于各种怠工的行为中。1844 年，许多米勒教教徒拒绝耕田种地，因为他们相信在冬天来临之前世界就会毁灭。当然，那些开春播了种的人也大都弃田不顾，任其自生自灭，因为他们认为不久之后，在上帝面前，善者恶者都不会再需要尘世间的食粮了。人们大量宰杀家禽家畜充饥。信徒们算清了尘世的债务，将余财尽数散去，大都用来帮助需要还债的穷教友。[①] 海姆斯在 10 月初关闭了报社，因为在他看来，等时辰一到，世界上最世俗的职业——新闻业，也会变得无关紧要。在预言的末日来临前的最后几天，人们举家逃离家园，搬进教堂、田地和其他祷告用的公共场所，等待末日降临在信徒头上。此情此景，正是 10 月 22 日那天清晨米勒教教徒们的模样：满心希冀，忐忑不安，欣喜若狂……与外界隔离，只与同教中人相拥，他们中很多人在最近流离失所、身无分文，并且都十分迫切地想要与造物主相见。

当然，我们已经知道了故事的结局。太阳东升，又西落。救世主耶稣并未现身。世界终究没有终结。这件事（或者更准确地说，这件未发生的事）被历史学家冠名为“大失望”。

在我们现代人听来，“失望”这个词未免太轻描淡写，但米勒教教徒们一次又一次地用这个词来覆盖一片辽阔的情感地带：震惊、迷

---

① 显然也有其他人把钱花在了别的地方。《纽约客》首次发行（1925 年 2 月 17 日）时，《城中话题》栏目讲述的就是米勒运动，当时才过去了三代时光。专栏文章油腔滑调地（当然，现代读者对此早已习以为常）打趣道：“我们的曾祖父中有二三十万人为了那一天置办了白色的耶稣升天圣袍……做圣袍用的棉布可以整匹整匹地买来，也可以从当时流行的巴黎模特身上买到。”

惑、羞辱、绝望和悲伤。他们中很多人都留下了关于那一天的记录，其中有不少篇章巨细无遗地描述了那种痛楚。其中一个记录者，华盛顿·莫尔斯断言："对于相信圣主降临的信徒来说，这一打击之大……唯有圣主耶稣受钉于十字架上可与之比拟。"另外一位名为海勒姆·埃德森的记录者写道："在我看来，就算失去尘世间所有的朋友也比不上这种失落。我们止不住地哭着、哭着，直到另一个黎明的降临。"第三名记录者卢瑟·鲍特尔描述道："那些虔诚无比、满怀期冀的人们伤心欲绝，难以言表。仍然留在这个冰冷的世界！还是没能解脱——圣主依旧不曾降临！鸦雀无声之中，只有满腹的疑问，'我们在哪儿？''接下来会发生什么？'"

是啊，接下来会发生什么？当你前一天早上一觉醒来，满心以为能一睹救世主的面容，并在夜幕降临之时被带上天堂——而第二天太阳升起，沮丧的是，这个世界丝毫未变。这时你会怎么做？面对尘世间日复一日苦役般的轮回——耕耘荒置的田地，照管空空的农仓，哺育膝下的幼儿，还要看邻居幸灾乐祸的样子？

从实际角度看来，立即处理燃眉之急一定是这些四面楚歌的米勒教教徒们的首要任务。而从哲学的角度来看，他们还面临着另外一项当务之急。我们知道——通常他们自己也察觉到了——米勒教的教义是错的。但是在哪儿出了错呢？每当犯下一个重大错误时，我们几乎都会被这个问题难倒。在犯下错误后，我们的第一要务就是划清错误的范围，判定其症结性质。确切地来说就是，我们究竟在哪儿迷途？我们误入了哪条歧途？又走偏了多远？

这些问题正是对我们智商和情商的考验。要找出我们究竟在哪儿出了错，的确会有些令人迷惑——这就好比在黑黢黢的树林里寻找来时的路。并且，要想直面错误的真实范畴与症结（这一点更是不言而喻）也是心理上的一大考验。关键在于，这两大挑战是不可分割的：如果我们无法做好相应的心理准备，完全接受自己的错误，我们就无法厘清思维，弄明白究竟我们是在哪儿、怎么犯下的错误，又是因为什么犯的错。（正因如此，戒备心理对所有问题的解决和改进都有害无益：在人际关系、商业洽谈、创造性和脑力型工作上都是如此。）在本章的后面，我们将更深入地关注这种让人懊悔的倾向，正是它让我们把第一个挑战搞得一团糟——为自己的错误找借口，大错化小、小错化了，或者尽可能顽固、尽可能久地坚持己见，无论自己的观点错得有多离谱。不过，在此之前，我们得理解这种挑战带来的风险。换句话说，我们需要弄明白，为什么回答"哪里出了错"这个问题是如此重要。

想想看，米勒教教徒们在面对这个问题时是什么反应。关于圣主降临的预言未能应验成真后，他们开始散播各种理论，争先恐后地解释预言落空的原因。我们在上一章读到的安尼塔·威尔逊发现自己漂浮在错误的汪洋大海之上，名下没有一样理论可以依靠；而米勒教教徒们面临的问题却恰恰相反。他们可以说是理论泛滥——多得无法斟酌考量，甚至多得无法寻觅踪迹。[①] 在"大失望"结束 1 年半以后，原教徒伊诺克·雅各布一声长叹，"唉，在过去的 18 个月里，有多少人漂浮在这片充斥着自相矛盾的理论海洋上！你们难道就不想从这些枪林弹雨之间抽身而退、求个清净吗？"

大错误之后新理论往往会层出不穷。事实上，科学史学家托马斯·库恩曾指出，在一种信仰系统坍塌之后，另一种新信仰确立之前

① 实际上，安尼塔的问题和米勒教教徒们的问题是殊途同归的。没有理论和拥有太多理论都表明你的知识体系处于危机之中。

的时间里，总会前赴后继地涌现出各种假设；每一种假设都是对“错在哪儿”这个问题给出的一个不同答案：因为我们的新理论大都是在我们自认为原先出了错的地方重建起来的。换句话说，通过判断过去在哪儿误入歧途，我们以后便可以在该处保持警惕。

这也说明，我们面对“哪里出了错”所给出的答案也将告诉我们哪些观念该留，哪些观念该丢。说到底，观念并不是孤立存在的。有时候它们之间是由逻辑维系的：如果你相信是上帝用了 7 天时间创造出这个大千世界与芸芸众生，那么你就必然相信进化论是一个谬论。而在另外一些时候，它们相互间又不存在必然联系，但在特定的社会中（或被迫）相互关联。不管它属于上述哪种情况，关键在于我们的观念是捆在一起的。这就导致移除或取代其中任意一个观念很难不影响到另一个——并且涉及的观念越接近核心地带，波及范围就越广。从这个方面来说，观念就像房屋的栋梁或者句子中的词汇：抽掉其中任何一个，都会使整个系统变得摇摇欲坠或者让人不知所云。因此，有时错误会引发一连串大范围的转变，以致新生的观念体系几乎与之前的截然不同。

我的朋友马克在意识到自己是同性恋时，就经历过这种多米诺骨牌式的观念转变。“为了出柜，”他解释道，“我需要否定很多我迄今为止一直深信着的东西（他对同性恋的看法）。”因为马克自小信仰天主教，所以这些相关看法很多都来自天主教教义。对有关同性恋的教义的质疑，导致他开始怀疑（在很多情况下开始排斥）其他的天主教教义。他告诉我：“我发现在‘出柜’的过程中，需要抛弃很多其他观念，这些观念其实与同性恋根本不沾边，这一点让我很惊讶。”

当然，马克本来没必要抛弃其他观念——这也正是这个问题有趣的地方。和他有类似经历的人中，也有一些人虽然拒绝了天主教关于同性恋的教义，但仍对其他教义深信不疑。马克以自己的方式回答了

“哪里出了错”（事实上，他已经在通往“百分之百错误”的路上走得挺远了），事实上跟他一条船上的人们却各自做出了不同的回答。这就是“究竟错在哪儿”这个问题的核心所在：无论我们的哪种观念出了错，我们几乎总能找出无数种方法来评估自己的错误。

拿米勒教教徒们来说吧。所有人都面临着一个任务，即将他们犯下的这同一个错误抽丝剥茧，查出其症结所在。老实说，他们究竟在哪儿出错了？在所有答案之中，一个极端的例子就是对错误矢口否认。这便是“否认”的领域，错误在这儿就是 0，即不存在。你或许认为每一个米勒教教徒在“大失望”后都会或多或少认识到自己的错误——毕竟在那之后地球仍然在继续运转着，这是比什么都有力的铁证。但这么想就错了：那些米勒教教徒中最无可救药的顽固派认为他们压根儿就没错，并且在嘲笑我们想象力贫乏的同时，向我们展示了他们天马行空的想象力。他们发表了让人头晕目眩的修正主义理论，宣称圣主耶稣其实已经重回地球了——他住进了信徒们的心中，自此栖居在（尘世的）天堂之中。

如果说“哪里出了错”这个问题的一个极端答案是矢口否认，那么另一个极端答案便是全盘接受了。不过，全盘接受比矢口否认更难以捉摸，也更灵活多变。我们的错误大小是有下限的，而这个下限就是 0，不存在；但我们很难确定错误的上限。[①] 对于基本承认错误的米勒教教徒来说，他们中有人彻底摈弃了对上帝的信仰；另外一些人选

① 从理论上讲，错误的最大范围就是对所有事物的观念都出了错。一位名叫李根雨（Keunwoo Lee）的电脑工程师曾替我们将这种假设状态命名为“不规则碎片形错误”。李根雨将此概念定义为“在任何可以想到的范围内都是错误的”。因此，如果我犯了“不规则碎片形错误”，那么我的所有观念、支持这些观念的人、我认为支持这些观念的事实，以及这些观念之上衍生的其他观念……都是错的。幸亏“不规则碎片形错误”不可能成为真的。然而，如果用它来骂人，倒是无往不胜。

择脱离组织；还有人只是否定了威廉·米勒的教义。这说明，哪怕同样是真心实意地承认错误，他们承认的错误也是有大有小，其重要性对每个当事人来说都大相径庭。

在下一章我会详细讲讲矢口否认与全盘接受，因为这二者分别代表了我们与错误的关系的两大重要方面。而现在呢，我想要先重点探讨一下应对“哪里出了错”这一问题的折中反应。这些反应是既不彻底接受，也不决然否认，而是通过轻描淡写、模棱两可、出尔反尔、强词夺理等诸多方式来缩小错误的范围。不用我说你也知道，这种缩小错误的行为是再常见不过的了。还记得我在上一章描述的站在别人的车前，拿自己的车钥匙狠命开锁的情景吗？这是我从心理学家唐纳德·诺曼（Donald A. Norman）的著作《设计心理学》（*The Design of Everyday Things*）中抄来的，这本书对那些设计拙劣的蹩脚货——小到门把手，大到核反应堆——都狠狠地控诉了一番，同时也剖析了我们是怎样发现它们让我们犯下的错误，并且加以改正的。诺曼写道，在他研究的每一个场景中，“改正错误的过程似乎都是从尽可能低的层面开始，然后逐层升级的”。也就是说，我们习惯先怀疑是不是钥匙不对，或者锁出了毛病，然后才会想到是不是找错了车——或者我们自以为有车（其实没有），或者在我们购物时有火星人从天而降，往锁里注入了火星牌强力胶。尽管本质上来说，诺曼是一位错误研究专家，主要关注的也是机械式和程序式的错误而不是观念，但我猜想他的观察结论还是能通用的：我们每个人在判断错误大小程度的时候都倾向于保守主义。

我们已经知道，在有可能颠覆我们世界观的挑战面前，采取一种保守的态度是正常合理的防御手段。无论是对长颈鹿从肯尼亚迁徙过来的概率的冥思苦想，还是猜测我们的轿车是不是被外星人的胶水灌得死死的，都对我们没什么好处。尽管有时候这种保守主义一开始看起来还不失为明智的认知策略，但最终则演变成歇斯底里的感情用事。正如我们接下来将会看到的——同时也要感谢米勒教教徒为我们留下的资料——在这种情况下，我们与其说是在坦诚地判断自己犯的错，倒不如说是在不择手段地将它们最小化。

在“大失望”的翌日清晨，海勒姆·埃德森看见了一个幻象。这位名叫埃德森的男子正是我之前提到的声称“大失望”事件带来的打击“胜过失去尘世间所有朋友”的米勒教教徒，诸位读者自然不难想象在 10 月 23 日他会是怎样的感受。在反思前一天的错误究竟有多严重的时候，他写道：“我皈依基督教以来，以为在圣主降临这一天的经历是最为珍贵，也最闪耀的体验。如果这也沦为失败，那么我对其他的宗教体验又算得上什么呢？《圣经》被证明是一个谎言了吗？难道上帝、天堂、金色故乡、极乐圣地都是不存在的吗？这一切难道都是精心编织的谎言吗？难道我们对这一切的诚挚希冀与期盼都无据可依吗？”

为了摆脱这些可怕的想法，或者至少在世间行些善事，埃德森走出家门，试图安慰他的教友们。上路后不久（他后来写道），他就发现，“天堂似乎在我眼前敞开，我清晰地、清楚地看见，我们的大主教不是从最神圣的天庭降临尘世的……而是在那一天首次步入了第二个房间——法庭，从而在圣地完成降临尘世之前的准备工作。”埃德森没有指明第二次降临的时间，而是总结道，10 月 22 日那一天，圣主耶稣进入天堂中最神圣的房间，并在那里开始对世间万物进行审判，为再度降临做准备。

这条教义多多少少是埃德森灵机一动的想法，后来被人称为“查案审判”。它在另外两名米勒教教徒埃伦·怀特和她的丈夫詹姆斯·怀特的手中定型，并在此基础上建立了基督复临安息日会。实际上，复临论者们是用一件难辨真假的天堂事件代替了原来的正误可判（并且已被证实是错误的）的尘世事件——只运用了一点障眼法就推动了新教派的繁荣。如今，耶稣复临论派在200多个国家中已经拥有了1.5亿名教徒。追随者们一直相信圣主耶稣自1844年以来一直忙于对生灵们进行审判，等审判工作结束了，世界末日就会降临于世。

对于那些虔诚的复临论者来说，海勒姆·埃德森的幻象无异于来自上帝的讯息；当然，其他读者对此或许有不同的解读。有些不拘小节的人或许会认为埃德森的幻象和失明的汉娜别无二致。正如同她"看见"一个笔记本和一位古铜肤色的医生一样，埃德森也在天堂的第二个房间里"看见"了他的救世主。对持有这种想法的人来说，埃德森只是在空想罢了：和汉娜一样，他用来解释错误的说辞虽然发自内心，但毫无依据。而对另外一些不那么留情的读者来说，埃德森的虔诚十分可疑，他看到的幻象不过是凭空捏造，只是他用来挽回颜面的手法罢了，然而这一手法却注定要改变这个世界。

当我们为自己的错误找借口时，很少会像埃德森一样改变历史的进程。话虽如此，当我们的观念沦为"精心编织的谎言"时，任何人都有可能竭力挽回自己的颜面。我们会推卸责任，努力圆谎，把旁人的注意力转移到减罪情节上，为自己争取从轻发落……而不是简单地承认错误。和埃德森一样，我们在推卸责任的时候简直创意百出——甚至还称得上有先见之明。然而，从某种意义上来说，"有创意"恰恰不能用来形容这种行为——因为到头来这些小花招儿会带来极大的危害。的确，这些具有防御性质的手段能保护我们，让我们不必承受与错误相关的负面情绪。但是，和所有自我防卫一样，这些行为也会滋生人与人之间的摩擦，阻碍合作与创新，让我们变得冥顽不化、局促不安，同时（正如我在前面提到过的）会阻挠我们对错误做出清醒的评估，以便在将来做出更好的决策。换句话说，这些推卸责任的策略会阻碍我们与错误建立更融洽、更积极的关系。我将这些策略称作“错了但是”法（常见句式：“我错了，但是……”），并将以米勒教教徒为例加以阐释——因为他们几乎使用了所有开脱责任的策略来解释犯下的同一个错误，在这一点上帮了我们大忙。[①]

打个比方，“时差”自卫法，常见句式是，“我错了，但咱们明年走着瞧。”这类借口的精髓就在于，我其实是对的，只是这个世界慢了一拍；无论现在我的理论有多么荒谬，它们最终还是会实现的。这便是许多米勒教教徒们直截了当的借口，用研究米勒运动的一位学者的话来说，这些米勒教教徒“继续为接下来的 7 年设定圣主降临的日期。有一些把时间坐实为 10 月 23 日傍晚 6 点，还有一些设在 10 月 24 日。人们对‘大失望’后的第二年、第三年、第四年的 10 月 22 日一次次寄予厚望，而到了第七个年头（即 1851 年）的 10 月 22 日，米勒主义之火再度点燃”。一方面海勒姆·埃德森声称米勒对日期的预测是正确的，但他却错误判断了这一日期的重要性；其他米勒教教徒则认为世界末日的确快要降临，只是时间上出了点差错。从本质上来讲，他们都将信仰危机归结为计算失误。

对于政治分析人士、股市行情分析师和所有企图预知未来的人（其实我们每个人都不例外），“时差”自卫法是经久不衰的手段。2006 年，面对 70% 的美国民众反对伊拉克战争的民意调查结果，小布什总统声称“历史会证明谁对谁错”——他使用的就是“时差”自卫法。正如时间轴表示的那样，“时差”自卫法的言外之意就是：无论我现在

---

① 如果有读者对当下生活中的错误实例感兴趣，不妨读一读心理学教授兼政治学者菲利普·泰洛克的著作《孤狸与刺猬：专家的政治判断》（*Expert Political Judgment*），全书对“错了但是”法（尽管不叫这个名字）的记录简明扼要、信息丰富，并且时有妙趣横生之处。

看起来有多么错误，我都比当下的民众更正确——因为我高瞻远瞩，拥有更开阔的视野（神一般的视角）来俯瞰江河山川。然而这一手法的缺憾在于，尽管它几乎任何时候都能派上用场，但往往显得荒谬至极。按这个逻辑推下去，那名谎报马克·吐温逝世并因此臭名昭著的记者就是一名预言家了。（他的报道比马克·吐温真实的去世时间早了 13 年。）

第二种大受欢迎的“错了但是”法是“差一点”自卫法。它不是宣称“我们的预言终将实现”，而是“差一点就能实现了”（“我错了，但只错了一点点”）。这其实就是海勒姆·埃德森那套说辞的本质：圣主耶稣或许没有降临尘世——不过，瞧，他踏进了天堂中最神圣的殿堂。“差一点”自卫法还可以采用另一种形式，声称如果没有发生某些鸡毛蒜皮的琐事（比如大选那天新罕布什尔州下起了瓢泼大雨，州际公路上一辆牵引式挂车引发交通堵塞，巴西有一只蝴蝶扇了扇翅膀，等等），我的预言就绝对不可能出错。归根结底，“差一点”自卫法在本质上虽然不容置喙，但其荒谬之处一目了然：如果我没错的话，我就是对的。

对“差一点”自卫法稍加修改，我们就有了“场外干扰”自卫法。它的说辞是：本来我的说法完全正确，一切都在正轨上，突然——“砰”的一声——发生了一件诡异的意外事件，导致所有环节脱轨，而我的预测也遭遇意想不到的挫败。这种借口有一个问题，只要是你自己没能预料到的，任何事件都可以被划为意外事件。另一个漏洞就是，这种说法还有一个前提：如果没有这个场外因素的话，结果就会和你当初所预料的一样。就像菲利普·泰洛克写道的那样：“那些使用‘场外干扰’自卫法的人就像是在对我们说：‘当然了，我知道本来会发生什么事儿。我刚刚搭乘无线传输装置从平行宇宙回来，我敢向你保证，那边的事态的确和我的预测完全吻合。’”

和其他“错了但是”法不一样的是，“场外干扰”自卫法的借口对米勒教教徒来说派不上多大用场，因为他们不可能说上帝万能计划会被突发事件扰乱。（因为常理认为，对上帝而言是不存在“场外”的。）但是他们可以运用另一种从古至今一直广受欢迎的“错了但是”法（事实上，他们也的确这么做了）：推卸责任。（“我错了，但都是因为你出的错。”）通过这种自我防卫，我们基本上将错误的责任推得一干二净。没错，我们的确搞砸了，但只是因为依赖了一个不可靠的信息来源，或者跟随了一个其实既不诚实也不可靠的领袖。

我们很难评价这种说辞，因为它既合乎情理，又荒诞至极。普通米勒教教徒的处境便说明了这一点。在“大失望”后，许多教徒纷纷责怪米勒把他们引上歧途，这也在所难免。但是不管米勒教曾给这些教徒施加了何种影响，当初并没有人强迫他们入教。（事实上，他们也不可能被强迫，毕竟虔诚的信仰到头来还是得来自个人的全心投入。）同样，他们也不能说自己被蒙在鼓里。因为和那些异教不同，米勒教教义并不是建立在只有高层牧师才知道的奥义之上的；广泛散播的信条和日期推算既是这场运动的宣传方式，也是它要传达的信息。最后一点，米勒教教徒们也并没有受骗。威廉·米勒不是伯纳德·麦道夫，而米勒的教徒们也不是被麦道夫蓄意蒙骗的客户。他们只是将信仰寄托在了一位权威身上，而到头来发现这位权威是错的，仅此而已。在这方面，他们在某种程度上也值得我们同情。正如我们看到的，一切社会的运作都得依靠散布于各行各业的专家，而我们每一个人都在自己才疏学浅的领域里求助于他人的观点。更何况我们当中居住在自由国度的人还可以自主选择领袖，并且也有慎重选择的义务。个人福祉和社会命运都落于我们的选择之上。再来看看米勒运动：它演变成一场规模巨大、改变历史的荒唐闹剧，不是因为米勒错了，而是因为那么多人错误地选择去相信他。

话虽如此，米勒的确错了。而且他本人也承认了——究竟以什么方式承认，我们接下来就会看到。尽管米勒承认错误的态度比绝大多数追随者都更为彻底和体面，但他终究还是使用了第五种——也是最后一种“错了但是”法，我称之为“宁错不悔”自卫法。当我们运用“差一点”自卫法和“场外干扰”自卫法时，我们声称虽然自己错了，但只错了一点点。当我们采用“时差”自卫法时，我们扬言自己现在看起来是错的，但在将来会得以正名。而米勒则声称他的确犯了错，但他犯的错是对的。他争辩道，与其一言不发地被狼吃掉，还不如高喊“狼来啦”，就算错了也在所不惜。“虽然很不应该，但我还是为当时提醒了广大同胞而感到高兴，因为要是在确信同胞有难的情况下还不高声呐喊，我此刻一定会更不好受，”米勒这样写道，“如果我没有把我深信不疑的真理公之于众，而结果灾难又果真降临的话，眼看着生灵因我的疏忽就此陨灭，我该会多么追悔莫及！”米勒认为自己已竭尽所能地避免同教中人遭受致命危险，因此他拒绝为自己的错误表达一丝一毫的悔恨。他总结道：“因此，既然我尽心尽力履行了自己的职责，我便无法责备自己的所作所为。”①

① 17 世纪的哲学家兼数学家布莱士·帕斯卡提出的“帕斯卡的赌注”可称得上是为“宁错不悔”自卫法的最佳辩护。帕斯卡指出，要是我们关于上帝的观念非错不可的话，与其错误地相信他不存在，还不如错误地相信他存在。而赌注就是：就算你觉得上帝存在的可能性不到万分之一，你仍应该把赌注压在他那边。我们很难对这个赌注的逻辑本身进行争辩；它和时至今日诸多领域仍在使用的减小风险增大收益的决策理论十分接近。但对绝大多数人来说，这并不能很好地成为信仰的借口，因为这种斤斤计较的信仰根本就称不上是信仰。就连这个赌注的说辞听起来也怪怪的：我们对人生意义的思考听起来当然不应该像赛马比赛一样，我们的灵魂何去何从就更不用说了。因此棘手之处就在于，如果无所不知的主真的存在的话，他显然会一眼看穿帕斯卡之辈的算计。威廉·詹姆斯就曾说过：“如果我们是主的话，我们会很乐意剥夺这种信徒的万无一失的好处。”在这个例子中，“正确理论”约束再次占据了上风：一般来说，我们之所以持有这种观念，是因为它们就是对的，而不是因为它们能给我们带来什么好处。

当然，有时我们的确会选择正确地错一次。有时我们会被别人误导，有时我们的预言几乎就快应验了，有时它们会被突发事件打乱，还有些时候是非功过只能由后人评判。简而言之，我们为错误找的借口并不是毫无根据的。而问题是，当事情和预期的一样顺利进行时，我们几乎不会为自己的正确找理由——比如采用与之对应的“对了但是”法（这种说法简直闻所未闻）。我们从不会为自己辩解，说我对是对了，不过就对了那么一点点；我们也不会说自己不过侥幸猜中，把功劳全部归于某个意外；我们更不会面红耳赤地解释道：哪怕我们的观点现在看起来有多对，将来总有一天会被证明是错的。但要是换成我们的对手使用了“错了但是”法，我们却不会接受他们的说辞。只要跟错误扯上关系，几乎每回都是如此：在替错误辩护时，我们总是对自己宽容无比，对他人毫不留情。

而且我们为错误辩护的次数太频繁了。在本书开头我就写道，要我们说出一句“我错了”简直比登天还难，或者起码可以说我们很难只承认错误，而不为自己辩解开脱。对我们大部分人来说，每次承认错误之后，要是不在后面补一句“但是……”，那滋味简直难受极了。（你不妨试试干脆承认“我错了”。这时你会发现认错后的沉默是多么陌生，又是多么尴尬。）在一定程度上，这个现象反映出我们不愿意跟错误多接触哪怕一分钟，因为后面紧跟着的“但是”能让我们尽快从错误身边逃开。但它同样反映出我们力图解释世间万物的本能——毫无疑问，这种本能也会延伸到解释我们自己的错误。想要解释我们为什么犯错并不是一件坏事。事实上，在错误发生后我们狂热地堆砌出一个个理论也体现出犯错带来的一个好处：它有力地证明了我们的失误能驱使我们反复思考，激发创意，催生行动。

不过，在解释错误和开脱责任之间仍然存在细微的差别。通常，我们刚开始是想真心实意地回答“哪里出了错”这个问题，可最后却缩在了“错了但是”法的躯壳里寻求庇护。在寻踪觅迹查找症结的过程中，我们发现当初选择的路线也并非不明智、不合理，于是我们情不自禁地开始为自己辩解。（我们每个人都曾经说过，“瞧，我不是说我没错，我只是在解释原因”——但没过一会儿就会发现，其实我们还是在替自己开脱。）在这个例子中，错误再次显露其本质：短暂易逝，难以捉摸，就好像只要我们能解释它，我们就不觉得自己犯错了。就算我们知道自己是错的，我们有时也可以继续假装——并且一口咬定——我们几乎是对的，或者我们的初衷是好的，又或者我们一厢情愿地认为自己其实并没怎么犯错。

威廉·米勒面对“大失望”的反应或许最能体现我们在“自以为错”和“自以为对”之间的冲突了。由于米勒留下了一本《道歉与辩护》（*An Apology and Defense*）的记录，因此我们能从一些细节上了解他的反应。就连这个标题也折射出我刚刚提到的“自以为错”和“自以为对”的心理，他在书中几乎将责任全部揽下，并且对当初的信仰仍深信不疑。“人人皆应为自己在社会上散播的情绪负责，”米勒如是写道，“我理应开诚布公地道出 1843—1844 年间耶稣圣主未能降临这件事（对这一点我曾经深信不疑）给我本人带来的失望，”他继续写道，“我们当时都期盼着圣主降临，而如今仍然拒不认错就是虚伪的表现了。我们应该毫无愧色、坦坦荡荡地承认自己的所有错误。”

米勒说到做到，他没有和某些信徒一样用精心罗织的花言巧语来掩盖自己的错误。他坦白道：“我没有相信当时运动中衍生出来的任何一种新理论，比如，耶稣圣主会以新郎的模样出现[①]，慈悲之门将会关

① “新郎”喻表主耶稣基督，将要来迎娶新妇。“新妇”代表全体信徒。

闭，罪人无法得到救赎，第七支号将会吹响。或者这在某种意义上是预言应验的体现。”无论是政客，还是宗教领袖；无论是在我们的年代、米勒的年代，还是任何一个年代，像米勒这样彻彻底底、明明白白认错的大众领袖都是屈指可数的。

不过，米勒的《道歉与辩护》一书中最不同寻常之处不在于他对错误的承认，而在于他对信仰的坚守。从其他米勒教徒的记载中，我们看见一个个悲恸欲绝、扪心自问的灵魂；然而在米勒的书中，没有啜泣，没有疑惑，没有疑问和绝望交织的漫漫长夜。好坏暂且不论，总之，威廉·米勒信仰之坚贞不渝世间罕有，没有任何逆境，没有任何推翻它的证据能将他的信仰放逐出界。尽管他不愿像原来几位助手一样立刻开始重新测算天启日期，但他仍坚信这一日在一天天逼近，就在不久的将来。（事实上，他揣测是上帝有意推迟降临日期，以便留给教民充裕的时间来研读《圣经》，拯救灵魂——“大失望”其实就好比精神闹钟上的叫醒按钮。）米勒并未因 10 月 22 日的事件而气馁，他环顾四周，发现“最后时刻的前兆在各个方面都越来越显著；预言里的日期一定已经将审判日带到我们的身边了”。他在《道歉与辩护》一书的结尾向读者们发出劝诫：“我的教友们，我以耶稣的名义向你们呼唤，念及降临之日逼近，为何不重读圣书？”这位虔诚的教徒在 165 年前写道：“因此，毫无疑问，这已是我们最后的时日。”

第 11 章 矢口否认与全盘接受

“我并不愿意犯错，”波洛说道，“犯错可不是——怎么说好呢——我的本行。”

——阿加莎·克里斯蒂《罗杰疑案》

1985 年 7 月 29 日，彭尼·比尔岑和她的丈夫汤姆早早下班来到了沙滩。这天他们 10 岁的儿子在朋友家玩儿，11 岁的女儿也一块儿跟来了。这一家 4 口住在威斯康星州的东南地区，所以选择了位于国家公园内密歇根湖岸边的一处沙滩。正值盛夏，风和日丽，接近下午的时候，彭尼决定在附近小跑一会儿。她一路向北，沿着水边跑了 3 000 米，然后掉过头来朝丈夫和女儿的方向跑回去。她在距离他们还有 1 000 米的时候看了看表：差 10 分钟 4 点。等她再次抬起头来时，沙滩上的沙丘背后突然蹿出一名男子。

只在那电光石火的一瞬，彭尼就立刻明白这名男子想要干什么，旋即奔向密歇根湖。然而，下水后她才发现在湖水中跑起来更慢；等她回到岸边时，那名男子已经赶上了她。他一手掐住她的喉咙，此刻彭尼脑海中闪过两个念头，“我至今仍记得非常清楚，”她对我说，“第一个念头是我必须保持冷静；第二个是我得好好观察他的相貌特征，只有这样，得救了才能把他指认出来。”

这名男子将彭尼拖进沙丘，威胁她说自己有一把刀，逼她同自己发生性关系。彭尼开始反抗，她先谈起她的家人——她两个年幼的孩子，并声称丈夫马上就会来找她——接着她又开始与这名男子进行搏斗。他们正面相对，彭尼说：“我记得当时我想着怎么弄点血出来，好给他身上留点印迹，于是我开始抓他的脸。但是每当我要接近他的时候，他就把双臂伸直，我的手没他的长，老是够不到他。于是他就开始掐我的脖子。”这名男子掐了彭尼 3 到 4 次，每次都等到彭尼开始头晕目眩的时候才松手，问她准不准备跟他发生关系。彭尼不断反抗着，最后这名男子失去耐性，恼羞成怒，不断拽着彭尼的头往地面上撞，直到她完全失去意识。

当彭尼醒过来时，那名男子已经不知去向。她浑身一丝不挂，两手沾满了血迹。她视线模糊，语无伦次，就像一名中风患者。她用两膝和手腕撑在地上，一路向外爬去，尽量不让手掌着地以防抹去上面的血迹，如果这些是施暴人的血迹，那么到时就可以用作证据来指控他。爬到湖边后，她开始呼救。沙滩上有一对年轻情侣注意到了她，他们将她裹在毛巾里，一起扶起她向彭尼家人所在的方向走去。

距离彭尼最后一次看表已经过去了差不多 1 个小时，她的丈夫渐渐觉得有些不对劲了。肯定发生什么事了！汤姆·比尔岑打电话叫来母亲把女儿领走后，随即叫来了警察，一同开始寻找彭尼。走了一段沙路后，他看到了彭尼——她身上血迹斑斑，神情茫然，在两个陌生人的搀扶下蹒跚行走着。汤姆接过她后，径直奔向正在一旁待命的救护车，火速将彭尼送到了最近的急救室。当他们到达医院时，警察已经在那儿等候了。医护人员开始为彭尼进行伤口缝合，做 X 光检测，还进行了强奸受害者的身体检测，当检测完毕，医护人员稍做休息后，治安官的副手询问彭尼是否看清楚了袭击者的脸。此时，她已经能正常说话了。“是的，”她回答道，“我敢肯定。”

“目击者”（witness）这个词源自“智慧”（wit）一词（这么一想好像是理所当然一般，尽管我以前从来没有发现过）。如今我们大多数时候用“ wit”来形容一个人风趣幽默，但从前它还跟头脑有关——比如我们说“保持头脑清醒”（keep one’s wits about one）时，使用的就是它的这层含义。更早以前，当“ witness”最开始被人使用时，“ wit”的意思就是“知识”。即使在今天，我们也会时不时听到有人用“ wit”的这层意思，比如说一个人无心（unwittingly）做了某事儿，指的就是他本人并不知道，不明就里（unknowingly）。

因此，“目击者”就是“知道”事实的人。这既是词源学上的问题，在更深刻的层面上，也是一个心理学问题。正如我们之前看到的，我们总是理所当然地认为：既然我目睹且亲身经历了，那么我就是关于此事的权威。就像维特根斯坦提出的“双手论题”① 一样，我们亲眼看到的东西似乎是无可争辩、毋庸置疑的。我们将生活经历视作数学中的公理——无须考证核实，它是既定事实，更是我们建立关于世界的知识体系的基石。

以个人经历作为事实证据的做法更进一步成为法律领域的正式程序。（在我的工作领域——新闻界，也是如此。记者需要大量借助当事

① 维特根斯坦提出了一个问题：“我们看到一双手，我们确定这是一双手，问题是，我们真的确定吗？”他继续质疑道，“如果你确实知道这里有一只手，我们就会同意你另外所说的一切。”他认为知识是伴随着怀疑的，如果没有可以怀疑的地方，也就不再是知识了。

人的叙述让故事更加真实可信，因此晚间新闻里才会有那么多旁观者来提供“目击叙述”。）目击证明也是法律证据中最古老的一种，也是至今为止最令人信服的证据之一。实际上，另一种能够挑战其权威性的证据直到最近 20 年才开始大展身手：DNA 测试。

DNA 测试也并非无懈可击。任何由人类操控的过程都有可能因人为错误而出现差池，基因测试也不例外。生物材料可能会遗失，标上错误标签，或者受到污染；遇上懒散怠工或者蹩脚差劲的技术员，还可能会把测试搞砸；碰上瞒心昧己的调查员还会篡改测试结果。当然，考虑到目前制约平衡体系能侦查和杜绝这些问题的发生，DNA 测试也可以说是法律系统中最接近银色子弹[①]的手段了。其程序相对简单，完全可以复制再现，同时错误率极低；与血型及早期的科学证据不同，它能对样本和提取对象进行近乎一对一的配对。（说起来，这也是我们用来确认父亲身份和确保器官捐献安全配对时运用的科技。）正因如此，DNA 测试被誉为“揭露真相的仪器”。[②]

DNA 测试引入法律系统后，新旧物证之间出现了某种僵持局面。伴随着法官和陪审团对 DNA 的了解越来越多，科学逐渐占据上风，长远看来似乎必胜无疑。但目击者证言仍然十分有力，并且在有些无法获取 DNA 样本的案件中，目击者证言仍然是挑大梁的主角。在法庭上呈递的所有证据中——物理证据、生物证据、品格证据、专家证明、笔录——一位自信笃定的目击证人仍然是最能左右陪审团的最后

---

① 据信能杀死狼人的唯一武器。

② 在样本没有受污染的前提下，DNA 鉴定的失误率约为百万分之一。使用美国联邦调查局采用的 DNA 鉴定手法，两名不具有亲缘关系的人，DNA 匹配的概率只有 1 000 亿分之一。而目前地球总人口才 90 亿不到，因此可以认定 DNA 证据是确凿可信的。

判决的证据。在法庭上，我们对亲身经历的准确性深信不疑，而我们的观点也最为关键重要。

但是当我们自己成了目击证人时，情况又会怎样呢？1902 年，某大学教室里有两个学生发生了激烈的争吵，最终升级为暴力行为。其中一名学生掏出枪对准争执对象，教授跳进来试图阻止事态恶化，而在接下来的一场混战中，传来一声枪响。当时校园持枪案件屡见不鲜，但就算有先例在前，这个案件仍然与众不同：因为它是人为导演的。整个过程都是由柏林大学罪犯学教授，弗朗茨·冯·李斯特一手设计的。在那名“伪”开枪者被带走后，教授请慌乱无措的学生们尽可能详细地对当时的情景进行了描述。然后他将学生的描述和当时演员按指示表演的剧本一一进行了对照。

当时，这份研究结果引起了一阵恐慌，时至今日，它仍让人心有余悸。目击证人的最高准确率不到 75%，最低则为 20%，即其中 80% 的细节都是错的。另一名实验过程中在一旁进行观察的教授写道：“在这段很短的时间里，他们（目击证人）给一声不吭的旁观者的嘴里硬塞上话；给事件的主要参与者分派各种无中生有的行为；而且许多目击证人把这场悲喜剧的关键情节忘得一干二净。”

李斯特的这次实证研究可谓开了先河，对心理学和犯罪学都做出了杰出的贡献。（教育学人士也从中获益匪浅，以该实验为基础改编的案例已成为如今心理学入门课程的主要授课内容。）在过去的 100 年里，不断有人重复着他的研究，而目击者证言的准确度仍然没有显著的提高。尽管如此，我们对第一手叙述的信任几乎没有受到任何影响，目击者证言的法律效力仍然岿然不动。

话虽如此，这些研究仍然突显出一个重要事实，它将以不同的面貌贯穿本书的所有章节：第一人称叙述的经历是否有说服力并不能表明它是否属实。就好像当我们笼罩在经历叙述的影响下时，忘记了“第一人称”还有其他含义。在其他文本背景下——比如在文学中——它几乎就是无懈可击的权威的对立面。“我”意味着“有限的全知视角”，意味着不可靠，意味着主观偏见。说白了，它不过是某个人的故事罢了。

当彭尼从急救室转到总医院时，一位隶属警察局的素描画师来到她的床前，在治安官[①]的陪同下，根据彭尼对施暴者的描述绘制出一幅画像。“当他画完后，”彭尼回忆道，“我问他们是否已经有了眉目，他们说有了。”治安官带来了9张照片，把它们摆在她床边的桌子上，问她其中有没有长得像施暴者的人。彭尼仔细比对了嫌疑人画像，最后选定了一位名叫史蒂文·艾弗里的男子。当她晚上入睡的时候，艾弗里已经被关进了看管所。

第二天，彭尼获准出院。第三天晚上，她接到一通阴阳怪气的电话，说话的男子好像对她受袭的细节了如指掌——当然都是一些报纸上登过的内容，但这还是引起了彭尼的警觉。翌日清晨，她打电话给治安部汇报了那通电话，为确保他们没抓错人，局里决定再安排一次会面：嫌疑人排成一列，彭尼在房外进行指认。“玻璃窗那边站了8个人，从里面看不到外面的情况，”彭尼说道，“跟上次看照片时一样，我仔仔细细地观察了他们每一个人，轮到史蒂文的时候，我的身体本能地做出了反应。我开始浑身颤抖，感觉到脸上的血色开始褪去，甚至颈后的汗毛都竖了起来。”彭尼在那一列人中还是选择了艾弗里。1985年12月9日，开庭审判时她站在庭前再次指认了艾弗里，声称自己“百分之百确定”他就是当时的施暴者。审判持续了整整一周。

① 由居民推选出的县一级雇员，拥有执法权，上级是县警察局。

最后，史蒂文·艾弗里以强奸罪、蓄意杀人未遂罪被处以 32 年监禁。当时他才 23 岁。

审判对彭尼来说象征着某种结束，但是当她试图回到正常生活中时，她发现自己经常生气——对丈夫，对孩子，甚至对她自己——可她又觉得这怒火没什么来由，变幻莫测又难以控制。不久后，在 1987 年年初，彭尼了解到附近一所大学主办了一场关于恢复性司法的讲座。恢复性司法是另一种刑法正义，比起犯罪行为对国家的危害，它更关注其对个人和社会的影响，同时还致力于责任担负、司法赔偿与和解等问题。彭尼参加了讲座，讲座传达的理念跟她的想法一拍即合。还没等讲座结束，她就走出了教室。当时还是隆冬时节，她套上越野雪橇，来到了当时受袭的沙滩现场，与过去正式话别。“我记得我当时对自己说：‘史蒂文，你再也不能伤害我一分一毫了。’然后我还记得当时心里就像一块大石头终于落下来了一样。”回到家后，她接受了恢复性司法和刑事调解的培训，开始在威斯康星州监狱作志愿者。

“我大部分的疗伤都是在这所戒备森严的监狱里完成的，”彭尼告诉我，“我第一次到那儿时还以为会见到一大群和我们普通人完全不同的怪物。但后来我发现，从某种意义上来说，我们都是受害者，又都是加害者。就算我们对别人的侵犯还不至于送我们进监狱，但我们仍然伤害了他们。”彭尼的志愿者工作就是在小组讨论会上向犯人们讲授暴力犯罪对受害者带来的种种伤害。这并不是让犯人们为了悔过而悔过；而是教他们学会为自己的所作所为负责，用余生干出点有意义的事来。“没有谁能改变过去做的事，所以我总是一开始就告诉他们，你好好地度过余生就是最有意义的道歉。”但既然过去不能改变，我们也不应该予以否认——因此，彭尼在一次又一次的小组讨论会上反复强调着直面错误的重要性。

正当彭尼在监狱中进行志愿者工作时，史蒂文·艾弗里正在努力争取出狱。在他获罪后（他声称自己是清白的），他的家人成立了史蒂文·艾弗里上诉基金会。他的律师不服判决要求上诉，但上诉法院未予受理。被告又对上诉法院的拒绝受理行为进行上诉，但威斯康星州的最高法院拒绝复核该案件。很长一段时间后，艾弗里似乎已经走投无路。1985 年，DNA 测试在美国还闻所未闻；原审中呈递的唯一一件物证是从彭尼衬衫上找到的一根毛发，原告律师声称该毛发与艾弗里的在显微镜下（而不是基因上）显示一致。但随着时代的进步，法医进行 DNA 鉴定的做法也更加普及，到了 1996 年，法院终于接受了艾弗里的上诉，决定对该案件的生物材料进行重新检测。当然，与如今的技术比起来，当时的手段在今天看来十分原始，罪证化验室对彭尼入院时从其指甲缝间提取的碎屑进行测试，发现了 3 份不同的 DNA 样本。其中一份是她本人的，另一份模糊难辨，而第三份与她的和艾弗里的都不吻合。法官判决该测试结果不够确凿，艾弗里仍被关在铁窗之中。

这些上诉和复核让彭尼备受折磨，主要是因为它们不断将那场袭击拽出水面，扰乱她的生活。尽管有时艾弗里和他的家人不折不挠的行为也会让她有些动摇。“毕竟，我一直在和犯人打交道，”她回忆道，“而我也看到过到了一定时候，他们中大部分人都会放弃上诉。所以我记得我那时一直有些纳闷儿：为什么唯独这个人这么执着？”2001 年，她听说威斯康星无罪计划——一个隶属国家机构，使用 DNA 证据推翻误判的组织——同意受理艾弗里之案。彭尼一听就怒不可遏：“我当时就在想，好吧，再重头来一次吧，还有完没完了！要是这次 DNA 测试还是不能证明他的清白，或者证据不够确凿的话，接下来这两年难不成还要再来一次复核？”同时她的心里也有些没底：“我记得当时脑子里一直萦绕着这个问题：他们或许不会什么案子都接的，但怎么偏偏就接了这一个呢？”

在一个案件中，个体能够快速采取行动——不到一秒钟，你就可以低头看看表，或者向湖里冲去，但是系统的运作往往就慢得难以想象了。就拿艾弗里案件来说，之所以耽误了这么久，既有司法问题，也有技术问题。要不就是因为某个人太忙了、某个人度假去了，或者集中精力去办理更新的案子了。从几个月等到一年，从一年等到两年，再等半年又过去了。在此期间，艾弗里还蹲在牢里，彭尼也继续着她的生活——相夫教子，和丈夫一起经营着卖糖果和冰激凌的小店，间或在监狱里当志愿者。2003 年春天里的某一天，她打开家门，看见丈夫的车开进私人车道，后面紧跟着她的律师的车。当汤姆·比尔岑踏出车门时，他的脸上一片惨白。彭尼只看了他一眼，就明白了一切。“我的上帝，”她说道，“不是他干的。”

绝大多数暴力犯罪的受害者在错误指认施暴者——这个令人毛骨悚然的少数群体——之后，往往很难承认自己的错误。1991 年，一位名叫格伦·伍德尔的男子从西弗吉尼亚州的监狱中获释，他当初被误判犯下了两项强奸罪，被判处两项无期徒刑，彼时已入狱 4 年。在伍德尔一案中，司法审判的程序尤为荒唐。由于施暴者带了面罩，受害者几乎没有看清其面部特征，却接受了催眠治疗，美其名曰“恢复记忆”，在司法界，这一手法具有操纵性、欺骗性，因此是不予采用的。更糟糕的是，定罪物证的背后是一场科学骗局。在西弗吉尼亚州罪证化验室里负责血液鉴定的技术人员伪造了鉴定结果。DNA 测试洗清了伍德尔的罪名，西弗吉尼亚州还对他进行了 100 万美元的赔偿——此举无疑值得嘉奖，因为无辜获罪的人在受此劫难后很少能获得这样一笔可观的赔偿款。关于这个案子的报告充斥于当地各大报纸的版面和新闻广播的内容中，州立法机关对犯错的环节展开了热烈的讨论，多方调查委员会由此成立。尽管如此，伍德尔获释当天，两名受害者中的一个跑到他乘坐的卡车边上，泪如雨下地挥拳砸着车门，不许人把门打开。职业道德沦丧的技术人员、不平而鸣的公众、司法机关的复核、DNA 的阴性测试结果，这一切事实摆在面前，她仍然坚信伍德尔就是那件案子的始作俑者，尽管她连那个人长什么样子都不知道。

这名受害者的反应之所以特别，是因为此举发生在光天化日之下，并且从某种意义上来说，此举是非常勇敢的。在有过类似经历的人群中，不乏受害者对蒙冤者的罪行深信不疑的例子。他们的行为不难理解，也在某种程度上值得同情。经历了炼狱般的折磨后，你却发现自己毁了另一个人的一生；认定某人是暴行的罪魁祸首后，却发现他和你一样，也是受害者；你把所有的愤怒、恐惧和痛苦全都宣泄在一个无辜者的身上；你好不容易“告别”了过去，却发现那扇门又被扳开了——我们中有谁能保证自己坦然而不失风度地接受现实？说实话，我们又能要求谁这么做呢？换作我们面对这一现实，也很有可能会阵脚大乱，心如刀绞。这时候，选择矢口否认，回避现实无疑会容易得多。

否认行为一直以来都声名狼藉。我们对这种行为百般嘲讽，认为只有那些不成熟、不稳重，抑或是死脑筋的人在面对真相时才会可悲地选此下策。但是，正如我们看到格伦·伍德尔案件中那名受害者竭力阻止伍德尔重获自由那样，有时否认错误的行为也情有可原，值得我们同情，而不是责难。毕竟，否认并不是我们面对事实而做出的反应，而是对这些事实引发的情感的反应——因为有些时候，这些情感是生命难以承受之重。

和如今我们对人类本性的很多认识一样，对否认的理解也是由弗洛伊德最先进行系统性的阐述的。弗洛伊德将否认行为定义为拒绝承认不愉快事实的存在或真实性，他还将否认划归为人在面对焦虑或痛苦时下意识地进行自我保护的一种防御机制。历经数次细微的修订后，这一定义一直以来都是最标准的解释。1969 年，瑞士精神病学家伊丽莎白·库伯勒－罗斯（Elisabeth Kübler-Ross）将悲伤划分为 5 个阶段（这一划分如今已成为公认标准），并将“否认”归入其中一个阶段，自那以后，人们已普遍认为“否认”是面对创伤产生的正常且典型的第一反应。库伯勒－罗斯的模型主要建立在人们被确诊患有绝症后的反应之上，但此后业界人士认为这一模型同样适用于其他许多令人震惊的噩耗：比如挚爱之人的离世、大伤元气的疾病或伤病、离婚、失业等。

如果你从未亲身经历过这种创伤性否认的话，很容易会认为它远远算不上深度的心理反应，只不过是表面的口头反应罢了：这种事不可能发生在我身上，你肯定认错人了，一定是哪儿出错了。事实上，创伤性否认的反应要深入强烈得多。举个尤为惊人的例子：当身患重病的患者得知自己去日无多时，他们中至少有 20% 的人在知道后的几天内会将这条噩耗忘在脑后——这可谓是否认的最极端形式，它不只是单纯地否认了，还将不愉快的信息一并过滤掉了。

库伯勒－罗斯还发现，这种否认反应其实是有利于身心健康的。（至少一开始是这样的；当然，要是患者想与病魔抗争的话，他最终必须跨过“否认”这道坎；而失去亲人的人想要调整内心的失落也是一样。）面对恐惧和悲伤时，否认这种反应再正常不过，并且还能化解一部分伤痛，以免横祸来得太过突然、太过猛烈，让人一时难以承受。当人们在得知噩耗后表现出否认情绪时，我们大都能明白这是出于自我保护的本能，于是对其予以相应的同情。但另一种形式的否认行为——像鸵鸟一样拒绝认错，死不让步，还勃然大怒——这又是怎么回事呢？

实际上，这种否认的形式与前一种其实并没有本质区别。无论是面对错误还是灾难，我们都会屏蔽掉令人不快的信息以进行自我保护，避免各种不适、焦虑和创伤。在后一种形式中，否认仍然是一种防御机制，但它是在帮助我们回避犯错这一事实。我们已经明白，某些经历能引发强烈的情绪，并且往往会给当事人带来痛苦。我们也明白，我们的观念与自我身份、社会、安全感和幸福感息息相关、密不可分。也难怪任何动摇我们观念的重大挑战本身都象征着一种创伤——它和其他噩耗一样，能迅速地唤起否认反应。

我首先要声明的是，我在这里讨论的是一种真诚的、下意识的否认行为；而不是蓄意的、冷嘲热讽的行径。我们有时候都会遇到这种明知故犯的现象——比如说，在争执的过程中，就算我们已经意识到自己是错的，却还是固执己见，死不松口。这还是情节不太严重的例子；虽然对自己的错误心知肚明，却还没有想好挽回面子的说辞。更严重的例子屡见不鲜，在政界更是臭名昭著。政坛堪称是否认的温床——否认在政治领域就像温室里的兰花一样，奇大无比，五彩斑斓。[①] 富兰克林·罗斯福在参加首任总统竞选时在匹兹堡发表了一篇演讲，承诺无论发生什么情况，他都不会增收税额。当然，说过这话的候选人，他既不是第一个，也不是最后一个。几年后，罗斯福在白宫已经稳坐第一把交椅，当他面对严重入不敷出的预算时，他意识到只

① 政界同样也有无意识的否认的行为。历史学家芭芭拉·塔奇曼曾说过："自欺欺人的来源是愚蠢，而愚蠢在当今政府中扮演着相当重要的角色。它的表现是在审时度势时先入为主，对其他任何负面迹象一概忽略甚至排斥。只凭单方意愿行动，不允许事实产生任何干扰。"这种愚蠢在一位历史学家对西班牙国王菲利普二世（前无古人后无来者的昏君）的评价中显露无遗："无论他的政策经历何种挫败，他都坚信自己的决策是明智的，并丝毫不为所动。"

有把打掉的牙齿往肚子里吞——违背当初对选民们的承诺。他向自己的演讲稿撰写人塞姆·罗森曼求助，询问他该怎么收回先前许下的承诺；据说当时罗森曼是这样回答的："就说总统阁下从未去过匹兹堡。"

罗森曼有没有给出这条建议暂且不论，即使他说了，想必也是当玩笑话说的。不过，这句话精准地捕捉到了否认的核心原则：尽可能避免与错误发生任何瓜葛。它还揭露出蓄意否认的本质，即它牵扯到蓄意欺骗。依此类推，无意识否认就涉及了无意识欺骗——不过在这里，我们主要的欺骗对象，就是我们自己。这就是为什么无意识否认会被视作自我欺骗；我们是在向自己隐瞒一些难以承受的事实。

一直以来，人类如何欺骗自己是心理学和哲学上的未解之谜。为了弄明白这究竟是多么高难度的行为，不妨设想一下：你认识一对情侣，罗杰和安娜，他们目前的交往出了问题：安娜有了外遇，而罗杰坚决不接受这一事实。安娜在一周的某几天晚上总是会到 22 点或 23 点才回家（她告诉罗杰，"我在办公室加班"），周末经常独自外出（"见几个老朋友"）。她毫无节制地煲电话粥，而且只要罗杰偶然闯进房间就会心虚地跳起来，语气也立马变了，然后迅速结束对话，再向他解释说是在和她妈妈聊天。某天罗杰用家里的电脑时，看见安娜的邮箱没有关，他无意间瞥到一行邮件内容（不是写给他的），"亲爱的，什么时候才能见你呀？"——他告诉自己这不过是对朋友的比较亲昵的问话。尽管你和其他朋友好意规劝他要提高警惕，尽管如此充分的证据已经足以让他产生警觉了，罗杰还是坚信安娜绝不会出轨。

在局外人（好比说你）看来，罗杰显然是在自欺欺人。他毫不怀疑安娜的忠贞，这尽管令人感动，却错得一塌糊涂。不难猜到安娜会采取什么样的手段来骗他（尽管她似乎也不是个高明的骗子）。毕竟罗杰身为她的男友并不能直接窥视她的内心世界，而她也有权选择掩饰自己的真情实感、意愿和行踪。但是我们很难理解罗杰是怎么欺骗他自己的。为了回避安娜外遇的信息，他必须知道哪些地方该回避：比如不要读剩下的电子邮件，不要问她太多周末的行踪，不要在她“加班”的晚上带着外卖和鲜花到她的办公室制造“惊喜”。但既然他已经消息灵通到能小心回避了，他又怎么可能不知道呢？萨特曾写道，要想欺骗自己，“我必须对真相了如指掌，以便小心翼翼地将它藏起来”。那么要想否认——要想不知道事情的真相，现有证据表明，我们必须对情况全权掌握——我们必须得既当诈骗犯，又当受骗人。

人脑是怎么做到这一点的呢？很多观察者都指出大脑是通过功能划分来完成这一点的。柏拉图、亚里士多德、奥古斯丁和弗洛伊德（除他们之外还有很多很多人）都对否认做出了解释，提出“自我”被划分成两部分，它们处于半自治、半交战的状态：理智与意志，理智与灵魂，意识与无意识，自我与自我之间兵戈相向。虽然这些关于自我冲突的说法引人入胜，但到头来它们其实替我们解答了自我欺骗这个难题。正如哲学家西塞拉·博克指出的那样，这种自我划分的说法其实只是一个比方而已。我们很容易把它忘掉，因为这个比方太妙了——妙到在某种程度上，它听起来就像是在陈述大脑运作的实际情况。无论这个比方有多么奇妙，它都只是一个类比，不能算作解释说明。人类的大脑并不是双层公寓，两家宿敌分住其间——我们究竟是如何欺骗自己的至今还是个谜。

这个谜团之所以重要，其一是因为它牵涉否认的道德问题。如果我们的大脑真的是一分为二，一部分忽视错误，另一部分积极运作保持现状的话，谁来为犯下的错误埋单？一部分的我们？如果真是这样，那又是哪一部分呢？是不是该怪我们整个人呢，哪怕我们真的是蒙在鼓里？当我们矢口否认的时候，是不是就不应该承担责任了呢？在这种情况下，我们会不会只是个双重的受害者—— 一次是被藏在暗处的自己所欺骗，另一次则是为了逃避真相而被自己的创伤所蒙蔽？

这些问题其实都指向一种道德困境：如果我们拒绝承认错误，那么应不应该承担责任？行文至此，我举出的有关否认的案例都值得人们同情，因为它们都是面对创伤时的自然反应，但还不至于对它进行严肃的讨论。如果换作有人拒绝承认“二战”期间纳粹曾对犹太人进行大屠杀呢？或者换作前南非总统塔博·姆贝基置科学观点于不顾，坚持声称艾滋病不是由 HIV 病毒导致的，抗反转录病毒治疗不起作用呢？他的否认直接导致接近 32 万南非人民死于艾滋病，大量幼童成为孤儿，南非经济就此一蹶不振。范围再广一点，如果否认错误的行径已经到了令人发指的地步，其行为带来的后果不容小觑，以至于连同情都显得苍白无力，头脑简单，甚至暗伏危机——此时此刻，我们又该何去何从呢？

彼得·诺伊菲尔德是威斯康星无罪计划的两名创始人兼合伙人之一，这个组织就是我在前文提到的使用 DNA 证据来推翻误判的机构。除了帮助无辜的犯人获释，彼得和他的同事还致力于刑法正义程序的改善，以减少类似冤案的发生。秉承这两大使命，诺伊菲尔德花很多时间指出他人的错误，或者告诉人们，他们的行为是不正当的，很有可能会酿成大错。不难想象，他的工作就是名副其实地和否认打交道。

我前往曼哈顿下城区，在彼得的办公室里见到了他。见面后他首先带我浏览了工作中常接触到的否认行为的几大阶段。他先是指出，不是所有人都会经历每一个阶段，甚至有些人一个都没有经历：比如很多执法部门的工作人员对无罪计划的工作予以大力支持，在无辜者的释放工作上十分配合。但仍然有例外，并且他们有些人的顽固程度简直让人大吃一惊。诺伊菲尔德说，他们甚至都不愿意找出真相：检察官要是不肯认错的话，很可能干脆拒绝无罪计划提出DNA测试的请求——尽管他们自己在定罪过程中经常使用基因测试。(尽管已经有不少州政府在一定程度上允许罪犯保留DNA测试的权利，但美国最高法院在2009年声明并不保证罪犯一定能享有该项权利。）因此，诺伊菲尔德和他的同事光是为了争取行使DNA测试的权利就已经投入了大量的时间和经费。

当然，一般说来，法官最终都会同意进行基因测试。你或许会理所当然地认为，如果结果宣布犯人无罪，获释就是顺水推舟的事——但是，诺伊菲尔德告诉我，检察官通常会指控测试过程存在缺陷，坚持重新进行测验。如果这一次的结果仍然证明犯人是清白的话，这位不屈不挠的检察官便会使用别的招数，炮制出另外一套与DNA物证毫不相干的理论来解释当时的犯罪情况。法官很少会吃这一套，"游戏"到了这一关，绝大部分法官都会宣判犯人无罪，并予以释放。

即使检察官落败了，事情也还没完，因为他们还有可能会要求对案件进行重审，即使是法官也无力阻拦。"当无罪宣判下达，我们离开法庭时，"诺伊菲尔德说，"那些检察官就会说：'可我还是觉得你的委托人是有罪的，我们要对他进行重审。'过了几个月后，那些检察官又过来说：'我们同意撤销指控，但不是因为你们的委托人是清白的，只是因为时间过了太久，已经很难再找到目击证人了。'或者，'我们不想再让受害者再受苦了，毕竟过去的已经过去了。'"这类检察官虽然放弃了这个案子，却还是不肯松口认错。诺伊菲尔德说，他们不撞南墙不回头："很多检察官、侦探还会嘴硬地说：'我现在还不能跟你说，也讲不清楚，但是毫无疑问你的委托人是有罪的。'"

为了更好地展示否认行为进行的几个阶段，我得向诸位读者介绍一个人——蒙大拿州前首席检察官，迈克尔·麦格拉斯。1987年，比灵斯发生了一件耸人听闻的袭击案：有一天深夜，一名男子通过卧室窗户爬进一个 8 岁小女孩的房间，对其施行了多次强暴。犯人在小女孩的内裤上留下了精液和阴毛。小女孩不认识这名男子，对他的外貌描述也相当模糊（金发，浅色皮肤，面部长有粉刺）。根据描述，肖像专家绘出一幅素描，有一名警官称画像上的人很像他这周早些时候抓进过牢里的犯人—— 一个和同学在高中停车棚里打架的少年。少年名叫吉米・雷・布鲁姆加德，他很快就获捕入狱，并被判有罪（小女孩对其做出了指认，还有一名全州知名法医声称他的毛发和犯罪现场找到的一致），获刑 40 年监禁。

2000 年，无罪计划受理了这一案件，对精液进行了鉴定，认为它与布鲁姆加德的精液并不匹配。接下来首席检察官迈克尔・麦格拉斯登场了。他接受了 DNA 鉴定结果，却提出了一种匪夷所思的解释。他提出，会不会吉米・布鲁姆加德是一个嵌合体（chimera）。在希腊神话中，“chimera”指的是一个狮头、羊身、蛇尾的女妖。而在现代生物学中，当一对异卵双生的胎儿在子宫中发育时，其中一胎死亡后，其 DNA 就嵌合到幸存胎儿的体内，因此得名为“嵌合体”。嵌合体的案例在人类中十分罕见；至今为止报道过的案例也只有 30 件。不管怎么说，麦格拉斯坚持要求对布鲁姆加德再进行一次鉴定，最终结果显示他的血液、精液和唾液都是同种 DNA，并且与犯罪现场的物证并不匹配。

接下来事态的进展越发面目可憎。无罪计划将阴毛送至美国联邦调查局进行二度鉴定，鉴定结果仍然呈阴性。蒙大拿州的法医科学家阿诺德・梅尔尼科夫却仍然在法庭上作证声称，通过在显微镜下分析，毛发来自非布鲁姆加德人员的可能性是一万分之一。DNA 鉴定的阴性结果给蒙大拿州敲响了警钟，因为梅尔尼科夫不仅是州立罪证化验室的主任，同时在任职以来已经用同种方式在上百起案件中提供了证明。当其他法医科学家就梅尔尼科夫在布鲁姆加德一案中使用的鉴定方式进行审核时，他们得出结论：梅尔尼科夫的证明“无论是在阴毛鉴定原理还是遗传学、统计学原理上都是漏洞百出，简直骇人听闻……他的证明完全有悖于业界规范的科学原理”。布鲁姆加德在狱中待了接近15年后终于重获自由，出狱后他对蒙大拿州政府提出起诉，要求政府为误判做出赔偿。

作为诉讼的环节之一，彼得·诺伊菲尔德让迈克尔·麦格拉斯当庭对质——这场对质堪称无与伦比的否认行为研究案例。（这场对质发生在拉斯特南巷里的一家律师事务所。换作狄更斯都写不出这么精彩的情节。[①]）事实上，这场对质可作为本书探讨的若干话题的个案研究：比如拒绝反证，编出天花乱坠的理论来维护核心观念，使用双重标准来进行推理论证，以及最重要的一个话题：一切以自己的正确性为优先，置其他一切价值观（真相、公平、荣誉等）于不顾。

麦格拉斯在对质时始终坚持这样一个观念：吉米·雷·布鲁姆加德仍然是比灵斯强暴案中的主要嫌疑人。当时的首席检察官提出，会不会是布鲁姆加德在强暴女孩后并没有留下任何生物物证，而女孩内裤中发现的精液和毛发是其他人留下的。“举个例子说呢？”诺伊菲尔德问道——接下来的对话不仅荒谬至极，还让人心存芥蒂，在此特摘录若干片段：

麦格拉斯：精液可能会有多种来源。

诺伊菲尔德：愿闻其详。

---

① 狄更斯曾以一场法律官司为题材写了一部名为《荒凉山庄》(*Bleak House*) 的小说。

麦格拉斯：有可能“被害人”与其他人发生了性关系。

或许诸位还记得，被害人年仅 8 岁。

麦格拉斯：“或者”她姐姐与某人发生了性关系。

惨案发生时，被害人的姐姐才 11 岁。

麦格拉斯：还有可能当时有第三者在那个房间里。这是有可能的。女孩的父亲也有可能以多种方式留下精液。

诺伊菲尔德：比如说？

麦格拉斯：他可能穿着女儿的内裤在那个房间里手淫……他和女孩的母亲可能会在女儿的床上发生性行为，或者以某种方式将精液沾在了内裤上……她父亲可能在梦里遗精了，可能之前一直睡在那张床上；他可能还和其中一个女儿有不伦关系。

好，现在我们得到了 4 种可能性：8 岁大的小女孩经常发生性关系；她 11 岁的姐姐经常穿着妹妹的内裤发生性关系；当时房间里有第三者（尽管被害人已经证实了是一人作案）；或者女孩的父亲是个性变态，以某种方式在女儿内裤上留下了精液。显然，诺伊菲尔德有些懵了，他也不得不承认这些假设也不是不可能成立的——但他又反驳道：

诺伊菲尔德：你没有证据证明这些情况的发生，对不对？

麦格拉斯：我只能说，就凭我当了18年的检察官，在司法界干了25年——我认为这种情况极有可能发生。

诺伊菲尔德：这就是这些假设的根据？

麦格拉斯：是极为重要的根据。

谈过生物物证，接下来要论证目击者证言时，诺伊菲尔德和麦格拉斯讨论了女孩对袭击者的指认：

麦格拉斯：我认为这份指认相当关键。

诺伊菲尔德：想想看，当受害者在当面指认时说："我大概有60%或65%拿得准。"等站到检察官面前了，他问："不要跟我说什么百分数，你究竟确不确定犯人是吉米·雷·布鲁姆加德？"这时她回答："我也不是很确定。"——就算这样你也还认为这是一份有力的目击身份证明吗？

麦格拉斯：是的。

我还可以继续举出更多的例子来——这份对质长达249页，绝大部分都是这种腔调——不过我就不再赘言了。要是麦格拉斯的发言还不至于如此可怕——且不论案件中被强暴的小女孩，他对女孩父亲名誉的诋毁，对无辜者人身自由的剥夺——这出戏简直就是场闹剧，荒唐至极。在这个极端的否认案例中，要是还有一丝尊严残留的话，用诺伊菲尔德的话来说，那就是，"当其他人看到这份材料时，他们会说：'哦，天哪，这个家伙一定是疯了'"。蒙大拿州政府最终对吉米·雷·布鲁姆加德支付了350万美元作为赔偿。迈克尔·麦格拉斯也迫于公众舆论被罢黜官职。

更让人不寒而栗的是，像这样的故事多得数不胜数。诺伊菲尔德还对我讲了无数个类似的故事。有位负责某强奸谋杀案的罪证化验室工作者坚持认定诺伊菲尔德的委托人是有罪的，尽管 DNA 测试已经排除了委托人的嫌疑，并且将嫌疑指向另一名男子，“我当时就问：‘你是什么意思？你有什么科学证明说是他干的？或者还有什么非科学证明说是他干的？’然后她说：‘我知道是他干的。我在审判上作证的时候，一看到他的眼睛就知道这是杀人犯的眼睛。’”再讲一个关于卡尔文·约翰逊的故事。约翰逊是一名美籍非裔的优秀学生和运动新星，在 1983 年因被指控强暴了一名白人妇女而蒙冤入狱。从犯罪现场收集的阴毛经常规鉴定（不是基因鉴定）分析显示，其与约翰逊的并不匹配，但负责该案件的地区法官提出，犯罪现场收集到的毛发并非罪犯的，而是受害者在公厕或在自助洗衣店清洗床单及衣物时留下的。约翰逊后来回忆道，正是在那一刻，他突然意识到：“这个人根本就不在乎我，不在乎我的死活。他只是想定罪而已。”就这一点来说，这名法官如愿以偿了：约翰逊被判终身监禁，在牢里待了接近 16 年才凭借 DNA 鉴定得以洗清冤情。

这些化验室工作者、检察官、司法官对案件进行调查，下达裁决，他们不是案件中的受害人，他们并没有经历过暴力和侵害带来的创伤，也不曾体味过接踵而来的法庭公审和媒体曝光带来的二次伤害。他们是公认的专家。诺伊菲尔德说，他们还是一群“靠逻辑吃饭的专家，是基于证据和推理还人们以公道的体系的一分子”。因此，让我们直言不讳地问一句：他们究竟出了什么毛病？

最显而易见又最难让人同情的答案就是，他们的事业成败就系于这一线之间。“检察官就是靠这些大案子一夜成名的。”诺伊菲尔德说，他们的声誉自然也有可能因这些案子而毁于一旦。但另一个不太容易想到的原因是，这些人之所以否认错误，也是为了避免自己经受创伤。“让任何人承认——‘好吧，我承认，我让一个无罪的人蒙了冤，剥夺了他的自由，甚至……哦，但愿不要如此——还剥夺了他的生命’——都不是一件易事。”诺伊菲尔德说道。当然，说起噩梦，检察官判错案子受到的谴责当然比不上受害者经历的折磨，以及蒙冤者承受的苦楚。但不管怎样，噩梦终归是噩梦，它让你在一个又一个的晚上难以成眠，让你对自己的工作能力、判断能力和道德价值都产生了动摇。就算有时候糊涂能让我们好受些，但犯错的经历仍然会使我们对自己的正直、诚实、可靠等品质产生怀疑。而要是牵涉一场错判的案子，则更会让这个问题严重上千倍，既因为错误的后果非常严重，也因为这些正义的执行者通常（这也是无可厚非的）自诩为天使的同伴。

要说谁最有理由这么想的话，那就非彭尼·比尔岑莫属了。在她受袭后的人生中，她振作精神，不仅重建了自己的生活，还帮助了更多的人修复了他们的人生——她帮助的还不是普普通通的人，而是罪犯，甚至包括那些很有可能袭击她的人。照这么说，要说谁最有理由坚信自己是正确的，那也非彭尼莫属。从受袭的那一刻起，她就一直试图识别施暴人的脸。即使他打她掐她，她还是强迫自己记住他的面目特征。后来，她拖着受伤的身体，怀着一颗重创的心灵在海滩上爬行前进，只为了保存手掌上的血迹留作物证。

那么，从某种意义上来说，彭尼·比尔岑是最应该矢口否认的人。在那种情况下，创伤甚至成为恰当乃至必需的防御机制了，而她仍然挺了过来。从她在被施暴过程中和事后的行为来看，她（比我们中任何一个人都）有权感到自己是正义的，也是正确的。当 DNA 鉴定结果显示史蒂文·艾弗里无罪时，她大可以回避事实，矢口否认。她本可以不为物证所动——就像大多数与误判有瓜葛的人一样。她大可以一口咬定艾弗里有罪，坚称自己绝没看错。她本可以这么做的。可是她没有。

或许彭尼就是这样一个人：有良知，有同情心，不能容忍不正义的行径。或许也因为她长年在监狱中做志愿者，于是学会了将里面的犯人当作正常人来看待，还帮助他们直面错误。也或许是因为她相信科学。或许三者皆有。总之，当彭尼·比尔岑的律师和她的丈夫告诉她史蒂文·艾弗里无罪时，她当即接受了这一事实，接受了自己的错误。也就是从那一刻起，她开始了人生中最暗淡无光的一段日子。“这或许听起来让人难以置信，”彭尼对我说，“但我真的就是这种感受：得知自己认错了人的那一天，简直比我受袭的那一天还要糟糕。我的第一个念头就是：我简直不配活着。”

彭尼的恐惧与自责有两层。第一层，同时也是比较浅显的想法是，她将一个无辜的人送进了牢笼，让他在里面一待就是 18 年。第二层感受是她后来了解到真凶的身份后才渐渐体会到的。借助 DNA 的鉴定结果，有 40% 的误判案件能在洗清冤情的同时找出真凶——在彭尼一案中，真凶名叫格雷戈里·艾伦，当时正因另一起强奸罪而入狱服刑。这名强奸犯堪称罪大恶极，彭尼后来了解到，从袭击彭尼到 1996 年入狱的这些年间，艾伦又犯下了 8 到 10 起强奸案，最终被判处 60 年监禁。“我一直想着那些受害的同胞们，”彭尼告诉我，“天哪，要是我当初没认错的话，她们的人生就不会经历这么大的改变了。”

在彭尼承认错误后，几个月过去了，几年过去了，这期间她对当初犯下错误的原因明白了很多。首先，人类的观察和记忆是很容易出错的。“每个人都对我 3 次指认出史蒂文而小题大做。”——第一次是在医院看照片，第二次是站在玻璃房外面，第三次是在法庭。“但我现在知道记忆专家说的话是对的：只看一次，就大局已定了。当我拿起那张照片时，我看到的那个人就变成我脑海中强奸犯的形象了。从那一刻起，我记住的就是这张脸，而不是在沙滩上袭击我的男人的脸了。”彭尼说。

更让她耿耿于怀的是，彭尼还发现治安部在很多方面都没有对她和艾弗里尽职尽责，也没有很好地履行维持正义的职责。当她选好照片后，他们说对犯人已经心中有数，而那人就是艾弗里。他们还教给彭尼要是有什么疑问的话该如何掩饰。(地方法官第一次问她对指认结果究竟有多大把握时，她说有 90%。而据她回忆，当时法官的答复是："当你站在原告席上时，你最好说你 100% 确定。") 他们对案件中毛发证物进行的常规分析结果予以了认可，尽管这种程序在业界普遍被视作无效。①

还有更不寻常的，治安部没有对其他线索进行跟踪侦查。艾弗里被捕一周后，当地警察局打来电话，告诉彭尼他们发现了一名新的犯罪嫌疑人——此人和艾弗里外貌相近，并且暴力倾向日益明显。警察已经跟踪他两周了，但在彭尼受袭那天因公务繁忙，没能掌握他的行踪。彭尼将这条信息告诉了治安部门，回忆起当时的情况，她说道："他们对我说：'不要跟警察局那帮人闲扯，这样只会把你的脑子搅晕。我们会负责调查的。'这话听起来很有些屈尊俯就的意味——就好像我那颗女性的小脑瓜没法应付这些事实一样。"后来她从威斯康星州司法长就艾弗里误判一案的报告中得知，当时有一名警官甚至亲自询问治安官是否有其他犯罪嫌疑人的可能。而治安官回答"我们已经抓到真凶了"，并拒绝调查其他嫌疑人。而这名嫌疑人正是格雷戈

① 20 世纪 70 年代，在某联邦监督机构的要求下，90 个法医鉴定室分别对 5 份不同的毛发样本进行了分析鉴定。根据这 5 份样本各自的鉴定结果，鉴定人员配对成功的平均概率分别为 50%、28%、54%、68% 和 56%。他们还不如去抛硬币。

里·艾伦。

不过，在彭尼知道艾弗里的无辜时，她对当时有另一名犯罪嫌疑人的事几乎一无所知。满心自责的她开始试着弄清楚自己当时怎么会把这么关键的事情弄错。“DNA 鉴定一洗冤情”之类的新闻一向很吸引眼球，自消息公开以来，几乎每天都能在各大报纸和电视新闻上看见艾弗里的照片。“我记得当时我开始研究他的相貌。我会翻开当地的报纸，仔细端详他的照片，然而，就算我的理智提醒我自己，‘他不是那个伤害你的人’，从感情上来讲，我仍然会发自内心地做出抵触反应。我仍然会感到恐惧——身体还是会颤抖，颈后的汗毛还是会竖起来——因为这么多年来，无论是回忆里，还是噩梦中，我看见的都是这张脸。”

彭尼并没有因恐惧而与艾弗里避而不见，这一点实在很了不起。艾弗里重获清白后，彭尼立马给他写了一封信，信中竭尽所能地为自己当初的错误致歉。“当我在法庭上指认的时候，”她写道，“我是真的认定了你就是袭击我的人。但我错了。我无法，也不配求得你的原谅。怀着最深切的谦卑，我只能告诉你，我有多么愧疚。”她还提出愿意当面回答艾弗里和他的家人想问的任何问题，这正是刑事调解中的一道正规环节。她以这种方式表明，这一次，她自己是加害者，而艾弗里是受害人。

5 个月后，彭尼、艾弗里及案件相关的律师在庭外首次见面。“我觉得我这辈子从来没这么紧张过，”彭尼回忆道，“我甚至听见心脏在怦怦乱跳。但是当史蒂文走进房间，我站起身来向他走去并伸出手时，他非常热情地回握了我的手。”艾弗里很安静，还有轻微智障，大部分时间都是彭尼在说话。但她知道史蒂文之前曾向她表示过同情——在出狱的那天，他对媒体说：“我不怪那位受害者，这不是她的错”——她也感觉得到史蒂文非常关切地倾听着她。要离开时，彭尼走向史蒂文，问他可不可以让她拥抱一下。史蒂文一言不发，紧紧地抱住了她，彭尼说：“当时我悄悄地对他说：‘史蒂文，对不起。’而他回答道：‘没关系，彭尼，都过去了。’这是我这一生中听过的最慈悲的话语。”

不过，事情自然还没有结束。在很多方面，彭尼才刚刚开始应对眼前发生的这一切。她与无罪计划的几名律师成为朋友——在过去她曾经非常愤恨他们——并开始了解到更多她这样的案例。她说，在艾弗里洗清冤情以前，“我记得在电视上看过一期刑侦特别节目，讲的就是一件冤案，我当时还在想，‘别逗了，这种事现实生活中能发生几次？’”而现在，彭尼说她对这个体系有了不一样的看法。“我相信99.9% 的警察都不是有意抓错人的，但人们总有视野狭窄的时候。”她很清楚这一点，因为她曾亲身经历过。“当人们说，‘史蒂文会不会是无辜的？’我当下就会提醒自己有那么多似乎能证明他罪行的证据。我一心只关注那些能证明我认对人了的证据。”这就是证实性偏见在捣鬼，这种偏见彭尼还经历了不止一种：只要是让她产生动摇的证据，她都会选择忽略甚至加以歪曲。审判时有 16 名目击证人都声称艾弗里在强奸案发生的当天在上班，但彭尼认为他们的说法大同小异，一点都不可信——这种反应极为典型地反映出人们习惯将对自己的观点不利的证据解释为有利证据。

当彭尼对冤案的成因有了更多了解之后，在逻辑上，她能分析出自己犯错的症结了。不过，在感情上，她还是饱受折磨。她忘不了艾弗里在监狱里从 23 岁关到了 41 岁——这 18 年对任何人来说都是人生的大好时光——而她心中巨大的、几乎压抑的自责感也从未停止过。最后，她决定按照自己经常对犯人们说的格言采取行动：最本质的道歉就是你如何度过余生。通过在无罪计划中交到的友人，彭尼开始接触其他与她一样的认错犯人的受害者。

有一天，她在电话中为一名受害者进行疏导，打电话的女人刚刚发现那名因强暴罪而入狱的男子是无辜的。这位受害者并没有采取否认的反应，但在她心里，震惊和痛苦却绞成一团乱麻。彭尼对她说，发生的一切并不是她的错——彻底而公正地进行调查是警察的职责，与受害人无关。她还告诉这位受害人，面对这种创伤，她已经尽了自己最大的努力了。她也承认，打电话的女人已经无法收回当初犯下的错误，也不能弥补那名犯人失去的自由与年华了，但要是她还不原谅自己的话，对双方都没有益处。“就在那一刻，一道曙光降临，”彭尼对我说，“我突然意识到，哦，上帝啊，我本来绝不会用看待这个受害者的眼光来看待我自己的。在这通电话的帮助下，我终于直面了这个心结——我终于明白，犯下如此糟糕透顶的错误并不会让我，或者其他任何人，变成一个糟糕透顶的人。”

尽管关于彭尼和艾弗里的这个故事已经足够催人泪下、错综复杂的了，它却还有一个可怕的结局。2007 年 3 月，艾弗里出狱还不到 4 年，他再次被捕、受审，最后被判为 2005 年杀害威斯康星州 25 岁女性特蕾莎·哈尔巴赫的凶手。被宣告无罪之人实施暴力犯罪，这在无罪计划的历史上是空前绝后的。

当我第一次知道这个判决的时候，我曾想过还是不要把彭尼一案收录进本书了。当然，主要还是出于一种情绪上的反应：我不想写这桩谋杀案，我也不想让任何与被害者关系密切的人再次面对更多的媒体报道，我也不想让哈尔巴赫的生与死成为别人故事中的后记。但这同样也是出于一种政治上的考虑。目前越来越多的人认为铁窗中的人没有一个是无辜的，我对无罪计划的付出与努力深信不疑，因此也担心再次提起艾弗里这个极端特例会让这种偏见进一步恶化。[①]

产生这种反应还与我的职业有部分关系。这个故事情节耸人听闻且错综复杂，非常难讲，也非常有争议，所以我自然想避开这一滩浑水。毕竟还有受害者指认错了凶手但也直面了错误——虽然为数不多，但也并非没有。作为一名记者，我几乎下意识地发觉这些人的经历作为故事来讲会更好——这里的“好”指的是更清晰简单：叙述起来更清晰，道德伦理更明了。

但是，我越是想着换一个故事来讲，心里就越不舒坦。这个世界本来就不简单明了（叙述起来不清晰，天晓得，道德伦理更不明了），只需转念一想，试图简化这一事实的行为就会显得荒唐可笑，站不住脚——更何况这一章写的就是否认。我知道这一章有一部分会用来讲检察官或受害者之类的人群喜欢让故事越简单越好（人物善恶分明，结局伸张正义）的倾向，而这种倾向是具有潜在危险性的，它会引诱我们犯错，甚至会犯下人命关天的大错。然而，现在我自己也被这种诱惑所吸引，正背对着令人不快和头疼的真相一步步慢慢离开。

最后，我决定效仿彭尼的做法。哪怕置身于三重噩梦之中——被人袭击，指错犯罪嫌疑人，如今当初认错的人又成了另一个案件中真正的杀人犯——她仍然抵制住了这种简化实情的倾向。“现在有些人坚信当初的 DNA 鉴定结果是错的，史蒂文就是当年袭击我的犯人，”她告诉我，“治安官的副手、前任副手，有数不清的人说我被耍了一道，

① 持这一观点的人并不否认这名犯人在某个特定案件里可能无罪；他们怀疑的是此人的道德价值，即他作为一个人是否无辜清白。他们认为，任何落入法网的人一定是个坏蛋，已经犯下恶行，或者迟早会犯罪，因此社会最好还是一直把这种人关在大牢里——去你的合法权利和 DNA 鉴定。彼得·诺伊菲尔德、巴里·谢克和吉姆·德怀尔合著的《清白的罪犯》对这一邪说进行了全面透彻的反驳与揭露，在此强烈推荐。

DNA 鉴定结果要么是伪造的，要么就是错的。很多人到现在都不愿相信当初 DNA 的鉴定结果是准确无误的。”但她自己并没有沉溺于这种幻想之中。她懂科学，也清楚当初的结果不仅宣布艾弗里无罪，还查出了真正的犯人——他们两人相貌相似，住所相近，都是警方掌握的危险分子，并且格雷戈里此刻正在为自己犯下的另一起强奸案服刑，揭露他罪行的，同样是 DNA 鉴定结果。

彭尼也不同意另外一些人的说法：艾弗里在哈尔巴赫谋杀案中是被陷害的，当地执法人员因为当年误判出了洋相，所以如今是在复仇泄恨。彭尼从当年案子的审判中就知道，艾弗里有虐待动物的前科，曾经有一次挟持过邻居的汽车，将车开到马路上，还拿枪指着她，直到发现邻居未满周岁的小女儿也在车上才罢手。在艾弗里入狱的这些年里，这些事实让彭尼十分安心，因为它们让她更确信自己没有冤枉好人。但在艾弗里获得清白之后，她或多或少有些逃避这些事实。而当他被指控谋杀了哈尔巴赫时，她又一次想起了这些事实，而这一次，她并没有尝试逃避。尽管艾弗里的确不是强暴她的凶手，但彭尼仍然很清楚，他是一个狂躁焦虑、有暴力倾向的人。

这么看来，对彭尼来说，“否认”从来都不是她的选择。至少从她本人的讲述看来是这样的。然而正如我们看到的，否认永远都是一个选项，甚至看起来像是一条上策。它能庇护我们，让我们不用经历痛苦、羞愧、内疚和改变——它是最基本，也是最有力的号令，就算听上去再怎么荒唐，也不会很令人费解。事实上，往往坦然接受的表现更像个谜。如果说我们会对着检察官麦格拉斯摇头撇嘴，管他叫“疯子”的话；在面对彭尼·比尔岑这样的人时，我们摇头叹息，心中更多的是敬佩。当然，欣赏别人直面错误的风度和面对我们自己的错误是两码事。但这可算得上是一个起点。它能提醒我们，在别人眼里，否认错误是不理智、不负责任、不光鲜的；而承认错误则象征着勇气、光荣和风度。

同样，有的时候，接受错误也是相当艰难的。对于彭尼来说，拒绝否认就意味着她这一生都得背负着这些错综复杂又相互矛盾的现实活下去：她作为受害者的同时，也是犯错者；艾弗里作为受害者的同时，也是施暴者。她曾经真心诚意地善待艾弗里，既因为他所受的冤屈，也因为他在她面前表现出的同情与关怀。因此，当得知艾弗里是杀害哈尔巴赫的凶手时，彭尼说，她“简直目瞪口呆”。她想不通自己竟然又错了一次，这一次她是错看了艾弗里这个人。她还想到自己在强奸事件后几乎难以克制的怒火，并试着揣度艾弗里蒙冤度过将近20年铁窗岁月的不平之气。她觉得自己对艾弗里失去的大好年华有责，对那些落入格雷戈里·艾伦魔掌中的受害者们有愧——而现在，在前两个责任之上，她又肩负起了第三个难以想象的重担：“如果我没有认错人的话，特蕾莎·哈尔巴赫是不是就不会死了？”

彭尼自己也明白，这个问题是无解的。没人能说清楚如果她和艾弗里的人生没有交错，历史的轨迹会不会有所改变。她还知道，自己得学着接受无解的事实，无解的问题已经太多，比如说，为什么当初案件的起诉竟然会与正确的轨道偏离那么远。

这正是彭尼的故事最了不起的地方：她能接受真相的有无，带着它们坦然地活下去。这正是最沉重的否认对我们的要求。人生中的有些问题我们永远都无法知道答案，而有些问题我们能够知道答案，却情愿蒙在鼓里。我们的理智，不论有多么不可思议，仍然是有局限的；我们的情感，不论有多么慷慨关怀，仍然会伤害到他人。换句话说，矢口否认并不只是拒绝接受这个棘手、麻烦、乱糟糟的外面的世界；而全盘接受，也并不仅仅是接受事实——更重要的是，如何接受我们自己。

第 12 章　亲密关系中犯下的错

你得战胜自己的无知与浅薄，这样才能在面对他人时不抱不切实际的期望，没有过多的偏见、希望或者自大，尽可能地卸去盔甲……尽管如此，你还是会误解他们。或许你在头上戴上了盔甲。在相遇之前你就误解了他们，相处之时你也会误解他们，回了家谈起这次见面时，你还会再次误解他们。而基本上，你也在被他们误解，这一切仿佛一个让人眩晕的幻象，我们仿佛失去了理解能力；又像是一出不可理喻的闹剧，我们不断地彼此误解。然而，手无寸铁的我们既读不懂他人的想法，又看不穿他人的意图，在他们对我们的理解中，我们自以为重要的东西渐渐流失，滑稽可笑的东西渐渐成形——这么重大的一件事，可我们又能做些什么呢？……不管怎样，活着的意义并不只是正确地理解他人。活着就是误解他人，不断地误解、误解、再误解，深思熟虑之后还是误解。就这样，我们才知道自己是活着的：我们错了。

——菲利普·罗斯 《美国牧歌》①

① 参考译本：菲利普·罗斯，《美国牧歌》，罗小云译，译林出版社，2011 年。此处根据原文进行了较大改动。

拉乌尔·费尔德是一名办理离婚案件的律师。更准确地说，他是一位为名人办理离婚案件的律师，这里的“名人”说的既是在业界享有盛名的拉乌尔本人，也包括前来委托他的社会名流，还包括委托人同样有名的“前任”配偶或伴侣，比如说伊丽莎白·泰勒、马丁·斯科西斯、迈克·泰森、柯蒂斯·杰克逊。如果你被爱人辜负，且腰缠万贯、家喻户晓，或者既有钱又有名的话，费尔德就是你要找的人。

或许可以这么说：要想坐在费尔德的候客厅里，你得有钱、有名，而且还想离婚。在“9·11”恐怖袭击事件发生以前，当鲁迪·朱利安尼（他也是费尔德的客户之一）还忙着对时代广场的成人用品商店进行地洞式的扫荡时，费尔德曾走进一家刚被整治过的成人用品商店，在一地狼藉中淘几件东西。在他的候客厅里，就摆着这样一件物品：“爱的测试”，一个科尼岛之旅必备的5英尺[①]高的小玩意，它号称能用“爱的米尺”测量出你的性感指数（从“完全没有”到“无法抗拒”）。或者你的目光还会停留在费尔德淘到的另一样东西上：自助餐厅里使用的食品自动售货机，虽说如今已经近乎绝迹，但在20世纪三四十年代的纽约随处可见，上面还用当时流行的花哨华丽的字样写着：供应热食。你还可以环顾一下墙壁，只见上面挂满了相框，里面嵌着由费尔德担当封面人物的杂志封面。其中一张上面写着“爱情分居律师”；另一张上面这位知名律师两脚叉开，骑在一只真实大小的塑料老虎上——一看就知道是《名利场》的风格。

坐在费尔德的候客厅，前后左右的摆设无不营造出一种造作、嘲讽、自夸和色情的氛围。这时候你会意识到一件事，在这里死去的，

① 1英尺约为30.48厘米。——编者注

不只是婚姻，还有婚姻这个概念本身。那些天长地久、美丽动人的爱情，那些风花雪月，那些婚庆蛋糕、结婚戒指，那些山盟海誓……婚姻中所有的神圣感——都在候客厅浓浓的脂粉气面前支离破碎、不堪一击。的确，每一场离婚都隐隐约约提醒我们：这种对爱情的理解是有致命漏洞的。然而，并不是每一位办理离婚案件的律师都会用如此“潮”的方式把真相亮出来。费尔德则不然，在他的装扮下，办公室变成了俗里俗气的墓地，埋葬着一个个关于真爱的梦。他本人也摇身变为疯狂的“爱的殡仪员”——这也正好解释了为什么我会出现在他的候客厅。一个没钱又没名的单身汉可不是跑到这里来离婚的。我是想借此行跟费尔德探讨一个问题：人们为什么会如此频繁地在爱情上犯错，并且大错特错。

犯错与爱情：当我坐在书桌前伏案写作时，我已经打定主意尽可能避免把这本书写成所谓的幻灯片式的错误展览——你知道的，就是诸如“在沙滩上我们犯错，在巴黎我们犯错，我的小侄子在幼儿园里犯错”之类的。正因如此，本书才没有围绕“犯错与科学”“犯错与政治”这样的章节展开。这两大（以及更多的）领域都充斥着事情搞砸了的例子。但是如果用这种方式来贴近错误的本质的话，恐怕会有编纂百科全书之嫌。

不过，从一开始，犯错与爱情在我看来就是另一回事。更确切地说，它对我来说就是一个故事。我们想要正确理解的事情有很多，而其中没有哪一件比正确理解他人更重要。这种需求在爱情中更是达到了极致。但要想明白个中原委，我们得后退几步——追溯到我们成年之前，我们第一次怦然心动之前，甚至追溯到我们能记事之前。和我们一生下来就需要营养、渴望安全一样（另外我们在后文中会看到，理解他人的需求同这两大基本需求有着密切关联），我们想要正确理解他人的愿望自踏进世界的那一刻起就开始酝酿了。

不过，说来也怪，这个过程是从反向开始的：当我们还是幼童的时候，我们需要被他人理解。我们能不能健康成长完全取决于我们的监护人能不能明白并且满足我们的需求——首要的是身体上的舒适与安全，其次是情感上的安心与亲密（这几乎与第一项同等重要）。随着年岁渐长，我们运用逐渐发育的智力来理解他人，从而也让他人更容易理解我们的需求。“我们在成长过程中最早碰到，也是最重要的一个挑战就是学会正确地理解某一时刻的情绪基调。”厄娜·加德如是说。当我们理解正确时，我们就会得到回报：需求得到满足，心想事成，我们周围都是性格开朗、温柔体贴、友爱和善的人们。而一旦对他人产生误解——这与个人家庭环境有关——负面反馈便接踵而至。我们并不能得到想要的或需要的，我们被人误解或被迫改正，我们惹恼父母、兄弟或者监护人。最后，我们在人前见辱，在人后羞惭——或者极度孤单。

这样看来，我们如此渴望正确理解他人也是不无道理的。[①] 同样，从整体上看，说我们非常擅长理解他人也非无稽之谈。电话一响，你接过电话听见母亲打了声招呼，哪怕相隔千里，她也只“喂”了一声，你也能知道有什么事儿不对劲了。一个陌生人的脸上闪过一丝神情，接着你就很有可能正确地揣度出他此刻的心情。你和朋友一起参加了一场荒唐至极的会议，你们彼此都小心翼翼，避免四目相对——因为一旦对上了眼，你们立刻就会明白对方脑子里正想着什么，然后忍不

① 当然，我们想要正确理解他人的另一个原因，是因为他们能为我们的其他观念提供支撑。回想一下阿维夏伊·玛格利特的观点：我们生活的网络不是由观念，而是由一个个目击者组成的。或者再想想第 10 章讲述的米勒教教徒们：如果选错了传教者，我们的整个宇宙观都会错得一塌糊涂。

住捧腹大笑。这种发生在瞬息之间的互动理解是生活中再寻常不过的事，我们每天都会经历几十次，并且绝大多数时候自己都浑然不觉。然而，这却是人类最不同寻常的能力之一。如果说了解他人，构想他人的内心世界，洞察他人的心灵的能力首先让我们得以存活，那么最终，也是它让我们不枉此生。

由此可知，“被”他人理解的需求不仅在幼年期至关重要，等我们成人后仍然不可忽视。“人们经常走进我的办公室来探寻：你结婚了吗？有小孩吗？离婚了吗？是同性恋吗？是纽约人吗？双亲健在吗？”加德说道，“而其实他们真正想问的是：你能够理解我吗？”（这一推断有一个前提：要想真正做到彼此了解，我们需要有一定共通的背景和经历。下文很快会提到这一点。）当我们不被理解时，就会受到打击、心情低落。试想一下被人误解的感受有多糟糕，想象一下要是有人误以为你不负责任，不能兑现承诺或者不能完成分内的工作，这又令你多么沮丧。反过来说，没有比拥有一个知己更让人欣慰的事了。事实上，在后文我们将会看到，“被理解”是我们最重要的人际关系中必不可少的感受，也是人与人相爱的最有力证明。

可怜的查尔斯·斯万。在普鲁斯特的《追忆似水年华》（*In Search of Lost Time*）的第一卷中，我们目睹这个可怜虫失去理智、无可救药地爱上了奥黛特·德·克雷西。他还真是找错了对象：奥黛特这个女人贪得无厌、自命不凡、俗不可耐、阴晴不定，并且冷酷无情。这还只是针对她的人品而言。再看看她的个人履历：曾经在妓院上过班，后来跻身交际花，至少有一次同性恋史，多次纵欲狂欢，还有传言说她曾在布洛涅森林最幽深的地方与人做爱。（如果你从未读过普鲁斯特的书，看过这段介绍后还不想读的话，我也想不出其他的推荐理由了。）从一开始，每个人都心明眼亮，知道奥黛特不是因为爱查尔斯，而是冲着他的地位与财富才与他交往的，而这也只有查尔斯本人不知道罢了。

不过没什么大不了的：我们的主人公犯了糊涂。无论奥黛特对他如何无情无义，旁白继续陈述着，他总是“乐意往好的方面想”——告诉自己奥黛特值得自己去爱，并且就像自己深爱着她一样，奥黛特也深爱着他。查尔斯不仅容忍了奥黛特乏味单调的言行和红杏出墙的行径，甚至还接纳了她乏味、狂妄又好打扮的狐朋狗友。这里的“容忍”和“接纳”持续了很长一段时间：查尔斯·斯万的这段情史长达10年之久（占据书中200页的篇幅），他甚至和奥黛特结了婚，生下了一个女儿，直到奥黛特·德·克雷西为一个比查尔斯更加显赫的男人离他而去后，查尔斯才清醒过来。在故事结尾，他仰天长啸：“我虚掷了人生的大好年华，我曾经寻死觅活，我付出了最深切的爱，竟然只是为了这个毫无吸引力，也非同我类的女人！”

在爱情上失足的人不止查尔斯一个：《飘》里的郝思嘉，《远大前程》中的皮普，《危险关系》里的塞西尔，1999年的我，甚至我的读者们也曾在人生的某个时期摔了跟头。爱情之所以会成为文学中经久不衰的主题，其原因之一就是，爱情是人生中经久不衰的主题。[①] 另外一个原因和一个（或者说那个）有关人类心理的故事有关。我们降临到这个世界上，每个人都孤立无援，我们诡谲庞大的灵魂被禁锢在平凡如蜉蝣般的身躯里——正是因为这种生存状态，尼采才会不无惊讶地将人类称为“植物与鬼魂的混合体”。我们毕生都在努力克服这种最本

① 本章主要讲述对爱人的幻灭或者被爱人抛弃等情况下涉及的犯错行为。但关于爱情的错误也不无甜蜜而美好的例子：比如《当哈利遇上莎莉》或《傲慢与偏见》（这种例子还有一箩筐）中的故事情节：少男遇上少女，两人冤家路窄，最终陷入爱河——这无疑是世界上最受欢迎的情节主线之一。

质的分离，但是我们永远无法完全战胜它。不管我们怎么努力，都不能直接进入他人的内心世界勘测他们的思想和感受，过往的人生篇章，私密的欲望期冀和最为诚挚的信仰。同样，我们亦无法让他们直接进入我们的世界。无论我们与他人有多么亲密无间，双方之间仍然免不了有一道罅隙，一层读不透的神秘。既然我们与万物间存在的隔阂意味着我们会认错、记错、信仰颠覆、预言落空，那么人与人之间也自然会发生误解与误读。

话虽这么说，但是，将人和人之间的误解与人和事之间的误解画上等号还是有些奇怪。我们对上帝的信仰或者对全球金融体系的看法，在上班高峰期选长岛高速公路还是罗伯特·肯尼迪大桥之类的观念，同我们对他人的观念还是存在着本质上的区别的。区别从这里开始：当我试着理解别人时，我的大脑正在尝试弄清楚另一个大脑。这意味着我的大脑在形成一种意识——至少是在最基本的层面上来说——即“现在的我就是他”。无论人与人之间在某些方面有多大不同，我们的精神结构和心理适应性大都相同：人类的感觉系统、神经系统、意识和潜意识。因此，和我们尝试弄明白其他事物不同，我们可以选用其他工具来理解（或者误解）他人的想法。

其中一项必不可少的工具就是沟通。和罗伯特·肯尼迪大桥或者全球金融体系不同，我们身为人类可以与对方进行倾诉。的确，语言可能象征着我们与事物本质的分离（这也是洛克的论点），但它们同样拉近了我们之间的距离。多亏有了语言，我们才能畅谈兴怀，并且也有足够丰富而可靠的词汇量作为支持。当然，这个词汇量，或者概括地说——沟通行为本身——并不是百分之百可靠的：我的倾诉需要你的解读，而语言的解读和其他理解过程一样，都有可能出错。或许我是有意瞒着你什么事；或许我缺乏自知之明，所以我的自我介绍并不值得信赖；又或许你我对同一个句子的理解也各不相同：“我真的很累”这句话，对我来说可能在暗示你“问问我究竟忙了些什么”；而对你来说，意思可能就是“别来烦我”。不管怎么说，即使存在这种隐患，我们交流内心想法与情绪的能力是生而为人所最需要、最让人称奇的——也是最具标志性的——能力之一。

我们理解他人的另一项独门秘诀就是揣测。也就是说，我们根据他人与我们的相似度对其内心世界进行推断。举个或许有些琐碎的例子：“你忧心忡忡是因为你的迷你髯狗不见了吗？我很能理解，因为我有一只达克斯猎犬，要是它出了什么事儿，我肯定要急疯了。”尽管琐碎，这两个句子也隐含了一层共识：依恋、爱护、焦急、心碎和期待。打个比方，这种共识就是我们情绪大陆上共享的一片不大不小的地带。正如这个例子所说的，如果我们无法根据自己的情绪和经历来揣测他人的内心，当我们必须理解他人时，就会茫然不知所措。扪心自问一下吧：如果人类的大脑不是这么相似的话，我们还有什么希望能彼此理解？

当代美国哲学家托马斯·内格尔（Thomas Nagel）在著名的《做一只蝙蝠是怎样的感觉？》（*What Is It Like to Be a Bat*？）一文中便提出了这一问题。内格尔这篇文章的要旨与本书无关（它主要关注的是一个困扰哲学家多年的难题——身心问题），如果你觉得这篇文章中能有什么观点可以运用到本章中，那也是情有可原的。除非你对吸血鬼感兴趣，否则，对蝙蝠的本质再怎么琢磨也仿佛跟人类的相互理解和相知相爱毫无关系，与为什么我们如此希望正确地理解他人也沾不上边。不过，内格尔对蝙蝠的思考其实可以告诉我们一些人类如何相互理解的原理。

内格尔首先指出，蝙蝠是哺乳动物，因此肯定具备一定的意识认知能力，就像狗、海豚和你我一样。因此，蝙蝠也肯定拥有一定的内心活动；那么作为一只蝙蝠，肯定是有某种感觉的，尽管这肯定和作为一只阿米巴虫、一道声波或者一块石头的感觉有所不同。但是内格尔又指出，我们永远无法知道作为一只蝙蝠是怎样的感觉。因为蝙蝠与人类的知觉间存在着天壤之别。（内格尔写道，“任何人要是在一个密闭空间和一只躁动的蝙蝠相处一会儿，他就会知道自己碰到的是另一种与人类完全不同的生命形式”。）我们不如先考虑一下二者在感知上的区别。蝙蝠与人类生活在同一个世界里（有时甚至还待在同一座宅邸），但是通过它们的感知系统体验到的世界，肯定和我们所感受到的世界有着难以想象的差别。我们可以尝试着去想象用声波来定位世界，在漆黑一片中飞翔，以昆虫为食，以及倒挂在天花板上打瞌睡。但内格尔指出，这种想象练习“只能告诉我，当我是一只蝙蝠时会做出何种行为。然而，我要问的并不是这个。我想知道的是蝙蝠作为一只蝙蝠会是怎样的感受”。遗憾的是，这件事我们无从得知。要想知道当一只蝙蝠是什么感觉，就只有——呃——去当一只蝙蝠。

这个问题并不是从头到尾讲的都是蝙蝠。例如，内格尔还坦言自己同样无法完全了解一个生下来就失去听力或视力的人的内心世界。同理可推，让这个人想要充分想象出我们的内心体验也是不可能的，因为我们的内心世界充斥着图像和声音。行文至此，人类的“类比理解论”已经撞到了底线上：你与我之间的差别越大，我们能够彼此理解的可能性就越小。如果我们完全无法站在对方的角度设想——如果他的观念、背景、反应和情绪与我们的冲突太大——我们经常会收回原先的设想，认为双方在任何关键方面都没有相似之处。这种将对方非人化的想法实在有百害而无一利。内格尔在文章中指出，只因为我们自己无法理解现实或经历就否定它们的价值——这一行为近乎残酷，并且必定会让人心变得残酷无情。[1] 事实上，这就是内格尔这篇文章之于我们的意义：我们无法理解他人的内心世界，并不意味着他的内心世界不够真实，或者不够重要。

人类与蝙蝠无法相互理解是无法回避的事实。不过，正如内格尔费尽心力想要指出的那样，人与人之间的理解是可以办到的。无论你的邻居有多么古怪，老板有多么阴晴不定，女儿新交的寡言男友有多么难以揣测，他们都不是“本质上”与我们不同的生命形式。同为人类，我们都具有大致相同的工具可以做到彼此理解：我们靠眼睛而不是声波来观察世界；双脚行于大地而不是振翅翱翔于天空；我们还共同拥有着人类独有的感知系统。无论要跨过多少背景与经历的鸿沟，都要努力达成理解——这是许多宗教和道德教义的核心，也是我们力所能及的最重要，也是最光荣的工作。

但是这项任务并不总是那么容易。就算你和蝙蝠沾不上一点边，跟我有很多共通之处，在我理解你和你理解我之间仍然存在着无法逾越的鸿沟。我可以通过类比来理解你，但我无法“作为”你来理解你。按照“自我”的定义，我们对自己的理解只能从内部完成。这一理解也不一定准确；在下一章中我们会发现，自我认知也会蒙骗我们。从内部了解自己与从外部了解他存在着巨大差异，而后者却是我们理解他人的唯一途径。

在实际生活中，这种感知方式上的本质区别会指向一个重要又必然的结论。

---

① 我们的道德正是建立在这种认知的悖论之上。“己所不欲，勿施于人”——这条最基本也最普遍的道德格言，即“黄金准则”，说的是只有比照我们自己的好恶、需求、希望和畏惧，我们才能善待他人。相应的，削弱这条黄金准则的最有效手段就是声称别人跟我们不一样，因此不会跟我们有一样的需求。所以才会有人在为奴隶制辩护时提出：非裔美国人智力不够发达，自由不能带给他们任何好处；他们感情又不细腻，所以不会为家庭破碎、纽带破裂而感到悲伤。

既然我们只能从外部了解他人，我们便认为他们只能从外部进行理解，因此我们认为自己仅凭他人的言行就能充分了解他们。同时，因为我们是从内部了解自己的，所以我们认为自己只能从内部进行了解。① 日升日落，我们每个人每天都藏着一个复杂的内心世界：跌宕起伏的情绪，百味杂陈的感受，大脑委员会无休无止的讨论，反复酝酿却从未说出口的念头。结果我们很容易认为没人能参透我们的本性，除非他能洞察到这个浩瀚神奇的内心世界。

斯坦福大学的心理学家艾米莉·普罗宁曾与 3 名同事共同进行过一项研究，这个例子虽然平凡，却非常惊人。在研究中，受调查者需要补充所给单词中的空格（如“__ __NNER”“B __ __ T”，以及“C H E __ __”），填入他们第一反应想到的单词。随后，调查人员要求他们解释这些答案透露出了自己的哪些爱好、动机，以及个性，以书面形式作答。接着他们会看到其他受调查者的回答，并陈述自己从他们的回答中看出答题人有着怎样的性格特征。（参与者分为两组，另一组的顺序正好相反：先对他人的单词选择进行评估，然后再分析自己的。）下页的表格显示出，自己与他人对同一回答的评估相距千里，简直让人发笑。例如，一位受调查者将自己做出这样的单词选择归结于“偶然事件”，并认为答案并不能说明自己的任何性格；可她却对另一

---

① 这种观念上的不平衡会给各种各样的人际关系带来损害。心理研究显示，同住一个屋檐下的人大多认为自己比室友包揽了更多的家务；而夫妻间则认为在解决婚姻中出现的问题时，自己比配偶付出了更多的努力；共同进行一个项目的同事普遍认为自己比别人倾注了更多心血。诚然，有时候，个体与个体之间的付出确确实实存在差异。但起码同样多的时候，我花在清除浴室瓷砖泡沫的时间（或者与心理分析师探讨夫妻相处问题的努力，或者为项目申报拟定 5 年预算的付出）在我看来是切身经历，而相较之下，无论你做了些什么，对我来说都只是一个抽象概念——至多换来一句表扬，更糟的是无人关注，但至少有一点是确定的：你绝不可能精确地量化在工作中付出的时间与精力。

名受调查者的答案做出了这样的评价："我认为这个女孩子正处在经期中……我还认为她要么觉得自己，要么觉得别人正纠葛于一段见不得人的性关系中。"

这项研究揭示出人类的一大习性，这在本书的其他章节中已有过详细阐释，那就是——习惯在极为贫乏的信息基础上草草下定论。它同时也暴露出我们对人对己的反差：一方面自诩能公正地对他人进行评价，另一方面却不相信他人能对我们做出可靠的评价。仿佛别人的内心世界在我们眼里像块水晶一样，所有核心部分都折射到最表层；而我们在别人眼里却是一座冰山，最重要又关键的部分其实藏在水下，不为人知。

自我评价	评价他人
A. "我敢肯定这些答案说明不了什么。"	A. "他好像不怎么读书，因为一般来说（在我看来）看到 B__ __K 都会填'书'(BOOK)。而'喙'(BEAK)这个答案有点碰巧的感觉，或许说明他有意使注意力不集中。"
B. "我并不认为单词填空可以用来评估我的个性。"	B. "我觉得答题的人有点虚荣，不过总体来说还是个不错的家伙。"
C. "这些单词填空在我看来并没有什么含义……只是随机答案罢了。"	C. "他好像是个有计划、有目的的人，总是想着竞技性的场景。"
D. "我填出的词中有些似乎反映了我对世界的看法。例如，我不希望自己总是执着于变得'强壮'(STRONG)、'最好'(BEST)，或者成为'获胜者'(WINNER)。"	D. "我觉得这个人似乎在生活中经常感到很疲惫。另外，我还认为他或许喜欢和异性进行亲密交往。他还有可能喜欢玩游戏。"
E. "我真的不认为我的答案能揭示我的某种个性……只不过是偶然事件而已。"	E. "我认为这个女孩子正处于经期中……我还认为她要么觉得自己或是别人正纠葛于一段见不得人的性关系中，因为她填的都是'妓女'(WHORE)、'和荡妇一词 SLUT 相近的单词'(SLOT)和'欺骗'(CHEAT)……"
F. "我认为通过单词填空来揭示答题者个性特征的效果是有限的。"	F. "这个人好像很喜欢竞争，对输赢也很计较。他或许是个运动员，要不就是好胜心强。"
G. "我几乎看到每一个词干时，脑子里都只能浮现出一个答案。"	G. "如果硬要我猜的话，我认为这个人热爱大自然。"

部分答卷来自心理学家艾米莉·普罗宁、贾斯廷·克鲁格、肯尼思·萨维茨基和李·罗斯。每一个字母分别代表一位参与者："自我评价"栏和"他人评价"栏中的参与者"A"都是同一个人，依此类推。

别的不说，这首先是一个方法论上的问题：我们在判定某一标准不能用来衡量我们自身的同时，又企图用同一套标准来衡量他人。不过从近处着眼，这更是一个情绪上的问题。当普罗宁和她的同事为《人格与社会心理学杂志》（*The Journal of Personality and Social Psychology*）撰写那个单词填空研究报告时，他们将其命名为《你看不透我，我却能看穿你》——这个标题乍一听有些奚落的语气，再一想就染上了一丝遗憾。如果真正了解我的途径只能从内部开始，除了我之外便再也没有人能真正懂我。这种内心孤立无援的处境可以（通过与他人建立亲密关系）得到缓解，也可以（刻意不去想这个问题）加以回避，但无法彻底解决。正如我在本章开头说过的，这是人类最基本的生存状态。据说有这么一个故事（这个故事让人忍俊不禁，我真希望它是真人真事，不过我无法进行证实），有人曾经问南非作家库切[①]最喜欢哪一部小说。库切说他最喜欢笛福的《鲁滨孙漂流记》——因为，他解释道，世间只有一个故事，那就是一个人独自待在一座孤岛上。

鲁滨孙将他的小孤岛命名为“绝望”，一个再恰当不过的名字。绝望—— 一个深刻的、存在主义的哲学问题——来源于我们意识到每个人都被围困在名为“自我”的小岛上，从生到死，茕茕孑立。我们与其他小岛没有联系，哪怕它们近在咫尺，成群结队；我们也无法游过海峡，或者换一座小岛居住，甚至都不能确定，在我们的感知范围之外是否有小岛存在。当然，我们也无法巨细无遗地了解其他小岛上的生活状况——比如母亲、挚友、爱人或者小孩的内心世界。在我们和他们之间——在我们和所有人与事之间——都横着一道无法补救的裂缝。

---

① 库切，代表作《国之中心》《耻》等，曾获 2003 年诺贝尔文学奖。

在本书中，我们一次又一次地撞上这道裂缝。正是它将我们与天地万物隔绝开来，注定只能隔岸冥想，正是它让我们一次次酿下错误的苦酒。我在前面提到过，错误的核心体验就是顿悟出这道裂缝的存在。不过现在看来，还可以加上一条，这种顿悟同样也是绝望的核心体验。与它撞上后，我们才惊觉自己孤身一人站在岛上，彼此隔绝，世间真知也遥不可及。我们的错误与我们面对存在的疑惧本是同根而生。

从这个角度来看，我们对犯错的鄙夷心理也就不足为奇了。因为犯错会拐弯抹角地提醒我们，让我们发现自己与世界之间存在着一条裂缝，让我们领悟到生而为人所经受的束缚——所有枷锁与束缚。我们之所以上班，在回家的路上到酒吧里坐一会儿，和朋友一起逍遥，哺育我们的小孩——不仅仅因为正是这些东西组成了我们的生活，还因为这些是我们抵御孤独的手段。在这方面，现代存在主义哲学的先驱索伦·克尔凯郭尔认为，我们这样做就好比当年美国开国先驱们整夜整夜地摔锅砸盘，只为了将恶狼拦在沙滩上。

把狼截在沙滩上只是第一步。在我们为解决这道裂缝想出的千方百计中，迄今为止最受人青睐，并且能斩草除根的妙计就是——将这座荒岛变成热带森林的乐园，将我们最本质的孤独化作最欣喜的结合。这是我们逃离孤独、摆脱绝望的最后一丝希望，也是最乐观的一缕曙光。我要讲的，当然就是爱情。

在柏拉图的谈话录《会饮》中记载的是：一群人前去赴宴，喝得酩酊大醉后围坐在一圈，海阔天空地谈论爱情。（不要被如今的医疗研讨会、科技交流会和工作安全研讨会之类的给骗了。在古希腊，“交际酒会”这个词专指饮酒作乐的场合。）当晚据说诞生了 7 段独白，其中有两段成为不朽的名作。据柏拉图记载，其中一篇是伟大的喜剧作家阿里斯托芬发表的著名演讲《爱欲的起源》。柏拉图借阿里斯托芬之口挖苦道，最初的人类由男男、女女，或男女组成——一人二身，集过人的智慧与绝伦的勇气于一身，所以才胆敢密谋与上帝作对。对于这等傲睨神明之举，宙斯大为光火，将这些人劈成两半，让他们和后代奔波半生，寻找自己丢失的另一半。阿里斯托芬告诉我们，这便是为什么"爱人之间表达欲望的最准确的方式……（就是）将他融入所爱之人的体内，如此一来他们便合二为一"。他因此下了结语，爱情，"只是渴望，以及寻找个体完整的代名词罢了"。

如果读过《会饮》，你就会明白柏拉图扮演阿里斯托芬的角色只是为了博众人一笑。但事实上，这位喜剧作家对爱情的看法和哲学家柏拉图对爱情的看法，即这场虚拟的酒会的另一份经久不衰的文化遗产，"柏拉图之爱"，并没有很大差别。如今我们大多用"柏拉图之爱"指不掺杂肉欲的爱，但是柏拉图所言并不止于此。对他来说，爱情的最高境界是精神层面上的——爱对方的灵魂。他认为，这种爱情让我们重归于宇宙真知，而这些真知本是我们生来就通晓的，直到某一天，我们的灵魂披上了不完美的外壳，被上帝从宇宙的统一中放逐了出来。

时间快进到 2 500 年以后。如今全球人口已经从 1 亿膨胀到了 70 亿。在这个地球上，数不胜数的思想、书籍、狂欢酒宴、风流韵事、语言文字、宗教信仰、城池楼台、人类文明和国家山河都兴了又亡，此盛彼衰。古希腊已是一片废墟。无过错离婚获准以来，已经过去了 40 年。《纽约时报》上刊登了女同性恋结婚的消息。然而，我们对爱情的理解几乎没有发生太大的变化。从柏拉图的年代到当下，从市井小民到社会精英，人们始终将爱情视作灵魂的统一。它在约克郡的那座呼啸山庄里，我们听见凯瑟琳吐露对希斯克利夫的衷肠，"无论我们的灵魂是什么做成的，他的和我的都一模一样"。它在 1988 年美国家家户户的收音机里，我们听见菲尔·科林斯唱着他的冠军金曲《两颗心》。它是我们挂在嘴边的“灵魂伴侣”“更好的另一半”，这些说法虽然已经有些年头，但内里的真意没有改变半分。它还在我们最伟大的文学传统里。在莎士比亚最有名的十四行诗第116首中，我们听到莎翁（莎士比亚的尊称）半带威严、半带恳切地开口诉说：我绝不承认两颗真心的结合会有任何障碍。

灵魂（头脑，思想）的结合：在反复的申诉中，我们得到的信息是，爱情并不是由心底发出的（或者永远向南的）。它自我们颈部以上的部位诞生，寻求着意识的合二为一。我们期盼着爱情的救赎，好从此脱离孤立与隔绝，逃出人类最本质并且时而让人害怕的孤独状态。莎士比亚接着写道：

> 爱不受时光的摆弄，尽管红颜和皓齿难免遭受时光的毒手；
> 爱并不因瞬息的改变而改变，它巍然矗立直到末日的尽头。①

换句话说，肉体终会败给时间（百年光阴的流逝，还有面部狰狞、手持镰刀的死神微服来访），但是时间则败给了爱情。莎士比亚既不容许真爱的道路上有任何阻拦，也不承认真爱会走到尽头。为了化解我们面对存在而产生的绝望，我们说，爱情，你必须天长地久，直到死亡将我们分开。更甚者，就连死神也必须臣服于爱情的足下。在莎翁的眼里，爱情在“末日”驻足，然而还有人说，爱情会携我们遨游在那镰刀遥不可及的地方。菲尔·科林斯还唱道：“永生厮守，直到时间的尽头。”赐予我们不死的爱情与永生的年华，这样就已很好。

---

① 莎士比亚：《莎士比亚十四行诗》，辜正坤译，北京：北京大学出版社，1998年。

灵魂的结合，起源于创世之前，终结于死亡之后——这些痴念不仅仅是十四行诗和流行歌曲的主题。这的的确确是我们心中所感。婚姻咨询师哈维尔·亨德里克斯将坠入爱河的全过程浓缩为四大基本情绪。其一是认同感——正是因为这种感情，你才会对相识不久的恋人说（在此引用他的原话），“我知道我们才认识不久，可不知为何，我觉得我们已经是老相识了。”其二是永恒感：“尽管我们交往的时间不算很长，可我已经不记得什么时候没跟你在一起了。”其三是统一感：“当我和你在一起时，我再也不觉得孤单了；我是完整的，没有缺憾的。”其四则是必需感：“没有你我该怎么活下去。”这些其实就是阿里斯托芬说过的话。在我们口中，伴侣仿佛是我们失散已久的另一半的自己——并且，我们顺理成章地认为他们也会和我们相伴到永远。我们坚信对方绝对不会欺骗自己，也相信自己绝不会欺骗对方。我们感叹从未有人这么了解自己；我们惊叹彼此仿佛天造地设。

最让人称奇的是，这份对爱情的执念已经深深扎根在我们的心中，嵌进我们的文化——哪怕到头来它与现实之间存在着天差地别。我们不断被爱情遗弃，怀疑它从一开始就不存在。我们互相欺骗，我们相继离开。我们开始觉得自己从未真正了解过对方。当心灰意冷、残阳不再时，我们回想起过去的浓情蜜意，彼时的一举一动都让我们费解，于是我们将其草草归结于一时的疯狂。

简而言之，我们经常在爱情里犯错。甚至还有人声称爱情就是错误，或者至少说它会将我们引入歧途。夏洛克·福尔摩斯，这位文学史上让我们五体投地的完美思想家的化身，“每每谈起内心更为柔软的儿女情长时，总会颇为鄙夷地发出一声嗤笑”。爱情对他来说，“就是精密仪器中的一粒沙”，会无可避免地导致故障。同理，我们也经常说爱情让人失去理智——蒙蔽了我们的双眼，以致无法看清所爱之人的真正模样。希腊和罗马神话中的爱神，厄洛斯与丘比特经常被刻画成双眼被蒙住的形象；希腊神话中，能让人失魂痴迷的女神阿忒有时也会被称为“双目失明的女神”。(根据神话所述，阿忒不屑于行走在大地上，宁可在人们的头顶上漫步：这正是所谓的痴迷战胜了理智。)同样，我们将爱人形容成“让人心醉”，说自己“意乱神迷”“沉醉于爱河之中”。我们还谈起“爱情让人疯狂”(出自苏格拉底)、“为爱痴狂”(来自碧昂斯的一首歌名)。所有这些辞藻无不指出，爱情就像犯错一样，是一个渐变的状态——相应的，我们对挚爱之人的观念也或多或少有所偏差。

要是情节还不太严重的话，我们还能够接受这一事实。我们知道，在面对自己心爱的人时，我们并不是最公正的评委，因为单从其定义来讲，爱上某人就意味着放弃自己的客观立场。“有人亲吻爱人颈上的痣，有人看着鸽子的鼻子长大而欢喜，还有父亲称赞自家儿子的斗鸡眼奕奕有神——敢问，这些举动除了说它蠢，还能说什么?”伊拉斯谟说道，“你也频频点头，同意这是愚蠢的行为；然而正是这份愚蠢，铸就了友谊，并且对它百般维护”。面对我们的至爱时，游戏的规则就是在正确的方向上走错一点点。

不过，在正确的方向上错一点点和在错误的方向上大错特错完全是两码事。当我们在爱情上犯下大错时，这种体验简直前所未有——话虽如此，从结构上来讲，关于爱情的错误和任何关于重大观念的错误是类似的。首先，它们的起因是相同的。我们受社会陈规与偏见的左右，根据微乎其微的证据就妄下结论（有一大堆心理研究表明，我们会在与他人最初接触的60秒内决定对此人的印象，并且这一看法鲜明强烈，通常还十分持久——而实际上，甚至连60秒都不到，往往两秒钟后就有定论了)，并且一旦有了结论，我们还不情愿做出任何改动和修正。① 当然了，这些都无法阻止我们自诩为洞察秋毫的观察者。17 世纪的法国作家拉罗什福科（LaRochefoucauld）曾出此妙语："人人都埋怨自己的记忆；可没人抱怨自己的判断。"

既然我们在爱情上犯错的起因是相似的，那么这些错误的发展轨道想必也是大同小异。我们恋爱时，根本想象不到自己最终会失恋——这是我们的内心对错误的盲目性。可一旦我们离开了爱人，这种幻觉就颠倒了过来：我们几乎不能相信我们曾经相爱过。（想想看查尔斯·斯万吧，他是如何倾吐自己的不解、悲伤和不屑的，只因为自己竟然会为了一个"毫无吸引力的"女人而表现得如此失态。）

如果我们是被抛弃的人（有时就算我们是提出分手的人），我们会吃惊地发现当前的生活失去了秩序、未来的人生失去了蓝图，我们头晕目眩、跌跌撞撞，并且我们对待爱人就像对待我们的观念理论一样，只有当新欢出现，我们才能放下失效的旧爱。这也部分解释了为什么那么多情侣因外遇而分手，或者在一场痛苦的分手后会立马开展一段"疗伤的恋爱关系"。

从结构上来看，爱情的错误和其他的错误都是相似的。可从感情上来看，它们却独树一帜：震惊、持久、痛苦、不解。当然，还有其他大错能与之匹敌，甚至让它相形见绌；在最近的几章中我们已略识一二。但是相较而言，我们中很少有人会抛弃曾经笃信的信仰，令自己创痛难平；也不会指错凶手，错伤无辜。但反过来，我们当中的大多数人的心灵都受过重创，并且很有可能不止一次。当我们心碎时，

① 托马斯·季洛维奇（Thomas Gilovich）曾指出，这一结论尤其适用于我们对他人的负面第一印象，因为负面信息会遏制我们寻找额外的证据。如果我认定你是个唠唠叨叨、不懂得体谅他人的家伙，我就会尽量避开你，如此一来，我撞上反面证据的机会也就相应减少了。

我们在爱情方面犯的错误不是一种，而是两种。其一是根据特定对象犯下的特定错误——对这段恋情失去了信心，不管是我们被抛弃也好，还是幻灭也罢。但是我之前提到过，我们还有可能发现自己对爱情的全部理解都是错误的：我们的爱情观错得一塌糊涂。前一个特定错误或许会让我们伤心，但后一个错误显然会让我们伤心欲绝。爱人是我们灵魂的一部分，她不可能不适合我，我也不可能看错了她。一段恒久的恋情是不会终结的。而一旦它终结了，我们就是这番模样——百思不得其解，深深陷入痛苦的泥潭中无法自拔。

面对特定错误——即我们发现看错了曾经的爱人（或者被其欺骗），我们束手无策。（实际上，这恰好就是那种我们无法消除也不应该想着去消除的错误。）但对于那个一般错误呢？它明明只会让恋情的终止更加令人震惊、感到羞辱和痛苦，我们为什么还要这样诠释爱情呢？毕竟还有很多对爱情更现实、不那么浪漫的诠释：理性的生化学解释——真正在恋情中扮演主角的是荷尔蒙，无情的进化学解释——灵魂的交流被基因的交换所替代，略带厌世心理的解释——爱情会带来回报，因此值得付出，但它无法预测，也有可能是短暂的……换言之，爱情是莎翁笔下的“迷舟”，而不是岿然不动的“灯塔”[①]。上述任何一种理论，至少都能让我们更好地承受失恋带来的打击。

然而我们会付出怎样的代价呢？在摈弃了浪漫爱情的同时，我们也放弃了它向我们承诺的抵御孤独与绝望的庇护。如果爱情本身便是我们与世界之间的鸿沟的证据，是关于我们自己、爱人和恋情中亲密无间的“我们”的又一个错误理论，那么它又怎么能成为连接我们和

① 仍引自《莎士比亚十四行诗》中第 116 首：“哦，绝不！爱是亘古长明的灯塔，它定睛望着风暴却兀不为动，爱又是指引迷舟的一颗恒星，你可量它多高，它所值却无穷。”——译者注

世界的桥梁呢？无论其代价如何，我们都不愿将爱情贬作世俗而不完美的理论。我们希望自己的爱情像阿里斯托芬口中触怒天帝之前一心同体的爱人之间的那样，像被逐出伊甸园前的亚当和夏娃的爱情那样，跨越世界与我们之间的鸿沟，从创世之前，到末日之后。

从某些方面来说，这条策略似乎必定会失败。任何心碎过的人都知道，心碎带给我们的重创不仅仅是失恋后短暂的孤独，而是活下去要经历的恒久的孤独。当我们落入其掌心时，失恋的心碎与生存的绝望，这大小两个危机其实并没有太大区别。但是要想治好这种痴病，也不是没有药方。超验之爱无法替我们免去一切苦难，却能够让我们逃离永久的苦难。它让我们觉得自己与万物隔绝的时刻虽然令人震惊，但却是间断孤立的。我们感觉到这种隔绝状态一直在持续，且无法避免。反过来，它让我们把这些时刻视作失常现象，让我们患上失忆症，从而继续我们的生活。

这或许听起来有些耳熟，因为我们与错误的一切关系都遵循着同样的模式。在本书开篇我曾提到过，尽管我们一而再再而三地犯错，我们仍将行为正确视作稳定、持久的状态，而犯错则被视作孤立的偶发事件。这或许不失为一个实用且明智的选择——一条让我们得以经历最少的冲突而安然度过每一天的策略。不过在感情层面上，这也同样是一个诱人的选择。频繁地认识到我们的易犯错性，就意味着我们始终对自己与宇宙间的深渊有所察觉。它迫使我们承认自己无法准确地知道关于他人或世界的真相，并且让我们确信，在最深也最具决定性的层面上，我们都是孤身一人。这也解释了为什么我们会逃避那些揭示自己易犯错性的信号，也解释了为什么我们在面对哪怕微不足道的错误时也会如此局促不安。这同样也能说通为什么在爱情里犯错会让人尤为痛苦。爱情让灵魂相连，让时间与死亡落败，它超越世间的一切，永无过失，永垂不朽：爱情，我们错不起。“如果有人可证明我所解不实，”莎士比亚在那首诗的结尾写道，“我从未写过，而无人曾真爱过。”

听起来不错，挺好。可等我们一翻页——这个系列紧跟着的 4 首十四行诗里，我们就发现莎翁（或者诗里的主人公）已经做了爱的叛徒：“我的心犯下了什么悲惨的错误！”莎士比亚或许是历史上最伟大的爱情编纂者，他笔下记录的爱情，贯穿千古，凌驾万物。然而，他也跟所有人一样，深谙爱情的败绩。但总体说来，既然他拒绝“承认障碍”的存在，那么让我们回过头来，听听某位没有这种顾虑的家伙会怎么说吧。

拉乌尔·费尔德的办公室里杂乱的不只是他的候客厅。他宽敞的办公室简直就是一座博物馆，陈列着各种不值钱的小玩意儿：地球仪、勋章、棒球帽、富人和名流的照片、玩具、剪报。他的办公桌大得能停下一架小型私人飞机，但是上面堆满了文档，连放一个 3 英寸[①]长的录音笔的地方都没有。他的收藏与展品也不仅仅局限于装饰。在和我交谈的 90 分钟里，他引用了叶芝、基辛格、牛顿、桑塔雅那、丘吉尔（引用了两次）、T.S. 艾略特、吉卜林，以及柏林的一位出租车司机说过的话，并且还有《卡萨布兰卡》中的内容。他能凭靠几句漂亮话收费，并且大赚一笔。但他从不会引用那些动听的辞藻，讴歌所谓灵魂的联姻，诸如此类。费尔德的拿手好戏就是拆散爱情的纽带，他的言辞自然也相当犀利、尖酸。到他那里的人不会是去寻求浪漫的灵感的，也不会是咨询婚姻经营的窍门的。不过，当我们对爱情的感性理解崩塌的时候，你就会到他那里去，听他绘声绘色地描述爱情的真实

① 1 英寸为 2.54 厘米。——编者注

面目，就跟我此行的目的一样。

费尔德说走进他办公室里的人主要怀着两大情绪。首先，他们觉得自己受了很大的委屈。“如果你因为木材未能按时送到而提出诉讼，这谈不上是严重的道德问题，”费尔德说，“但当人们走进来后，你会以为他们在讨论西方文明的衰落，或者成吉思汗大军掠夺村庄，而不是在派克大街某大楼第三层上发生的某些鸡毛蒜皮的小事。”其次，他们坚信自己是正确的，甚至到了让你难以置信的地步。“很多人走进来就说：‘你简直无法相信他 / 她对我做了什么，这简直闻所未闻。’”尽管这一整套费尔德的耳朵都快听烂了。“接着，”他说，“你就听她说自己怎么无辜，而男方如何混蛋；或者如果委托人是男的，他就说自己是白马王子，而女方就是西方女巫。当你让两人共处一室时，他们两个谈论的就像是两段不同的婚姻一样。而且每个人都觉得自己讲的是事实，确信不疑。”

在费尔德看来，委托人不能容忍自己的正确性受到半点挑战。“人们都不愿承认自己会犯错，”费尔德说，“在爱情上尤为如此。乍一看，这应该是我们最明智的选择。其实不然。这或许是最蠢的办法。我们还有什么重大决定是靠荷尔蒙来思考的？但无论如何，关于爱情的决定无疑是其中最重要的。根据现在的公民法，婚姻或许是你一生中会签订的最大的经济协议，并且也显然是你个人最大的决定。”

费尔德说，考虑到这些利害关系，“当你需要接受自己的失误时，自然会带来不小的震惊”。（他还指出，这一现象在他的大腕级委托人身上发生得最为明显，因为他们已经习惯享有权威和掌控力。“人们对自己的正确性的信心是和他们在生活中享有的权利成正比的，”他说道，“你的地位越高，你周围就有越来越多的人说你是对的，于是你就越来越不习惯听反驳的意见，或者承认自己犯了错。”）就算整体上你能承认自己也会犯错，但夫妻关系告急，濒临破裂的婚姻却实在让人难以面对。“离婚的同时，你树立的正确性就不攻自破了。就好比‘我信任她，告诉了她我心灵深处的秘密，以为她会成为我一生的伴侣，可我错了，我真是看走了眼。’这种情况会让你相当动摇。”他说。

至少，如果你直面错误，动摇的过程是少不了的。但我们中有很多人都选择了逃避。与面对我们犯下的其他错误一样，我们选择了否认。就算我们的婚姻关系正在瓦解，我们仍然不肯承认自己对婚姻的信念与对未来的憧憬出了差错。我们的爱人或许只是寻花问柳、厮混度日，或许在解决她的私事，又或许正值更年期。我们总是说，过不了多久，她就会恢复理智，回到我们身边的。或者，虽然我们承认这段婚姻结束了（或许我们主动给它画上了句号），但我们却不承认自己也是将其断送的同谋者。“你不是当初我爱上的那个人了。”我们口口声声地说着，就好像要怪就该怪爱人不能保持原样似的，无论是身体，还是灵魂。“人们自己不能走到示弱的地步，于是就贬低自己的前妻或前夫，”费尔德说，“他们不说：‘好吧，或许这次是我错了。’而是坚持道：‘我是对的，是她的失态把事情搞砸了。’”

要说看尽爱恨情仇的老手，费尔德当之无愧。他发现人们在爱情上犯错时，为了推卸责任，甚至会产生谋杀的冲动。绝大多数都不会明说，“但是他们暗地里希望自己的前任，或者即将成为前任的配偶还不如死掉的好。我甚至遇到过几位委托人直接挑明了说出来：‘你干吗不直接去死？’但我认为每一位委托人都有这种想法——愤怒、羞辱、受骗的委屈。在这些情况下，文明的粉饰很快就会脱落下来”。

对婚姻破裂中与配偶友好分手的人来说，这一说法或许就跟费尔德办公室的浮夸陈设一样——有些过了。但就算它只是总结了某些极端个案的特点，费尔德描述的配偶间的反感厌恶仍然让人不安。就算很多婚姻是友好结束的（至少没有到杀人害命的地步），它们仍然走到了尽头——在如今接近总数的 40%。[①] 可见爱情出错的案例之多。毕竟，绝大多数人一开始都会遭遇重创。正如费尔德所说："古今中外没有一个人结了婚，然后说：'我们的婚姻只会延续 30 分钟，然后我们就会离婚。'" 那么这些离婚的夫妻是如何从最初的浪漫和婚礼的钟声——堪称一首对正确选择的田园颂歌——到最后认定他们曾经的灵魂伴侣其实另有其人？

这个问题不是离婚律师所司范畴，他们的工作始于一段婚姻的终结。要想弄明白为什么婚姻会失败，我们就得先转向别处——去咨询浪漫爱情的守护者，而不是送葬人。我们之前已经与这位守护者打了个照面：哈维尔 · 亨德里克斯，拥有 30 年咨询经验的婚姻顾问，治疗师培训认证项目的负责人，也是 3 本关于人际关系的畅销书作者。如果说费尔德是名人的离婚律师的话，那么亨德里克斯就类似于名人的心理专家，奥普拉称其为"婚姻耳语者"。

当我与亨德里克斯进行交谈时，他首先指出，我们的爱情初体验的确与诗人和流行歌手的诠释如出一辙。"在爱情的早期阶段，你实际上经历了意识的融合，坠入爱河的人们似乎真的会经历一段合二为一的蜜月期。" 这段融合期也基本上是许多婚姻中最甜蜜、最美好的日子，这一点不足为奇。不过到了后来，这种统一感和对婚姻的满足感会渐渐出现裂缝。"在有些看法上，你们出现了分歧，" 亨德里克斯说，"你会说：'我是我，不是你，所以我是这样想的，而不是那样想的。'"

---

① 报道中经常说全美离婚率为 50%，但其统计方法并不完善，因此并不准确。实际的离婚率其实要低很多——并且有明显下降的趋势。这是好消息。而坏消息则是离婚率依然很高（一般算来在 36%～40% 之间），而在二婚和三婚的婚姻关系中这一比例更是高得耸人听闻，分别是 60% 和 73%。

引发分歧的可能都是些小事。例如，亨德里克斯举出的例子：“‘其实，我并不是真的喜欢这种电影’，或者‘比起香草味的冰激凌，我更喜欢黄油山核桃味的，尽管偶尔和你一起吃香草味的也很好玩儿’。”或者也可能是实质性的大事：不同的宗教信仰、对抚养孩子有不同的见解、性欲不同、金钱观不同等。亨德里克斯说，从某种程度上来讲，这种分歧其实没什么大不了，可它们的存在引发了一个问题：度过浪漫期后引发权利争夺的导火索，其实是某些你过去否认或忽视了的事情，又或者是对方刻意隐瞒的事情。

不过，亨德里克斯又说，这并不代表对方在撒谎——尽管人们经常这样指责伴侣。其实：“在浪漫期双方会合谋避免对现实的侵犯。所以当两种不同的现实最终发生碰撞后，就出现了真正的谁对谁错的竞争。就好像拔河比赛一样：‘我是对的。’‘不，我才是对的。’‘不，不是我干的。’‘就是你干的。’于是他们变得焦虑不安，因为他们突然觉得自己的世界观受到了袭击。于是他们用发火来解决问题，其实就是企图让对方放弃其立场，从而避免自己缴械投降。”

这就是亲密关系的实质：我们签下协议，愿意与他人共度人生，可我们迟早会发现和自己一起过日子的是另外一个现实世界的人。但我们并不是特别想要进入伴侣的现实世界去一起生活。我们只是想让他 / 她臣服于我们的世界。此愿未遂就等同于对默认条约——巩固我们世界观的承诺——的背叛。这个人的任务就是完完全全地懂我们，彻头彻尾地同意我们的世界观（这或许是我们有意无意的想法），而他 / 她若是未能完成这一使命，我们会觉得既恼火，又备受威胁。

我们在婚姻内部大动干戈，是因为在两人之间，我们的核心信念最为脆弱，最容易被撼动。还记得社群在面对内部和外部异见时的不同反应吗？当陌生人与我们意见相左时，我们可以选择忽略、轻视或诋毁他们，这对我们自身的幸福并没有直接或显著的负面影响。但如果我们深爱的人反对我们的意见，我们就不能这么轻易打发他 / 她了。我们会感觉到他们的立场正在侵蚀我们的立场，发生冲突的观念让我们耿耿于怀，一想到我们可能会不堪一击、让步妥协，或者被误解……这些可能性让我们郁郁寡欢。然而，这是我们不得不面对的。当然，我们也可以忽略、轻视或诋毁我们深爱的人——这么做的大有人在，但是后果对当事双方都是不好的。

亨德里克斯说，还有另外一个更好的选项，那就是允许对方的世界与我们自己的世界平行存在。“你得倾听、倾听、再倾听，直到你终于明白原来你的伴侣也有自己的世界——你喜欢吃苹果，他 / 她喜欢吃橘子，他 / 她当然可以吃橘子。我的一句老话就是，如果你想让这段婚姻维持下去，就必须接受自己正在和另外一个个体生活在一起的现实。这个个体与你不一样。他 / 她并不是与你融为一体的。他 / 她也不是你心中勾勒出的模样。他 / 她更不是活在你的脑子里。他 / 她不可能知道你在想什么，你也不知道他 / 她在想什么。所以你必须退避三舍，从反击转为好奇。你得学会提问，学会倾听。”

这听起来挺简单的，但做起来或许没有你想象中那么容易。在和亨德里克斯交谈过后，我将他说的一些话分享给了我一个要好的朋友，他最近和女朋友的关系十分紧张。朋友后来回了封信表达谢意，同时也带了一点点自嘲地说，他发现这个过程的确让人舒心——因为这让他觉得自己是这段关系中正确的一方。“亨德里克斯说每个故事都有正反面，我就在想，‘要是我的另一半能明白这一点的话……’——后面紧跟着结论，好比说，‘那么她就会明白我是对的。’”当然，我的朋友也明白亨德里克斯的建议是实用的。可他也承认，自己不由自主地就会觉得：唉，真该让我的女朋友也来听听这个。

真是让人意外。我们潜意识里对正确性的执着竟然如此之深，而我们在捍卫自己的正确性时，又表现得如此顽强、诡计多端。让我们意识到自己的想法、观念和生活方式并不是最好的实在很难，难于上青天。然而，有些讽刺意味的是，我们之所以会感到棘手和不快，主要是因为我们要放弃对正确性的坚持——而不是因为，总体说来，放弃之后会怎样。这就提供了一条关键的线索，告诉我们这种对正确性的执念来自何方。我们看重的不是坚持的观点本身，而是被人肯定、尊重和爱恋的感觉。

追求正确和追求肯定——这两种愿望融合在一起，就能够解释为什么身处亲密关系中的两个人一旦发生争执，不仅会产生背叛感，还会滋生排斥感。正因如此，有时候仅仅针对某道菜好不好吃的争执也会演变成史诗级的大战，声讨对方究竟有没有倾听我们、理解我们、在乎我们。这个教训再明显不过：只要我们觉得对方尊重自己、爱自己，那么我们就能够学会与分歧和错误共处。贯穿本书，这个结论一次又一次地出现。探讨归纳法推理的过程中，在最深刻的认知层面上，我们发现把事情弄错并不代表犯错的人有问题。在讲述否认与接受的章节中，在最深刻的情感层面上，彭尼·比尔岑意识到自己虽然酿成大错，可这并不意味着她——或者其他任何一个人——是一个不可饶恕的恶人。

因此，我们偶尔也可以犯错，也应该容忍他人偶尔犯错，然后仍然相亲相爱。这道理再简单不过，已经是陈词滥调了，但它和我们对浪漫爱情的普遍观念相悖。在阿里斯托芬之辈描述的不食人间烟火的灵魂之爱里，容不下分歧、不合与错误。而为了更好地应对这些可能性——这也是为了自己好，因为我们知道这东西逃也逃不掉——我们需要一种更有包容力的爱情模型。在这个模型里，爱情的根基不是像分享灵魂一样分享彼此的世界，而是像分享一个好故事一样互相倾听和包容。

这个类比并不是随口说说的。因为一个好故事和一段真爱一样：二者都需要你学会倾诉，学会倾听。同样，好故事只有我们先不急着怀疑推翻才有意思，处理人际关系时也一样：我们要暂时抛开我们的世界观，沉浸到他人的世界中，并为之动容。这是一个与其字面意思大不相同的“童话故事”。在故事里，我们并不是在桃花源里分享两人的共同点，而是与彼此的差异和平共处，快乐地生活。这样的幸福不是从天而降的，而是我们日积月累、艰苦奋斗得来的。这个故事讲的不是恒久不变的爱，而是爱如何将我们慢慢改变。

第13章　错误是个人改变的催化剂

蜕变成蝶的毛毛虫总以为自己从小就是蝴蝶。

——瓦利恩特《怎样适应生活：保持心理健康》

1968年4月4日，马丁·路德·金遇刺的那天，克莱本·保罗·埃利斯举办了一场宴会。当时，埃利斯是北卡罗来纳州达勒姆市的一家加油站的老板——同时暗地里也是达勒姆当地三K党分支之一的头目。当地方广播播报这一消息后，埃利斯激动地叫出声来，立马打电话给三K党的其他成员，邀请他们过来共庆马丁·路德·金之死。"我们就在服务站举办了一场真正的盛宴，"后来他对知名记者斯塔兹·特克尔说道，"我们喜出望外，只因为那个畜生终于断气了。"

众人口中的克莱本·保罗·埃利斯生于北卡罗来纳州的一户贫寒人家，他从未受过良好的教育，成长在一个白人至上主义猖獗的环境中。20世纪60年代，州内已经有112个三K党分支，会员总计有8 000～9 000人。据联邦调查人员和反诽谤联盟的调查，这是全美最活跃、管理最有序的三K党分支。日后在州内以其偏激政见闻名的参议员杰西·赫尔姆斯当时在北卡罗来纳州首府罗利市的电视和广播电台播报每周新闻点评——利用这两大平台，他时常发表谴责马丁·路德·金及其民权运动的言论，怒骂其不择手段，只为将美国送上绝路，同时还鼓吹自己拥有“货真价实的科学证据”证明黑人比白人低劣。

再来看埃利斯——父亲终日酗酒，对他拳脚相向；八年级时被迫辍学，17 岁就仓促结婚，每天劳碌奔波，挣来的钱根本解决不了膝下 3 个孩子的温饱，其中最小的孩子天生失明，并且有发育障碍——只有白人至上主义才能让他艰难的生活不那么难熬。三 K 党告诉埃利斯为什么他的生活会如此艰难（就是因为那些黑人），还接纳了他。他在党内如鱼得水，头衔节节攀升，最终被提拔为“高尊独眼神”——即达勒姆三 K 党分支的最高领导人。没过多久，市中心的白人势力阶层知道了埃利斯其人，便开始与他进行合作，尽管这些都是私下进行的。（埃利斯告诉特克尔：“市政务委员们会给我打电话：‘今晚黑人又要气焰嚣张地来提要求了。你们的人能不能来几个镇一镇他们？’”）在他的记忆中，这是他头一次觉得得到了别人的信赖、尊敬与倚重，而这一切，都得感谢三 K 党。

接下来，发生了一件事，就这样，埃利斯的人生以一种不起眼却举足轻重的方式，与历史的轨道有了交集。1970 年，联邦政府向北卡罗来纳州拨款 7 500 万美元，用于取消州内学校的种族隔离政策。本来这笔钱是没有必要拨的，因为早在 16 年前，美国最高法院在布朗诉教育委员会案中就判定学校的种族隔离政策违宪，但北卡罗来纳州各大学校在法律问题、种族问题和教育问题上的烂摊子依然照旧。联邦拨款分摊下来后，有 8 万美元分配给了各大研讨会，用于规劝达勒姆市民对取消隔离的政策予以配合。

对这些研讨会的组织者们来说，第一要务就是与罗利市的领导人们见面，劝说他们参与到项目中来。其中一名执行人名叫乔·贝克顿，时任达勒姆人际关系委员会委员长。贝克顿很清楚，要是不邀请州内反对种族融合政策的穷苦白人来参加商谈的话，他们一定会对政策的实施加以阻挠，因此他决定邀请最能代表这个群体的当地三 K 党的头目——埃利斯。一开始受邀时，埃利斯斩钉截铁地回绝了："我可不愿意和一群黑鬼厮混。"但贝克顿反复强调埃利斯的拥护者们需要有一个能替他们发言的人，在他的再三请求下，埃利斯同意了。

与此同时，在罗利市的另一边，组织者还在招募另一位社群领袖——一位名叫安·阿特沃特的非裔美国妇女。如果说埃利斯是达勒姆最贫穷的、被剥夺选举权的白人居民的代言人，那么阿特沃特代表的就是这里最贫穷的、被剥夺选举权的黑人居民。和埃利斯一样，阿特沃特也有一段艰难的生活经历：她 16 岁就生下了第一个孩子，不久后丈夫就弃她而去，她又当奶妈又当管家地苦苦挣钱，却还是无法让这个家庭脱离贫困的窘境。和埃利斯一样，她也对自己的遭遇咬牙切齿，并且也像埃利斯一样将愤怒投注到人权行动中——组织房客抗议，反对房主的压榨，向福利接受者们进行人权教育，策划静坐与集会活动以抗议种族歧视和贫富差距。从整体上，她已经是达勒姆周边穷苦黑人聚集地——海地的实权市长了。

埃利斯在车间前与阿特沃特碰了面，他并没有对她产生好印象。他对斯塔兹·特克尔描述了自己当时对阿特沃特的感受："我简直恨死了——原谅我用这个词，现在我已经不这么说了——那个黑人，一个庞大、臃肿、笨重的女人。她已经组织了 8 次示威游行，转眼间你就看见收银台那儿有两三个黑人出没了。"不难猜想，在第一次策划种族融合研讨会的会议上，这两个人的碰面并不愉快。奥沙·戴维森在他 1996 年出版的《最佳敌人》中曾对埃利斯和阿特沃特的关系进行了记录。据他记载，会议一开始，埃利斯就对研讨会的前提——种族歧视是学校的一大问题——开了炮。“如果没有那些黑人在学校里的话，根本就不会有问题，”他咆哮道，“如今的问题就是黑人。”阿特沃特也不是省油的灯，她当下还嘴道：“真正的问题是达勒姆有像埃利斯这种蠢驴一样的破坏者！”

这当然谈不上是好的开端，不过至少它透露出了不少信息。受命管理研讨会的比尔·里迪克当场发现，埃利斯和阿特沃特是房间里唯一两个要么成全他/她的努力，要么毁了他/她的工作的人。于是他决定，当务之急就是让这两个人共同合作。里迪克做事一向秉承要干就干到底的原则，因此他邀请这两人共同担任种族融合研讨会的主席。

听到决定后，委员们的反应是极为恐慌。非裔美国人的社群及其盟友则怒不可遏：正常人谁会邀请三K党的头目在反种族隔离委员会中担任要职？与此同时，埃利斯本人也大吃一惊。他后来告诉戴维森，自己当时的第一个念头就是：“要我和那个女人共事，没门儿！”不过，他的抵触心理由于两个因素而有所缓和。其一，三K党的任职让他习惯了当领袖的滋味，能在一个规模更大的市级项目中担任领袖的确很有吸引力。其二，让人意想不到的是，埃利斯心里清楚种族隔离的大业势必落空。他听说了最高法院的决策，也目睹了其他几个州的局势，最后得出结论——三K党是无力阻挡这辆火车步入正轨的。他知道，自己能做的不多，除了（引用戴维森的话）“尽可能让取消隔离政策对白人小孩的伤害小一些”——其中也包括他的小孩。而要想达成这一目的，他必须接受比尔·里迪克的邀请。当他知道阿特沃特同意后，就跟着点了头。

跟上一次策划会一样，委员会这两名新主席的首次碰头会也是糟糕透顶。这次会谈是在达勒姆市中心的一家咖啡厅举行的。在会谈的大部分时间里，埃利斯在饭馆里走来走去，就是不肯在公共场合与黑人同座。即便他最后坐了下来，他还是不愿直接与阿特沃特进行交谈，而是通过为推动会谈顺利展开而专程赶来的里迪克来递话。当阿特沃特、埃利斯和里迪克在散会后各自离开时，他们 3 人也不清楚这所谓的联合主席制委员会究竟还行不行得通。

几天后的一个晚上，埃利斯在家中接到一通电话。“你要是再和那群黑人一起合作的话，迟早要挨枪子儿。”电话那头的人说完后就挂断了。自从埃利斯涉足反种族隔离委员会后，他不止一次接到过类似的威胁电话。而自从他同意担任联合主席一职后，不断有人打电话谴责他，称他为白人的叛徒，还质问他：“你和一堆黑人搞什么鬼东西？”但像这样直截了当地威胁说要他性命的电话还是头一遭，那人挂断了电话后，埃利斯做出了一个决定。他没有将听筒放回去，而是打了个电话，这次是打给阿特沃特，他告诉她：自己想尽力让项目顺利进行。

不久后，埃利斯和阿特沃特便单独在一个会堂碰了面，那里有个研讨会刚刚结束。他们两人还不怎么习惯这么面对面的交谈，不知不觉间便开始讨论起各自小孩的教育经历。一说才发现，原来埃利斯的儿子和阿特沃特的女儿都在达勒姆希尔赛德高中上学，这是一所当地种族歧视最严重、经济情况最拮据的高中。阿特沃特讲述了自己身为母亲的担忧——很难让孩子们相信，比其他同学穷并不意味着比别人差；她自己因为没能给孩子们提供好的生活条件而感到惭愧与痛苦；还有让孩子们不为自己的家庭背景而抬不起头的苦口婆心……埃利斯在阿特沃特的话语中找到了共鸣。阿特沃特身为母亲的艰辛，埃利特也深有体会。他突然放声大哭起来，不仅吓到了阿特沃特，也吓到了他自己。这一哭既是为自己和自己的孩子，也为阿特沃特和她的孩子——这是他完全没有预料到的。

埃利斯后来对斯塔兹·特克尔说，从他在会堂里落泪的那一刻起，他与阿特沃特之间的关系就有了转变。并且，由此展开——与一切事物的关系都有了转变。在他眼里，阿特沃特第一次成了一个有血有肉的人。“我开始发现，我们来自围栏的两边，有着同样的问题，唯一的区别是她是黑人，我是白人，”他回忆道，“那次以后，我跟你说，这个女人与我合作得很融洽。我甚至开始喜欢上她了，说真的。”

当安尼塔·威尔逊开始质疑自己对上帝的信仰时，她的生活先是变得更糟糕，然后才慢慢有所改观。当宇航员发现亚里士多德的理论中有前后矛盾的言论时，他们对宇宙的理解首先会变得更加杂乱不堪，然后才会理出头绪。当你将厨房从头到尾翻新时——从墙里嵌着的电线到水槽下面的积垢，情况先是变得一团糟，然后才会变得井井有条。对埃利斯来说，当他开始质疑自己的种族意识时，生活跟原来比起来并没有得到改观。日子被搅成一团乱麻，让人困惑不解、痛苦不堪。他开始做噩梦，梦见自己生前同为三 K 党成员的父亲死而复活，正向自己走来，却好像根本不认识自己一样。即使有时候噩梦不能将他扰醒，死亡威胁的电话也会让他惊坐而起。更糟糕的是，他的孩子也成了被威胁和奚落的对象——事情带来这样的后果让他心里尤其不是滋味，因为一开始埃利斯正是为了孩子的幸福，才参加到研讨会当中的。

埃利斯心境的转变不容阻挡，而外部的社会变革更是让种族融合的劲头势不可挡。自小在贫民窟中长大的埃利斯对贫穷总是特别敏感，早在他与阿特沃特接触以前，他曾经也不由自主地注意到达勒姆地区非裔美国人的贫困境遇。“我曾经看到过一个黑人在街上走路，”埃利斯对特克尔说，“他穿着一双破旧的鞋，衣衫褴褛。此情此景渐渐让我的内心有所触动。”

而研讨会则让埃利斯出于良心发出的一声叹息演变成一连串的质

疑，最后他得出了让自己仓皇不安的答案。他意识到，黑人并不是麻烦：既不是他的麻烦，也不是达勒姆的麻烦，更不是美国的麻烦。在绝大多数情况下，他在研讨会上遇到的非裔美国人都住在低人一等的房子里，送孩子到低人一等的学校读书，从事一份（经常同时从事两三份）低人一等的工作，并且能找到工作已经算运气不错了。换句话说，他们都和自己同病相怜，但二者间还有一个本质的区别：他是他们的麻烦。戴维森的描述十分精当："埃利斯想到，三 K 党开了数不清的会，为反对废除种族隔离制度打了数不清的苦战，究竟为那些劳苦奔波的白人带来了什么？什么好处都没带来。他想到，他们的一举一动只是给那些未受过教育的穷苦黑人的生活雪上加霜罢了。"

在一系列废除种族隔离的研讨会结束之前，埃利斯到当地三 K 党的支部上交了自己的钥匙。研讨会只持续了短短 10 天，如今已经接近尾声。从乔 · 贝克顿一开始邀请他加入，到如今自己在闭幕式上登台致辞，不过数周时间。在他 44 年的人生里，这不过是小到不能再小的碎片。然而，就是这段短得惊人的日子扭转了他之后的人生。他站在人群面前，说道："我跟以前……有些不同了。"他停顿了很久，接着说下去："不过我认为这样很好。"埃利斯说，不止一个人告诉他，由于他参加了这次项目，他失去了在保守的白人中间树立起的威信，这些白人中有三 K 党的甚至整个国家的掮客。"这没准儿是真的，"埃利斯并不否认，"但我只是做了我认为该做的事。"

2005 年，埃利斯离开了人世。自 1970 年离开三 K 党后不久到 1994 年之间，他一直担任国际工程师管理联盟的组织人员。离任之际，当有人问起他此生最大的业绩时，埃利斯毫不犹豫地回答道——曾经与 40 名低收入非裔美国妇女共同争取将马丁 · 路德 · 金遇刺日定为带薪休假日，这是达勒姆市为纪念这位伟大的民权领袖而签署的第一份协议。

埃利斯的故事固然不是人人都能经历的，但他的故事在大体轮廓上仍然不算陌生。这就是一个经典的信仰皈依的故事，而皈依的故事又是西方关于自我的经典故事之一。比如以色列国王扫罗（后来更名为保罗），这个狂热的犹太教徒曾对基督教徒大肆迫害，却在通往大马士革的路上，于闪电中发现了主的存在。再比如说曾经是摩尼教徒（与诺斯底主义的教义接近，是当时世界上重要的宗教之一）的奥古斯丁，在花园里听到一个声音命令他阅读《圣经》，于是也皈依了基督教。这些皈依的故事之所以在犯错年鉴中如此独特，是因为它们并不仅是为了信奉新的教义才和过去的信仰一刀两断，这其中还涉及对自我身份的重新认知。在这些故事中，我们的自我认知在犯错体验中受到了动摇，并开始发生转变。

迄今为止，我已经提到过，总体上说来，错误会让我们震惊、迷茫，有时也会让我们欣喜，因为它告诉我们，世界并不是我们所想的那样。而皈依故事中的错误则告诉我们，我们自己也同样不是我们所想象的那样。理论上，我们都知道这不是不可能的——自我和世界一样，完全可以让本人大吃一惊。但每当涉及非抽象的自己时，我们便习惯性地认为我们当然知道自己是谁，明天的我们和今天的没什么两样。而错误的可怕力量之一就是推翻这个假设。因为错误可能会颠覆我们对自我的核心认识，宣告我们正变成自己完全不曾想过的陌生人。犯错体验让我们发现自己不仅是闭塞的，也是千变万化的。正如我们所见，对于这个全新的自我，我们有时欢迎，有时拒绝，但无论如何，错误的主要情绪力量就来自它动摇人们自我认知的能力。

这种能力在埃利斯的故事里十分突出，但所有错误里——甚至那些最无关紧要的小错——都或多或少有扰乱自我认知的潜力。比如，在我撰写本书的过程中，有一个陌生人听说了本书主题，就写信来向我讲述他是如何输掉了一个 21 世纪特有的赌注的。简而言之，这个赌注是关于一罐腌菜中的碳水化合物的含量。这个赌注之所以特别，就在于它实在是无关紧要。我对着电脑屏幕瞪了很久，才整理出一个有些荒谬可笑、琐碎平常的犯错事例。话虽如此，对当事人来说，这个碳水化合物的问题还引发了一场争执，最后竟然引发了一场赌局，双方还下了注。甚至几年后，输掉赌局的家伙还对当年这个错误记忆犹新。

这个腌菜故事的主角名叫乔纳森，他其实非常敏锐地分析出了为什么这场愚蠢的争执在当时会让自己如此介意，以及为什么自己多年后仍然耿耿于怀。“我并不是对结论本身有什么介怀，”他解释道，“我在意的只是自己准确回忆信息，或许还有了解、掌握信息的能力。”换句话说，这件完全不值得一提的小事竟然暗含了乔纳森的记忆力和智商问题——这也是我们作为个体引以为荣的两大方面。我不妨再次提醒读者，引发这些思考的争执只是关于一件无足轻重的琐事，与世界观、原则、操守毫无关系。乔纳森对腌菜中碳水化合物含量的错误认识并不是他花上几周、几个月，甚至几年的时间才得出的。这既不是他从家人或周围的人那里听说的，也不是从深深扎根的信仰中衍生出来的。他只是把标签读错了。尽管如此，这个错误还是动摇了他的自我认知，随即带来了一阵恐慌——不论程度有多轻微，时间有多短暂。

这就是我在第一章提出的观点：我们的错误象征着自我离间的时刻。不过，有些错误呈现出的离间远比其他的要巨大，也更持久——这一点不言自明。从三 K 党的“高尊独眼神”到与非裔美籍成员共事的劳工组织者，这个转变意味着彻底颠覆过去他人和你自己眼中的那个你。我们过去曾经走到过那个领域的边缘。其他章节中我曾经谈到信任与个体身份之间的关系，我们也看到有人在犯错后与发生动摇的自我认知进行搏斗——阿卜杜勒·拉赫曼皈依基督教是如此，安尼塔·威尔逊“对自我身份的吊唁”也是如此。

既然改变我们对某些包罗万象的信仰的认知——比如，宗教信仰、家庭观念、政治主张等——能给我们的自我认知带来如此巨大的负面影响，那么改变我们对自我的认知肯定也会带来同样的影响。事实上，这正是犯错体验影响我们自我身份的最直接的方式：我们会认为我们之前的自我认知都是错的。毕竟，自我认知和我们对世间万物的认知一样，都是由许多信仰捆扎在一起的。因此，和其他信仰一样，自我认知也有犯错的时候。我们每一个人都会有突然坍塌或半途而废的想法。我们以为自己不想要小孩，我们以为自己长大后要当医生，我们以为在洛杉矶会过得很开心，我们还以为自己从来不会得抑郁症、染毒瘾或搞外遇。对我们每个人来说，我们的个人历史和科学史、人类史一样，都堆满了弃置于一边的各种理论。

为了更好地理解我们对自己的认知有多么容易出错，想想“买家懊悔”现象吧。从核心上来讲，“买家懊悔”就是我们没能准确地预测自己的需求、欲望、观念和情绪的表现。不是说 30 年后我们对现今最激烈的政治问题的看法，而是 3 天后我们对这双橘红绒面革西部牛仔长靴的看法。我们经常将“买家懊悔”限用于实际的购买行为，不过其基本轨迹——先是渴求，然后到手，最后懊悔——的适用范围更广。我们会有“胃肠懊悔”(比如患有乳糖不耐受症的友人点了一份奶昔)、“性欲懊悔”(比如一晚上的错误姿势造成第二天早上的身体酸痛)、“爱情懊悔”(比如你想做手术洗掉当年在肩膀上刻下的“艾米 + 帕特里克”刺青)，还有“理想懊悔”(不是说你买了什么，而是你相信了什么观点)。

如果这种懊悔心理只是由于一时冲动的决定带来的，那么它与错误之间的联系也并非特别紧密。我们急需纠正的不是易犯错性，而是冲动性，即不能做到三思而后行。事实上，我们同样会（甚至更可能会）为深思熟虑后做出的决定而后悔。如此看来，“买家懊悔”中暗含的问题不是我们没有正确地揣测出自己将来的需求，而是我们不怎么了解自己，或者我们自身变化得太快，我们的预测跟不上相应的正确答案。

这个问题不仅事关未来，即我们能否预测自己将来的情绪与信念。正如我们已经看到的，我们并不总能准确无误地记起自己过去的感受和观念。更糟糕的是，有时我们甚至不能在此刻准确地探索我们的内心世界。这就是为什么双目失明的汉娜误以为自己视力正常，为什么一群买家会搞不明白自己喜欢这种连裤袜的理由。无论我们是在回顾过去，审视现在，还是预测将来，我们的自我认知还是有犯错的可能。

和错误本身一样，一想到我们自己都可能会误解自己，我们内心就会产生强烈的矛盾情绪。尽管在理论上我们承认不可能完全了解自己，然而在当下，针对某一特定方面时，我们却习惯于拒绝承认自我认知有误。这是不无道理的。我之前说过，错误来自我们对事物的认知和这种认知与事物本身之间的偏差。那么当这个“事物”就是我们自己时，又会如何呢？如果承认我们会误解自己，我们就不得不接受一个令人费解的论点：我们的观点（大脑）和观点的思考过程（还是大脑）之间存在偏差。①

在很多方面，我们都承认大脑有尚未发掘的部分存在。多亏了弗洛伊德，我们现在将这一未知领域称为“潜意识”。不过早在弗洛伊

① 当然，有时我们的自我意识和本体之间并不存在偏差。如果你认为自己很沮丧，那么你就是很沮丧；如果你认为自己心情舒畅，那么你此刻就是心情舒畅。同样，如果你觉得自己坠入了爱河，那么你就是坠入了爱河——就算和查尔斯·斯万一样，你后来也将最初的爱情视作疯狂。毕竟，除了自身感觉，还有什么更好的证据能证明你很沮丧、很高兴或很着迷呢？与外界事物不同（比如这阵微风是冷还是热，会议举行日期是周二还是周三），除了我们自己创造出的自我，我们找不到第二个真相了。在这些情况下，我们对自我的认识，无论目的为何，和我们的本体是一致的。

德以前，我们就已经察觉到了这一存在。奥古斯丁（他本人作为宗教皈依的个案，有理由探究人为什么会误解自己）以其别具一格的洞见试图解释自我认知为何存在缺陷。他写道："大脑就像一个广袤无边、深不可测的圣坛。谁又能探测出它的深度呢？"他承认，自己做不到。但他也意识到，这揭示出一个颇为奇妙的悖论。"尽管大脑是我天性的一部分，我却不能了解自己的全部。这意味着，大脑太过狭窄，无法装下其所有的意识。那么这一部分装不下的意识又藏在哪儿呢？它是不是在大脑之外的某个地方？如果它已经在外面了，又怎能称之为大脑的一部分呢？"

另一位探讨自我身份的伟大哲学家艾米莉·狄金森（Emily Dickinson）曾写道，头脑比天空辽阔。但正如奥古斯丁意识到的那样，头脑同样比它自己更辽阔。我们超越了自己的界限，我们比自己知道的自我还要多得多。广阔与神秘，充斥着未知的潜能——这些都是自我最激动人心的魅力，也是必不可少的要素。然而，毫无疑问，它们有时也会吓你一跳。要接受身边这个世界的谜团与未知已经十分困难，要让我们接受内心世界的谜团与未知则更是难上加难。对我们来说，识别并了解自身行为的动机，掌握并解释自我的存在，预测我们在未来的观念、感受和行为，都是至关重要的事。我们想要正确地了解自己的原因和我们想要正确地了解世界的原因如出一辙：因为这能让我们觉得稳定、自信、安全，以及心智健全。

这种对过去、现在及未来的自己进行正确把握的需求，正是驱动我们追求完全的自我认知的动力。它还促使我们渴望得到另一样东西：自我的一致性。虽然在理论上，我们都心知肚明，生而为人就不可能一直不变。事实上，有时候我们还非常期待自己的改变。在任何一家书店的自助类书籍的专柜上，我们会发现每一本书中都充斥着让读者积极改变自我的承诺。或者走到另一条过道，我们看看回忆录专柜就会发现，简而言之，许多回忆录讲的就是当代皈依故事，记载着各种改变自我的错误。歹徒之辈改过自新当上了年轻有为的牧师，吸毒成瘾的人变成了瑜伽修行者，工业大亨成了家居型好丈夫：这些都是奥古斯丁的《忏悔录》在文学界的后继者（尽管有些例子已经不怎么沾边了）。同样，如果你离开书架，打开电视观看一档纪实节目，你就会看到某个人生活中的方方面面——体形、着装或家庭状况——经历戏剧性的改变。这些电视节目、自助书籍和回忆录的长盛不衰并不是偶然的，保罗和奥古斯丁的故事成为西方文学经典——这两名当事人也连带成为经典人物——也不是偶然的。我们乐于倾听改变人生的故事，我们乐于相信这些改变是可能的，我们也的确相信这是我们的救赎。①

奇怪的是，在如此狂热于大幅度改变的同时，我们的内心深处却不肯交出当前自我的一分一毫，还对他人身上发生的实质性改变表示强烈地怀疑。

尽管我们对那些重审信仰、承认错误、改变人生的人崇拜无比，但对变化太大（比如约翰·克里）的个案仍然会心存疑窦，甚至怀疑真正的改变究竟能不能发生（我们常说，“江山易改，本性难移”），并且坚信保持一个恒定不变的自我是有益的。公元 4 世纪的奥古斯丁在控诉“倒戈者”的文章中写道，他“百分之百确信：永恒不变之物高于可变之物”——这里的“可变之物”当然也包括人类。

---

① 这并不是说巨大的转变总是代表着提升与进步。从转变者本人看来，转型或许是件好事，但在局外人眼里，转型并不总能平衡一个人的道德账本。奥沙·戴维森（Osha Davidson）曾讲过美国参议员汤姆·华生的故事。华生于 1856 年生于佐治亚州，在早年的政治生涯间一直致力于反对种族歧视，支持非裔美国人拥有投票权，同时努力团结工人和农民阶层，鼓励其跨越种族界限。但华生在晚年却成为一名白人至上主义者，猛烈抨击黑人、犹太人和天主教徒，并深受三 K 党人的爱戴。

我们当中的大多数人都能接受自我的某些方面不是永恒不变的，像技术、优先权（姑且不提我们的身体）等随着时间的推移势必会发生变化。但涉及其他方面时情况就不一样了。比如，我们的性格（“我很认真”“我脾气大”“我很内向”）、我们最基本的长处和短处（“我对数字很敏感”“我的注意力很容易分散”），以及某些特定的核心信仰，既包括对我们自己（“我是个很靠得住的朋友”），也包括对宇宙整体的看法（“上帝是存在的”“教育十分重要”“这是个人吃人的社会”）。我们的性格，先天的优势和短处，最基本的道德原则和智商，我们与自己、他人和世界之间的关系——正是这些核心特征让我们每个人都独一无二。和奥古斯丁一样，我们也大都认定，这个最核心的“我”应该恒定不变，就好比支撑起整个结构框架的底层基座。

然而，接下来错误来了，对我们的一系列观念——诸如，我了解我，我就是“我”——发起了挑战。我们知道，五花八门的知识没有为犯错留下空间，这一点对自我认知同样适用。如果我们将自我视作恒定不变、能够了解的个体的话，很难想象我们竟然会误解自己。事实上，太过执着于这个自我模型会让我们排斥犯错和改变的可能性——哪怕在局外人看来，错误和改变都是显而易见、在所难免的。

有种不合情理的解释——我们一直站在过去的自己的对立面——揭示出，如果我们拒绝承认自我是可以改变的，解释变化的现象就会比较费劲。在讲述自己信仰上帝之前的人生时，奥古斯丁的说法尤为别扭：“因为我将自己放在了我的身后，不愿看见我自己。”然而，尽管这个观点听起来有些不知所云，它却是大众心理学和专业心理学的奠基石。我们在日常生活中经常会引用到这个观点，比如，当我们说那个城里最反对同性恋的人私下里就是个同性恋，或者当我们指责某人“反抗得太过了”——就是说，他反对的态度太过强烈，以至于人们认为他其实暗中或潜意识里是赞成这一观点的。

这种民间说法在心理学家荣格的研究下提升成正式的理论，他认为我们的意识和潜意识中存在的观点是相互对立的。荣格声称，对某个观点拥护得越强烈的人，越有可能是在抵御自己内心的疑问，并且这份疑问总有一天会进入他的意识中，从而带来其观念上的 180 度大转弯。荣格还说，这一现象在最武断的教条式观点上最为明显——排除所有意识上的疑问必然会在潜意识里产生更大的抵触心理，从而更加摇摆不定。（这一观点最显而易见也最重要的含义就是：我们对各种犹豫、反证和疑问的适应能力越强，我们的观念和自我身份就会越稳定。）

真正的自我是存在的，这一观点在心理学上有一个重大的意义。如果我们具有一个内在不变的自我身份，我们迟早会发现它，那么我们的信仰、做出的选择和最终成为的人——这一切就都不是偶然发生的了。相反，我们走上这样的人生轨迹是不可避免的，因为我们真正的自我最终一定会浮出水面。

"我们虚假的信仰是事先注定了的，我们表面上犯错，但其实是为了获得更大的真相"。我们生命中经历的磨炼、跌的跟头都是一个更宏伟的计划的一部分。[①] 照这么说，有关真实自我的故事就属于目的论了，我们在应该驻足的地方止步了。同样，这也是核心自我观点的魅力和弱点所在。它说明我们的人生是存在决定论的，我们以为过去的

① 这一观点也常被用于人们的日常生活当中，我称之为"朋友不允许朋友犯错"。当你试着向友人讲述你犯的错的时候，她会赶紧安慰你说其实这算不上是个错误——你当时已经竭尽所能，或者你也从中吸取了教训，所以这结果"再好不过"或"注定如此"。当然，有时我们的确竭尽所能了，有时也的确能从错误中吸取经验教训。但这并不意味着我们就没有犯错。无论我们犯错的原因是蠢还是不蠢，无论犯错带来的后果是好还是不好，错误始终还是错误。如果错误产生于一个积极的过程（即我们已经竭尽所能），或者带来了一个积极的结果（即我们从中吸取了教训），而我们就判定这其实不算错的话，我们只是强调了一点：错误本身是消极有害的。

观念是根据我们智力、情绪或精神层面上的可取之处而被选择的，但其实那只是请君入瓮的陷阱，只是为了让我们将来能成为命中注定的本我。而我们过去的意义或价值就被抹得一干二净。

还有一个更大的漏洞，“本我”这个概念意味着我们再也不会经历任何重大的动荡起伏了。是啊，怎么可能呢？在终于发现我们其实是并且一直都是怎样的人之后，我们已经不可能再经历新的转型了。如果自我是不断改变的，那么我们应该会经常觉得自己在前进，在不断地成为更新的自己。但如果我们每一个人都有一个固定的核心特质，我们就只有选择回归。相应的，我们过去种种偏离本我的举动只能被视作一个单独成立、说不清道不明的反常现象，并经常与背叛、越界和罪孽联系在一起。

奇怪、反常、越界、罪恶，对这一系列的概念我们早就司空见惯。这些都是犯错的消极模式，认为错误是一种不受欢迎的反常现象，标志着我们被流放出了真知的圣殿。这也正好提醒我们还有另一种理解错误的模式——它能让我们换一种观点来审视我们的错误和我们自己。

在这个理论中，犯错误是一个顺理成章、循序渐进的过程，错误让我们转型，而不是变得畸形。“当花朵盛开时，花苞就消失了，”德国哲学家黑格尔写道，“我们会说后者被前者否定了；同样，当植物结果时，花朵也可以被解释为植物的一种虚假的存在形式。”当然，对花苞、花朵和果实这一类自然个体，我们并不会真的这么说。我们也无须如此形容我们自己。在错误的积极模式里，错误并不能说明我们过去的自己是失败或虚假的。相反，它就像树汁和阳光一样，能潜移默化地促进另一种生物机体——人类——茁壮成长。

当你还是个孩子的时候，你对身边事物的理解经常错得离谱。这主要是因为目前你大脑中的信息量严重不足：你不知道的极其基本的常识多得惊人。举个例子，你对自己的身体几乎一无所知。发展心理学家发现 4 周岁以下的孩子不知道大脑的功能，以为洋娃娃和人类一样都有大脑。同样，7 周岁以下的孩子基本上只能说出体内的 3 种物质（血液、骨骼和心脏），在被问起其他内脏的本质和功能时更是错得离谱。（一位心理学家举例说，有个孩子说“肺是管头发的。你要是没有肺的话，就不会长头发”。）类似的，绝大多数 8 周岁以下的孩子都认为小男孩可以变成小女孩，小女孩也可以变成小男孩，只要改改发型、换身衣服就行了。

这个例子并不是说小孩子很笨，或者他们还没有形成对人体和世界上其他事物的复杂理论。其实他们对这二者都进行了复杂的思考。（你或许还记得我在第 5 章提到的，我们每个人在还裹着尿布的时候，就开始形成自己的一套解释世界的理论了。）这里要指出的是，小孩子缺乏足够的数据——不仅关于他们的身体，还包括其他事物：这个世界的人、物、语言、文化、政治和法律。有时候他们只是还没有摸爬滚打地穿过所需的信息，或者有时他们只是还没有发育到能够掌握这类知识的阶段。还有些时候，大人会有意对他们隐瞒信息——这也是为什么孩子们在性和繁殖原理，以及识别亲生父母上频频出错，还经常弄不清楚家人是怎么去世的（有时甚至都不知道家人已经永远离开了）。[①]

---

① 对孩子来讲，死亡和繁殖或许是两大尤其容易头晕犯错的领域。一部分是因为大人们会向小孩子隐瞒这些知识；另一部分是因为，哪怕对大人说了，想象我们自己是如何从有到无，或者反过来说，从无到有都是很困难的。发展心理学家苏珊·凯里说，有那么一个小孩，当被问到繁殖是怎么回事儿的时候，他神情严肃地解释道：“要想生一个小宝宝，爸爸妈妈得先买一只鸭子，然后鸭子就变成一只小兔子，最后再变成一个小宝宝。”当（我猜是某些满头雾水的研究人士）进一步被问起的时候，那个孩子说他是从书上看来的——最后才发现，这本书为了避讳直接的性行为描写，倾向于用小兔子和小鸭子来代替。

在信息量不足的情况下，误导信息会让情况更加复杂。小孩子之所以相信圣诞老人和“牙齿仙女”的存在并不是因为他们特别好骗，他们相信传说的原因和我们信仰宗教的原因是一样的。他们从可靠的信息源（一般来说是父母）那里了解到这些现象，并且还经常获得物证（比如烟囱旁边的饼干屑、枕头底下的25美分硬币）。这些证据本就是人为制造的，孩子们被其误导也不是他们的错。同样，他们除家人外最常接触的人群都是小孩，他们也跟他一样存在信息严重不足的问题，这一点同样情有可原。既然我们之前已经看到过社会对信仰的影响了，那么也不难想象（甚至能很容易地回想起），一条错误的信息在食堂和操场上散播得有多快。我的一个朋友很生动地捕捉到了孩童时代信仰体系的有趣之处，他回忆道：“我还在小学的时候，有人告诉我——而且当时我也相信了——巧克力牛奶是有血的牛奶，但是我并不相信为了生小孩，我的父母得脱掉衣服做爱。”

孩子们长大后，终于知道了关于性、死亡和巧克力牛奶的真相。而在此期间，他们一直生活在一个充斥着错误的世界里。

我特意选择用“充斥”这个词。说实在的，儿时犯下的错误和绝大多数错误一样，有时都会让人羞愧脸红、难堪受伤。我们大多数人都还记得小时候犯下的丢人的错误（不止一个人曾告诉我，他们小时候在拥挤的人群中紧紧抱住父亲或是母亲寻求慰藉，结果一抬头发现抱住的是个陌生人，当时的尴尬至今仍记忆犹新），还有些孩子经常因为犯错而受到责骂。（有时甚至比责骂还严重：别的姑且不论，被“调教”就意味着肉体惩罚。）

尽管如此，总的来说，当我们还是个小不点儿的时候，犯错与其说是一件单独的事情（长大后我们往往这么认为），倒不如说是一个持续的过程——与学习和成长都息息相关、密不可分。童年的我们，就是在建立解释周围这个世界的理论，验证它们，然后探究它们究竟在哪儿出了错。事实上，从字面意义上来说，犯错就是“小孩子的把戏”。科学家、父母和教育家都一致认为，小孩子是在玩耍中了解世界的运转的。在大人们看来只不过是搭积木或玩沙子的这种游戏，其实是一个非常庞大且趣味横生的科学实验。更有甚者，最近有发展心理学家通过研究表明，错误在孩子的生活中扮演的角色就好比错误在科学家的实验中发挥的作用——提醒他们身板挺直，提高警惕，产生新的理论，尝试理解周围发生的事情。换句话说，犯错其实是孩子学习的一个关键途径，并且代表着新鲜、刺激和乐趣，让孩子全神贯注地投入其中。①

随着年龄的增长，我们的学习曲线也渐渐趋平，这些乐趣也以几何级数的速率减少。我们犯错的次数越来越少，工作的效率越来越高，对世界的基本观念也和其他成年人别无二致。但同样，我们在和探索、学习、玩耍哪怕沾了一点儿边的事情上花的时间也越来越少。孩提时代的那些饶有趣味的错误也不再频频打乱我们的生活，既因为这个世界对我们来说已经没有那么陌生了，也因为哪怕是对那些还不熟悉的事情，我们也不会去探个究竟了，或者至少可以说我们的热情（以及相应的设施条件：教室、课外项目、夏令营）已无法与孩提时代相提并论了。

当然也有例外的情况。当我们离开童年时代那个充满错误宝藏的国度后，我们通过各种途径将自己带上了一条通往成长与改变的错误之路。以旅行为例。旅行者会像小孩子一样探索未知的世界——在那

① 虽然我声明错误是学习的一种重要机制，但我也并不是说学习就非得在错误中完成不可。我们的确能从错误中有所收获，但学习的方式不止一种：比如模仿、介入教学（即由父母对孩子进行指导）、练习、直观的解释说明等。

里，他们像小孩子一样犯语言错误、违反社会规则、迷路，或者迷失了人生的方向。正因如此，每一个旅行者都有属于自己的一份犯错经历：你探索的国度越遥远，你就越容易迷茫、惊讶，你的信念也就越容易受到动摇。如果我们能走得更远一些——比如说到另一个遥远的星球上去，那里的物理环境截然不同，居民是清一色的外星人——我猜想我们到时候可能会比小孩子还一无所知，目瞪口呆，到处闹笑话。

体验犯错很少成为人们游山玩水的直接理由，当然这也不是他们出发的唯一理由。（我们出门也可能是为了探访好友、提高葡萄牙语水平，或者一睹大堡礁的风采。）但体验错误却往往是一个更深层的动因。有时我们想要变回当初站在时代广场上的蹒跚学步的孩子。为了找回孩提时代的感觉，我们选择出发：因为我们想要体验一个全新的世界，也因为我们相信，了解这个世界的最好方式就是在其中畅游。在旅途中（或者是其他方式的探险，在最后一章我将详细探讨这一点），我们会拥抱犯错的可能性，不是因为迫不得已，而是因为它能改善我们的生活。

我们并不是非得出国才能享受这种犯错的体验。有时，我们探访的未知地带是我们的内心。比如，心理疗法的一大前提就是我们能通过了解自己的未知领域——尤其是了解自己常有的错觉和错误——去做出改变。心理学家罗尼·吉诺夫－布尔曼指出，治疗介入“都可被视作促使患者质疑和改变旧观点与看法的尝试”。无独有偶，心理分析师海因兹·哈特曼也提到“心理分析的一大组成部分可以说是自我欺骗的理论”——我们如何犯错、为什么会犯错，以及发现这些错误会给我们带来怎样的变化。

如此说来，我们在内心世界探险的原因跟我们走出家门探险的原因是一样的：为了了解地图上那个未知的地方，纠正我们对那儿的错误理解。而在途中，我们更进一步了解了自己。不过，最理想的是，我们提升了自己。其实，治疗的目的毕竟不只是帮助我们了解自己产生某一感受或行动的原因。它还可以帮助我们改变自己的感受和行动——建立起一套更灵活、更实用、更宽容（无论是对自己还是对他人）的信仰体系。诸如祈祷、十二步提高法或佛教冥想之类的方式也同样具备这一功效，即促使我们接受自己犯错的可能性。与治疗，以及（在这个问题上）旅行一样，这些方式提高了我们抵抗挫折的能力，从而能以更耐心、更好奇、更包容的眼光来面对可能会动摇我们世界观的观点。

这恰好是犯错改变我们的有力的方式之一：它能让我们变得更有同情心。正确的感觉固然令人愉快，但我们已经看到，它有可能会诱导出我们内心最阴暗的一面。而反过来，犯错的滋味往往是最不愉快的——然而到头来，它却有可能激发出我们内心最积极的一面。或者说，能让我们得以自我升华。当我问起安尼塔·威尔逊犯错的经历对她有什么影响时，她回答道："我比以前更和善了。"

我有个朋友也说过类似的话。"我的故事是这样的——我敢打赌有很多女性同胞都经历过，"她这样对我说，"我从小就信仰天主教，并且一直认为堕胎是不对的。我当时认为这是唯一一个让我百分之百相信的道理——堕胎是错的，我永远也不会堕胎。但当我怀孕后，而且那时我也已经结婚了，可由于时机不够成熟，我还是堕了胎。我必须要疏导自己，但渐渐地，我开始觉得自己不是个杀人犯了，我只不过是个很普通的人，过着自己的日子。"这份经历让她重新审视了自己的信仰体系，最终她总结道："它让我不再去一味地批评别人了。"

那么，最终我们都会通过承认错误而完成自我转变。要想一味地批评别人，我们必须坚信自己是非分明，并且确信自己绝不会混淆黑白。然而，犯错的经历却告诉我们，事情并不是这样的。它提醒我们，我们以前犯过错，将来可能还会轻易地犯错——这不是嘴上说说，而是此时此刻就有可能，比如为了腌菜、行星、面包屑、蛋糕而起争执。同时，犯错的经历也提醒我们要宽容地对待他人、尊重他们——不仅因为他们有可能是对的，还因为他们有时也会不可避免地犯错。我们不应当因为他们犯了错，就将他们归结为愚蠢无知之徒，而应该看看我们自己的人生历程，得出恰好相反的结论：他们和我们一样，都是人，人非圣贤，孰能无过。

埃利斯就做到了这一点。他告诉斯塔兹·特克尔，在 1988 年电视直播的那场民主会议上，“镜头转向一位三 K 党成员，他当时正在说：‘我希望杰西·杰克逊①得艾滋病死掉。’我很同情他。这就是我的老朋友们的想法。而且我曾经也跟他们一样”。乍一听，埃利斯实在是语出惊人。在美国主流社会中，我们很少听到（或者希望听到）有人对白人种族至上主义者表示同情。当然，埃利斯并不是赞同这名发言人的观点。1988 年，他脱离三 K 党已经有 18 年了。他只是表达了自己的一番同情，这里面包含了两层意思：一种是旧日的同道之谊，另一种是一份悲悯之情。埃利斯的这个故事可以归纳成一句话：那就是曾经的我。

要将曾经的自己抛在身后是需要勇气的。而将他们的印痕留在身上一同上路则更是勇气可嘉：这意味着接受我们曾经的错误，认识到我们的改变，并且怀着满腔热情去铭记我们曾经是毛虫虫的那段岁月。这的确很困难，但却是值得的。法国哲学家福柯曾说过：“生活和工作的头号乐趣，就是成为你一开始并不是的那种人。”这种转型当然不一

① 美国著名的黑人运动领袖。

定非得通过犯错才会完成，但是错误却往往是促成这种转型的契机。回想一下我之前曾讲过的：如果我们能够将每一次的错误形态都冷冻保存下来，我们便会发现其核心内容都是改变，无一例外。

这种改变或大或小，但归根结底，它是没有限制的。我们的错误可以改变我们的信仰、与他人的人际关系，以及我们自己。从某种意义上来说，它们甚至可以改变我们的整个世界。我们会发现自己置身于一个让人不快、不适、不安的环境里，在这里我们可以体验到过去未曾经历过的事情。“人们总说人一上岁数，就越来越冥顽不化，”埃利斯说道，“这不一定是对的。自从我改变以来，我开始听马丁·路德·金的演讲录音。听着听着，就会禁不住热泪盈眶，因为我终于明白他在说什么了。我知道那段历史是怎么一回事了。”

第 4 部分

拥抱错误

第 14 章　关于错误的一个悖论

我有 3 种思想，像一棵树，栖着 3 只黑鸟。

—— 华莱士·史蒂文斯 《看黑鸟的十三种方式》

2008 年的一个夏日，美国独立纪念日近在咫尺，一位患者被推进了波士顿贝斯以色列女执事医疗中心（Beth Israel Deaconess Medical Center，简称 BIDMC）的手术室。BIDMC 是全美数一数二的医疗机构，同时也是哈佛医学院的附属教学医院。BIDMC 的医疗人员每年要接诊近 25 万人，每周实施约 175 台手术。这一次的手术也一如既往地展开着：患者已接受麻醉，手术部位的术前准备也已就绪，已经完成了第一道切口。手术结束后，患者被推到康复室，仍处于昏迷状态。当她醒来后，先是低头一看，随即抬头向主治医师望去，问他为什么自己身上不该动手术的那一边被绑上了绷带。

本书大部分章节都旨在揭示错误的正面作用，比如，我们从中能吸取什么教训，又会发生怎样的改变，它与我们的智力、想象力和人性之间又存在着怎样千丝万缕的联系。但医疗事故却有百害而无一利。如果你与这名患者一样，在医院里醒来发现手术医师在你身上开错了刀子，你当然不会驻足思考自己能从这个错误中学到什么，又能得到什么成长。你不会心生好奇，或者眼界大开，自然更谈不上满怀感激——除非是谢天谢地自己这条命还在。根据医学研究所的统计，全美每年有 69 万～74.8 万的病人会遭受医疗事故之苦，其中更有 4.4 万～9.8 万人因此丧命。就算是虚报估计数据，医疗事故在全美致死原因中仍高居第 8 位——连乳腺癌、艾滋病和摩托车交通事故也屈居其下。医疗事故的频发使其成为比其他高风险行业更容易出现意外事故的领域，并且其后果是致命的。要是美国民航的失事率跟医疗事故发生率齐平的话，相当于每 3 天就有一架满员的波音 747 飞机失事，机上无一人生还。

这些数据让观者心惊肉跳。而更让人心寒的是，医学界长期以来在医疗事故发生后的应对方式——往往是闪烁其词、混淆视听、大事化小、咄咄逼人或矢口否认。当然，并不是每一家医疗服务提供者都是如此，但这的确是整个医疗界的主流态度。2005 年，生物伦理学家南希·伯林杰（Nancy Berlinger）出版了一本关于医疗事故的书《事故之后》（*After Harm*）。在书中，她详细描述了医疗界猖獗的行事作风。"学生们看着老师怎么做，就学会了像他们的导师一样，在对待医疗事故时采取遮遮掩掩的方式，"伯林杰写道，"他们学会找借口，说手术结果是难以预料的，然后'错误'就变成了'并发症'。最重要的是，他们学会了向病人隐瞒事实。"她接着写道："医生们有多么不愿意实话实说，又是多么费劲地给自己隐瞒实情的老毛病找借口——这只是一个技术上的错误，我们无能为力，病人是不会懂的，他们也没必要知道。"为了证实这一评价，2002 年一份对医生行医态度的调查显示，实话实说的行为"跟业界风气比起来相差太远，以致被归结为'罕见’”。①

如果真是这样的话，贝斯以色列女执事医疗中心的所作所为的确很罕见。病人一察觉到错误，主治医生就意识到发生了什么情况，并尽可能地进行了详细的阐述，然后向其致以歉意——尽管一句道歉肯定是远远不够的。他接着向上级领导、医院的首席执行官保罗·利维进行了汇报。利维和其他高层对案例进行了回顾，认为该事故情节严重，必须向医院全员和社会大众予以通告。在经过一系列简单的程序后，他们通过电子邮件向医院所有的工作人员——5 000 多人——进行了通报，并向当地的媒体发布了消息。

毋庸置疑，这种非同寻常的反应并不是一时的心血来潮。2008 年 1 月，也就是手术搞砸的半年前，利维和董事会成员及医院工作人员做出了一个特别的新年决定：截至 2012 年 1 月，他们将杜绝一切可以避免的医疗事故。尽管减少错误的发生是绝大多数医院的一致心愿，然而像 BIDMC 这样立下此等雄心壮志的医院，举国上下却是少之又少的。

在本书前面的章节里，我曾指出，长期以来围绕错误的一大疑问就是：错误究竟是能斩草除根的，还是无法避免的。

---

① 医生们常常以害怕患者上诉为由，为自己的戒心与沉默找借口。但这种担心在很大程度上可能是无凭无据的。首先，有 35 个州已经通过“对不起”法案，意在禁止律师在医疗事故诉讼中以医生的致歉为由对其进行声讨。另外，也有证据表明开诚布公地承认错误并致以歉意可能恰好会降低被诉讼的可能性。1987 年，位于肯塔基州列克星敦市的退伍军人医疗中心在经历数起高曝光率、高赔款额的医疗事故诉讼后，颁布了医疗事故道歉曝光政策，开创了美国医院的先河。自那以后的 30 余年里，这家医院只上过 3 次法庭。同时案件的赔偿金额也大幅降低，平均安置每位病患原告的金额降至 1.6 万美元，相比之下，美国同等医院的平均赔款金额为 9.8 万美元。其实这些数据并不令人意外，只要你想一想其他几个数据——比如，有 40% 的受害者声称，只要院方当初给一个全面的交代并且低头认错，他们本不会将院方告上法庭的。

从哲学的角度来看，这是一个至关重要的问题，因为（正如我之前提到的那样）我们回应错误的态度能很好地反映出我们对犯错的感受。而在应用层面上来看，显而易见，这个问题的答案位于这两极之间：有很多错误可以并且应该减轻，还有少数甚至完全可以消除，而还有一些错误我们根本就不应该奢望能摆脱它。话说回来，这个问题在哲学上也好，在应用上也罢，都有一个非常有趣的地方，那就是它本身就是一个悖论：如果你想要铲除错误，你一开始就得认定错误是不可避免的。

BIDMC 为病患的人身安全而提出的倡议正好阐释了这样一个悖论。为了达成彻底消除错误的目标，院方发起的第一个行动就是开始全盘清查“所有可能对患者造成伤害的途径”，当时负责医保质量的高级副董事肯尼思·桑德斯如是向《波士顿环球报》（*Boston Globe*）介绍道。医院还在网站上公开发布了医疗事故的数据，力求开诚布公。医院的管理人员也致力于——按照最初的新年决心中的原话说——“坚持不懈地监控所有可避免及不可避免的伤害事故的发生”。这些举动都解释了为什么开篇举出的“开错刀”手术案的反应措施速度快、范围广、透明度高。“我们的想法是，”保罗·利维对我说，“如果你对错误的发生拒不承认，你就永远也无法降低其再度发生的可能性。”

利维的原则可以推而广之。如果你想要不犯错（或者说至少降低犯错的可能性）的话，你一开始就得承认自己可能会犯错，并有意找出自己的错误，分析自己犯错的原因。在诸如交通、工业设计、食品药品安全、核能源等特定领域，追求正确并不仅仅是为了满足小小的虚荣心，而是为了应对突发情况，因此这一原则也被视为铁规。这些领域中的佼佼者几乎都对错误如痴如醉，并且收效颇丰。他们尝试着想象每一种错误发生的可能性及其原因，尽可能地避免错误的发生，并且在错误发生后不厌其烦地对这条漏网之鱼进行解剖。这些从业者们认为错误的发生不可避免，因此才能更好地对错误进行预测，防患于未然，并且在预防措施失效的时候做出恰当的决策。

在高风险领域，目前民航运输界堪称错误管理的楷模。通常情况下，航空业致力于减少错误的原因是因为其错误发生之猝不及防，及其后果之惨绝人寰。1977 年，两架波音 747 航空飞机在加那利群岛的特内里费飞机场相撞，造成近 600 人死亡——无论在当时还是现在，这都是民航史上最严重的事故。当安全人员着手调查后，他们发现两机相撞的背后是一系列的失误，单独看来事情很小，连在一起却带来了灾难性的后果。此次事件后，航空业对飞机航行的每一个环节都建立了严格的规章制度——小到跑道标号，大到空中交通管制员与飞行员之间的通信方式等。这些规定成功地将 2007 年全美民航事故发生率从 1998 年的 0.178ppm① 降到了 0.104ppm。

除此之外，在合力降低错误发生率方面，还有一种人们耳熟能详的质管流程，即六西格玛管理法。六西格玛为摩托罗拉公司在 1986 年首创，如今已见于大部分福布斯世界 500 强企业，以及其他数不胜数的中小型企业。这一管理流程得名于统计学中的希腊字母 σ（西格玛），指的是总体中个体偏离均值的程度。在该管理流程中，所有的偏差值都是不理想的，它既可能是生产过程中的失误，也可能是最终产品的缺陷。成功运行六西格玛质量管理流程的公司在一百万件产品中只会发生 3.4 起失误，如此低的失误率（如果折算为成功率的话，已经高达 99.999 7%）值得嘉奖。再说明白一点的话，好比一家公司每年运输 30 万件货物，如果成功率是 99% 的话，会有 3 000 件货物

① ppm，即百万分率，定义为百万分之一，1ppm 即一百万分之一。

送错了地方。但如果该公司采用了六西格玛管理法的话，只会有一件货物被错运。

如今，六西格玛管理法已经被无数次推广（其实该项目本身也是早期多种质量管理方法的集大成者），但它们的基本方针和规则都大同小异。首先是依赖铁面无私的数据，以及（正如它的名字所包含的意思一样）对偏差失误避而远之。一般来说，许多公司对成功的评估都建立在业绩的平均值上——比如递送货物的平均时间是 3 天，又比如生产的制动衬垫的平均厚度是 0.375 英尺。但均值的问题就出在它们会掩盖很多潜在的漏洞和错误。如果说将货物送至目的地平均所花的时间是 3 天的话，有些货物短短 9 个小时就能到达，而有些货物要两周半才能送到。如果你生产的制动衬垫有的是 0.5 英尺厚，有的是 0.25 英尺厚的话，它们要么不能与其他部件进行匹配，要么达不到安全标准，要么会被由你供货的汽车生产商拒收。而六西格玛质量管理流程的目的不是提高均值本身，而是降低偏差值。因此，六西格玛分析师会采用一个五步流程，可概括为“定义、测量、分析、改进、控制”。简而言之，这一程序就是将所有与产品流程相关的环节分离出来，逐一分析。接着对这些变量进行调整，以求达成或保持最理想的效果，比如，公司的最终产品、顾客的满意度，以及盈亏结算。①

所有这些防患于未然的手段——无论是六西格玛管理法、航空业

① 我在本书前面的章节提到过，我们将错误等价为向正常或理想状态的偏离——举个极端点的例子，邪恶与原罪，还记得吗？六西格玛管理法从极其正面的角度，将这一思维模式展现得淋漓尽致，并告诉人们这种联想模式也能带来许多益处。在六西格玛的拥趸之间，偏差值不仅仅会被用来象征错误，还经常被称作（我在这里进行原封不动的引用）“敌人”和“邪恶”。

首创的管理制度，还是 BIDMC 付出的努力——都有 3 个重要的共通点。其一，正如我在前文指出的，承认易犯错性。正因如此，BIDMC 的官员才会尝试找出“所有会给患者带来伤害的渠道”。这也是为什么六西格玛质管分析师们会全面、系统地设想产品每个部件的缺憾或生产流程每个环节的不足，考虑这些不足可能带来的后果，并筹划好预防问题出现的方法（这一方法借鉴了早期的一项质量管理措施：失效模式与效应分析）。事实上，就算六西格玛管理法力求完美，它仍然致力于在公司内部和生产流程上树立一种“对失败的包容”。也就是说，它旨在加强人们对“事情有可能搞砸”的认识，完善风险管理策略。这样一来，即便发生错误，也是“无害的失败品”。

其二，这些防患于未然的手段都采用了公开透明的机制。在处理“开错刀”的医疗事故问题上，保罗·利维的处理方式与更普遍的应对方式比起来，其最大的区别或许就在于处理方式的高度透明化。

医院在不牺牲患者隐私的情况下，极尽所能地将记载了详细情况的道歉信广而告之。这一行为告诉我们，院方不是为了给患者本人一个阵仗更大、更醒目的道歉才这么做的。（医院确实也对患者坦诚相告，也道了歉，但也只止于医疗小组、相关医院管理者、病人和病人家属之间。）更准确地说，这一行为是为了未来的患者。公开认错的关键是让医院的每一个人多吸取经验教训，提醒医疗人员遵循现有的防错规章，更是为了尽可能地激发预防今后出现问题的新鲜理念。依此类推，航空业认识到公开透明的重要性后，也激发出一种鼓励工作人员和地勤人员汇报错误的文化，并确保他们不会因此受罚或惹官司上身。同样，使用六西格玛管理法的老客户通用汽车也表示，为了消除错误，“我们的企业文化就是敞开怀抱，接纳每个人的观点，削弱官僚作风，并将上下平等的理念纳入我们的企业文化，与之浑然一体”。[1]

其三，所有这些防错系统的第三大共同点就是对可核实数据的依赖——六西格玛质管分析师称作“根据事实进行管理”，而不是“观点和假想说了算”。按肯尼思·桑德斯的话来说，要说 BIDMC“开错刀”手术案究竟在哪儿出了错，最不可思议的谜团之一就是，“主刀医师也不知道为什么，只是糊里糊涂地感觉自己站在了患者需要开刀的那一边”。“糊里糊涂”和“感觉”恰好就是防错流程力求消除的潜在信号。正因如此，这些流程连问题流程的细枝末节和一目了然的环节也不会放过。想想看，你最近一次把钥匙锁到车里，只因为你自以为已经和平时一样把钥匙放在包里。我们通过亲身经历知道，我们犯错的原因之一就是这个任务太显而易见、习以为常，以至于我们都不愿动动脑子复查一下。

承认易犯错性、采用公开透明的机制和让可靠数据说话——这 3 点组成了所有防微杜渐的系统的核心理念。这一理念也与我们平时的思维方式截然不同——我们习惯了仓促、片面地看待证据，习惯了做井底之蛙、夜郎自大，习惯了用防御和否认的态度来面对错误。事实上，这些防错手段之所以存在，就是为了让我们的生活状态处于稳定衡态。要是弃之不顾，以一己之力应对的话，其结果我们已有目共睹——我们将条件反射般地认为自己是正确的，并且只会等到问题显山露水了才开始查找症结。

---

① 要说采用公开透明的方式来减少错误，还有一个有趣的例子是开放源代码运动。这一运动起源于电脑科技，核心理念是相信对于任何既定系统，运行程序越透明，就能越快侦查出内部的错误与缺陷，并予以及时修正。这样一来，该系统会更完善，也更有活力。尽管开放源代码运动还很稚嫩，但它已经在各种运行系统中取得了开拓性的胜利，如百科全书、审核学术论文等。（其在网络领域的成就更是不在话下，网络本身几乎就是通过开放源代码程序发展出来的。）常规操作和编程封闭集中，而开放源代码运动和所有尝试了解错误、预防错误的行动一样，强调的是透明度、包容性和民主化。

如果你是通用公司、摩托罗拉或美国航空公司的老总的话，你有12 分的理由在防错策略上进行投资。没有它们的话，你很有可能会给人们的生命带来威胁，从而导致公司声誉受损，招来法律官司，最后钱财、顾客两头空，甚至有可能整个事业都付诸东流。换句话说，对公司来说，关注错误是会带来回报的。1996 年—2006 年，摩托罗拉的公司报告显示，六西格玛管理法为公司省下了 170 多亿美元。无独有偶，在密歇根大学医疗系统成立道歉解释项目后，它们每年的法律赔偿费从 300 万美元降到了 100 万美元。在全美范围内，省下来的费用同样不可小觑：据医学研究所统计，全美每年医疗事故赔偿费的减少金额为 170 万美元～290 万美元。（这也是为什么人们广泛认为预防医疗事故是抵消医疗保健天价般开销的一计良策。）这还不包括其他一些难以估计，甚至无法估计的损失，包括公司信誉、顾客满意度——更不用说一条条人命了。

如果说从赢利和道德的角度来看，公司都有义务承认自身的易犯错性及已犯的错误的话，我们每个人作为个体，以及所有人作为社会、文化和国家的整体也是一样。我们已经看到太多阻止我们做到这一点的障碍：承认学识有限时的难以启齿、确定性对我们的吸引力，以及在错误发生后我们惯于采取的防御心理和否认态度。然而，尽管如此，有时我们的确能够正面接受不确定性和错误——而且并不只是在生死攸关、人身危险或利益驱使的情况下，而是在日常生活的七嘴八舌、唇枪舌剑当中。

“不”，这是我们较早学会的生词之一。当然，“爸爸”“妈妈”“还要”或“上面”这些词在时间上可能更有优势，但我们其实很早——一般在出生的第 12 个月到 18 个月——就学会了如何否定和拒绝。紧跟着学的就是“对”（也有小孩先学会“对”，不过为数不多），接下来的一段时间里，我们生活的世界就是这副模样：黑白对立，是非分明。心理学家将这一发展阶段称为“分裂期”[①]。不过，差不多到了 5 岁的时候，有意思的事情发生了：我们学会说“或许”了。这一个崭新的体验标志着我们开始学会承认、量化并谈论不确定性。同样，它也标志着我们跨出了一大步，开始学会将犯错的可能性融入生活了——就如同我们之前看到的公司和医院所做的那样。

从这第一个“或许”开始，我们关于疑问的词汇量和语法就进入了繁荣期。在本书的另外章节中我曾指出，我们倾向于固执己见，惯于将自己的理论当作事实，在面对模棱两可及犯错的情况时总会心生不快。此话不假。但同样，在条件允许下，我们不仅能够表达出这份不确定性，表达的方式还五花八门，手到擒来。首先是在词汇上（大概、或许、假设、可能、有待争论、有时、偶尔、不难想象），随后延伸到整个语法功能上。

比如，条件时态——可能、应该、会——就极其擅长表达说话者的后悔或不确定的心情。而虚拟式（不属于时态，而是一种语态），则涵盖了疑惑、不可能及非事实观点，它所处的语境就带有模棱两可的含义。虚拟式基本上已经被停止使用了，它也只残存于一些语法形式上，比如，“如果这原本是真的，我会第一个承认的”。不过，在罗曼语中，虚拟式仍然生机盎然，可见于描述梦想、希望、推测、非事实情况和怀疑的旧日习语中。

凭借这些构建起语言系统的积木，我们创造出无数语言策略来提防不确定性和错误的出现。其中包括：假设（“不假思索”）、问询（“你

① 有时心理学家也会把边缘型人格障碍患者形容为停滞在这一时期的人，因为他们始终认为世间万物都是绝对的。除开其他特征，这种障碍症还表现为力求正确的狂热冲动，以及拒绝接受易犯错性的执拗，或者否定多视角存在可能性的决绝。

对这个有什么看法”)、归纳（“大体说来”)、限定（“我比较同意”)、留一条后路（“据我所知”)、压下赌注（“我敢说这有六成能行”)、消踪灭迹（“别说是我说的”)。同样，我们还会自我繁殖来接纳兵刃相接的观点，这听上去既玄妙又别扭——比如，我们说“我有两个头脑”(意为我犹疑不定)，好像只有借分身术才能同时接受两个水火不容的观点一样——这一点也恰与“观念和人格密不可分”这一观点相吻合。我们还说“在第三只手上”（从第三个方面看来)，就仿佛我们对二元论的执着已经融入身体构造了一样，因此要想挑战这一思维方式，只有凭空造出一只胳膊来。在这个有两个头脑和 3 只手的平行世界里，关于对错（或倾向于对或错）的答案数不胜数。我们用这些表达方式来划出一片疆域，代表着我们在选择一方立场前对某一事物的多种看法——或者干脆表明不确定性本身就是我们的立场。

不管是下意识的还是无意识的，我们还会通过这种表面文章来影响听众。既然听众在撞上与自己相反观点或他人十分武断的言论后会更加固执，产生戒心，并且更容易表示反对，那么先承认自己的不确定性能大大降低对方的戒心。举个琐碎但很常见的例子，我有一次参加了一场大学生研讨会，有一名学生在发言之前说道：“可能同意我这个观点的人不会很多。”在此之前，班级里的学生们唇枪舌剑，互不相让，空气中弥漫着“一争高下”的学术氛围，一切发言旨在削弱别人发表的观点。而当这名学生说出这句话之后，整个氛围有所缓和。因为她率先承认自己的观点具有小众性，她的同学就能更好地思考这一观点的潜在价值，而不是急于贬低它。

人们普遍认为，这种让人放松戒备、自我贬低的说法（“可能我说得不对，但是……”“或许我跟主题扯得有点远……”）更像是女性的发言套路，在男性身上比较少见。这些言辞经常被批评为太过胆怯，妄自菲薄，这也绝非偶然。但我认为这样说太过片面。了解自身疑虑，关注矛盾之处，接受犯错的可能性——这些在我看来标志着深思熟虑，在很多情况下远胜过不假思索就言之凿凿、声势慑人的发言。菲利普·泰洛克也曾为类似的言语模式（或者说，这些话折射出的性格特征）进行辩护，无不赞许地称之为“自我颠覆的思维模式”。换言之，这种思维模式让我们担任大脑的辩论对象，从而对自身观念进行打磨——或一针见血地戳破。它们还帮助我们对复杂问题进行深入思考，从而拥有大胆、崭新的观点。同时，远离了陈规，逼近了疑问，它们将舞台让位于更开放、大胆、趣味盎然的对话。或许这名学生的一句“孤立无援”的前言最突出也最矛盾的效果就是，尽管此话让她的观点在眼下看来很可能是错的，但却让她的同学能更严肃认真地看待她的观点：这句话激发了她的听众来洗耳恭听。

这一点至关重要。因为据哈维尔·亨德里克斯发现，倾听是我们在生命中接纳自己易犯错性的比较好的途径之一。你或许会猜想这也是简便的途径之一——当然比诸如六西格玛管理法这种技术手段容易——但实际上，正如我们之前看到的，要做起来其实出乎意料地困难。认真专注地、真心实意地倾听起码不是一件易事。哪怕是事关重大的时候需要仔细倾听，人们也未必能做到这一点。例如，有研究表明，平均算来，医生会在病人开始解释就诊原因的 18 秒后打断他们的陈述。医生们训练有素，对于病情诊断往往顷刻之间就成竹在胸，所以经常连病人还没开始陈述病情就已经开始下诊断书了。对于话说到一半的病人来说，这无疑令人沮丧；而对我们其他人来说，更加忧心忡忡：没人希望在医生这儿得到这种礼遇，更没人相信这种草率的诊断方式能带来理想的治疗效果。但我们天生就喜欢归纳，大多数人在日常生活中也犯了同样的错误。我们一旦认定自己是对的，就会缩小关注范围，只留意那些支持我们观点的细节，或者干脆就堵上耳朵，拒绝聆听。

相反，当我们认识到自己可能犯了错的时候，我们更容易听取他人的意见。这一点也可见于医学界：当医生无法诊断某疑难杂症，或者因为某种原因而认为当前诊断并不合理时是出了名的孜孜不倦，敏而好问，还会一而再再而三地查证过往病例，以求捕捉到一些不易察觉的重要细节。不过，我个人最喜欢用这样一个例子来阐释学会倾听和学会接受自身易犯错性之间的关系—— 一个名叫约翰·弗朗西斯的男子，在 1973 年立下了噤声的誓言，一沉默就是 17 年。

约翰·弗朗西斯并不是僧人，甚至跟僧人一点儿边也沾不上。他住在费城，是一名工薪阶层的非裔美国人，就连他噤声的誓言也是由另一个有意为之的誓言偶然促成的。在 1971 年弗朗西斯科海湾大型漏油事故发生之后，当时住在该地区的弗朗西斯下定决心开始戒酒。[这个誓言持续的时间更久。我与弗朗西斯结缘于我以前编辑过的一本在线环保杂志《麦芽》(*Grist*),《麦芽》曾刊载过弗朗西斯离开内燃机岗位后 20 年里的生活情况。]“当我一路走来时，”弗朗西斯在《麦芽》的采访中说道，“人们纷纷驻足，质问我到底干了些什么，然后我就会跟他们争执不休。而我也意识到了——你知道的——或许我根本就不想跟他们吵。所以在我生日的那天”——他那会儿刚满 27 岁——“我决定要让周围的人们清净一会儿，只因为，天哪，我随时随地都在与人争执。”

弗朗西斯一开始并没有打算长时间噤声：“我一开始只是决定试一天，什么都不说，看看能发生什么。”结果这个实验的结果太有趣了，他就坚持了下来。正如同哈维尔·亨德里克斯认为的，要想改善人际关系，就得“听了又听，听了又听”。弗朗西斯发现，停止说话后，他看待他人和他人观点的方式有了极大的改变。“当我意识到自己一直以来并没有在倾听的时候，”弗朗西斯回忆道，“就感觉我好像有半辈子都在关起门过日子一样，”他还强调说，“沉默并不是单单不说话而已……你会听到一些闻所未闻的事，你还会以一种全新的方式来聆听它们。就这样，我当年会反对的观点，现在我可能会同意了。”在他的回忆录中，弗朗西斯就这一点进行了详细展开。“在我绝大部分的成年时光里，”他写道，“我都没有真正地倾听过。我只会听说话人的观点与我自己的是否相符。如果不符的话，我就不会再听下去，我的念头早就飞到前头，设想自己该如何驳倒我自以为的对方的想法或立场。”

只为了反对、争论和指摘而倾听，对我们很多人来说，这样的反思有切身之痛。选择噤声或许是一种极端的纠正方式，但选择倾听并没什么大碍。毕竟，接受自身易犯错性的唯一方式就是不再一心扑在如何捍卫自身上。的确，我们能通过改变说话的方式给自己留点余地——比如，五花八门的“或许、大概、可能”和“第三只手”之类的。但我们总能通过改变聆听的方式来为自己留后路。我承认，这句话土得掉渣，但总有那么一些真理不会因为岁月的流逝而消逝，也不会因为听起来过时了就失传。无论是在爱情中、行医中，还是整个人生，倾听都是谦逊的表现。它说明他人的观点是有趣的，也是重要的；我们的观点可能是错误的；以及我们要学的还有很多很多。

不过我们还是可以通过若干方式试着避免错误的发生。我们可以提高倾听彼此的能力，巩固畅所欲言的自由。我们可以营造公开透明的氛围，不要提倡遮遮掩掩的神秘主义。我们还可以赋予每个人发言的权利，鼓励他们在发现出错的前兆时发表意见，而不应仰仗于一个重权在握的小圈子。

这些措施或许是发现并且消除错误的良方，但它们听起来更像是一味带来民主的药方。这并非偶然。尽管我们通常并不会往犯错学上想，但一个民主的政府其实还象征着另一种接受错误的存在，削弱其各种危险化身的途径——不是工业策略或个人途径，而是一种政治手段。

回顾现代民主的崛起，其与错误的关系一目了然。在中世纪的欧洲，执政的权利被广泛认为是神明授予的——这一观念被载入政治宗教教义《君权神授》(*Divine Right of Kings*) 中。这一教义所表达的观念，表面上是政治领袖并不受制于任何凡间的权威，更深一层则是认为君主是上帝甄选出来的人物，因此不可能犯错。[从这一点上来看，法国哲学家约瑟夫·德·梅斯特尔（Joseph Marie de Maistre）曾指出，一名从不犯错的领袖和一名从不会被指出错误的领袖之间是没有实质上的区别的。] 在 15 世纪，欧洲国家的政权开始世俗化，君权神授教义的影响力逐渐降低。在接下来的 300 年里，教会势力迅速衰落，宗教信仰被撵到自己的一方天地中，不再有权力界定和吞噬公众生活，由此政治领袖逐渐被视作凡夫俗子。从好处上讲，这意味着法律允许人们罢黜腐败或无能的统治者；往坏处上讲，这同时意味着所有的领袖都有可能犯下错误，无一例外。因此启蒙时代的思想家们——众所周知，他们已经对错误这一问题如痴如醉——便开始考虑该如何应对政治的易犯错性这一问题。

他们得出的答案渐渐有了民主的影子。让-雅克·卢梭（Jean-Jacques Rousseau）在 1762 年发表的《社会契约论》中语出惊人，声称尽管身为个人的统治者可能会失足，但“大众的意志是不会有错的”。(卢梭的思想在很大程度上受到了概率论和统计学的影响，虽然这二者在当时还只是新兴学科，但在他身上的影响也逐渐显露出来。他认为，人民大众的集体意志之上能够产生一种不会犯错的政治体系，这一思想的形成在很大程度上受到了误差分布论的启发。) 同时，在大西洋的另一岸，托马斯·杰弗逊断言：“真理无扰方能成其大，方能无往而不胜，真理是谬误不折不扣的天敌，且无畏于冲突，除非人力强行介入来剥夺其天然武器——自由辩论。”对卢梭来说，允许公民投票选出国家的领袖和政权就能战胜错误。而对于杰弗逊来说，让人们畅所欲言就是战胜错误之道。直接选举和言论自由——这二者分别是民主的定义和民主的象征。

作为美国建国之父中的一员，杰弗逊道出了美国的建国理念：执政者不应是一个永不犯错的完人，而应是一个公开承认其易犯错性的政体，美国正是在这个政体的争执和错误中踏出一条通往全民自由、公正的道路。尽管美国此时还很稚嫩，但它已经包容过一个甚至被视作最严重的错误。历史学家理查德·霍夫施塔特（Richard Hofstadter）在《政党制度的理念》（*The Idea of a Party System*）中指出，美国的政治自由是躲在宗教自由之船上的偷渡者。“既然在殖民地，人们就能包容信仰等重大问题上的错误，”霍夫施塔特写道，“那么在美国，当时就已经形成了执政体系的雏形的情况下，人们就更能为了公共和平而学着去宽容错误了。”

事实上，杰弗逊及其他美国早期的政治家不仅仅包容了错误，他们还敞开怀抱欢迎错误，其意图远远超过了维持和平安定。为了与启蒙时代的精神保持一致，这些思想家认识到，在开国初期，真理和错误往往是难以分辨的。因此，他们决定，无论所有理念的表面价值为何，都要允许所有理念百花齐放。当他在美国历史上最有名的羊皮纸上签上自己的名字之前，本杰明·富兰克林说道：“我承认目前的宪法中有几点我暂时还不同意，但我不确定我是否会一直不同意。活了这么久，得益于更好的信息、更周全的考虑，我曾数次改变了对若干重大问题的看法，尽管当时我自以为是对的，后来却发现并非如此。”这段话用来形容美国的建国历程再适合不过了，它正是建立在这样的认知上：要想让一个政治体系成功运作，就必须将对错误的宽容嵌入骨髓。

事实正是如此。尽管美国开创的政治体系经常让人失望，但它往往能在最后力挽狂澜：我们被迫与跟我们的政治理念相悖的人一同合作执政。这一点可见于联邦制（国家政府和州政府分权执政），还可见于三权分立（即立法、行政和司法三大分支权力共享、相互制约）。在这两例中，执政权落于不同的独立实体手中，用以防止某一方权力的巩固，确保没有一家的意见会盖过其他的言论。对错误的包容还体现在我们的法律是可以被修改的，我们拥有挑战本国传统的自由。（这个观念虽然对我们来说再基本不过了，以致根本无法想象没有它的生活会是怎样的，它在历史上绝大多数时期中、绝大多数的政府形式都是备受咒骂的。）我们经常在民主的两大标志性观念中观察到对错误的包容：政党制度和言论自由。

政党制度与言论自由是齐头并进的。民主政府跟个人一样，都必须承认自己有时也会犯错。同时，要想让自己心里尽可能舒坦，他们还得记住，只有通过这些错误，才能知道自己是自由的。

这一切都很好——这样那样的民主，诸如此类，但当自由开放的社会犯下泯灭良心的错误时，又会是怎样一番状况呢？在第 7 章，我们目睹了瑞士直到 1971 年才向妇女开放选举投票权。而美国的民主政府在历史上曾批准人类奴役合法化，将本国公民关押在拘留营，对反对党内部进行间谍活动，对国家的疑似敌人进行折磨，并且还通过其他数不胜数的方式展现出一个民主国家犯错之多、程度之重。

你或许会说这些丑陋的篇章之所以会发生是因为民主体系出现了故障，而并非民主政权带来的后果——此话说得好听一点，不过是一个民主的虔诚信徒口中真假参半的自我安慰罢了。如果一个体系能容纳犯错之必然性，并且相应地允许各种观点的表达；如果这些观点中的一个观点——比如，负债者应受牢房之罚，或者种族间的通婚为法所不容——成为根深蒂固的政策，那么谁又能说这是邪说而不是民主呢？诚然，民主社会的失足仍然好过霸权社会。但这些错误仍令人担忧——更何况，同样严重的错误在未来仍然在所难免。

同样，政治体系用于包容和避免错误的手段与我们在本章前段看到的其他方法有异曲同工之妙。无论是在政坛、工业领域还是日常生活中，你都可以建立一个防错系统，但你不敢打包票这样就能抵御所有的错误。例如，许多医院都有类似于“术中暂停”的规章，手术小组在开始任何程序之前都必须要照这张一览表进行核对。BIDMC 在 2008 年“开错刀”医疗事故之前已经有“术中暂停”体系了，但手术小组却没有使用它。现在有许多医院都会在术前给患者需要动手术的体侧做好标记。BIDMC 医疗事故中的那名患者正确动刀部位也做有类似标记——可是医生并没有注意到它。至少对这位患者来说，现有的防错系统“还不够完善”，保罗·利维承认道。后来，他和管理小组回到黑板前对防错系统进行了改善（其产物之一，就是下面列出的新版“术中暂停”一览表），利维说道：“我们认为防错系统比以前更有效了。但毫无疑问，将来又会有别的地方出岔子。”的确如此。你设计出一个防错系统，它有效工作了一段时间，然后又冒出来一个错误，告诉你设计中还有纰漏。于是你对系统进行修正，现在它更有效了——但迟早又会有别的错误被忽略，告诉你还漏看了更多的缺陷。错误似乎总是先我们一步。

因此，我们不可能捕捉到所有的错误，或者跟上错误的步伐。不过，我们也不能放弃这场追逐，因为这样做带来的代价都太高——无论是人命、金钱，还是单纯的愚蠢。所以我们唯一的选择就是继续和错误共存下去，不断寻找它。它无处不在，只是藏得太过隐蔽。为了让我们更好地思考寻找错误的方法，我想借助一个十分著名的终极方法来接受（为了减少）犯错的可能性。笛卡儿为我们带来了解决方法，他或许是史上最热衷于犯错也最爱写犯错的哲学家了。在《第一哲学沉思录》(*Meditations on First Philosophy*)中，笛卡儿试着探寻我们该如何（以及能否）区别错误与真知。他首先指出，在理论上，我们犯的错是没有上限的——因为就算是我们看来最确定的事情，也可能是上帝在故意欺骗我们。

或许这种欺骗行为看起来并不像造物主的作风，因此笛卡儿的巧思妙喻渐渐得名为“邪恶天才”。邪恶天才或许是迄今为止人类设想出的用来接受自身易犯错性的最彻底的手段了。它让笛卡儿怀疑任何可以怀疑的事物，包括（我之前提到的）他自身的存在——尽管，众所周知，我们自身的存在是他最后唯一确定可以仰仗的事实。笛卡儿的观点的逻辑运作是这样的：我可能没胳膊没腿，尽管我自以为我有；我可能没有自由意志；我头上可能没有一片天空，或者面前没有一杯咖啡。一个全能的邪恶天才会让我相信上述所有事物，哪怕它们无一存在。但就算是邪恶天才也无法欺骗我，让我认为自己在思考。如果我认为我在思考，那么我必然是在思考。再进一步，在这个思考中一定有一个“我”的意识萦绕其中，就算这个“我”没有四肢、没有自由意志，也没有对咖啡上瘾。最后笛卡儿道出了这句名言：我思故我在。

再次确信我们可以思考无疑是一大慰藉，不过此刻我们如果提出这样的疑问想必也情有可原，那就是：我们为何而思？通过哲学家对错误的处置，我们知道自己的思想是存在的，但它们或许与真实世界大相径庭。通过了解工业和政治体系对错误的处置，我们明白无论我们如何对错误提高警惕，也无法让自己和这个社会避免灾难性的错误。不妨再回忆一下“出自人类历史的悲观元归纳”——许多我们曾深信不疑的思想在过去被证明是错误的，那么我们的许多新思想也会在未来被推翻。

对于这种悲观，这种极端的不确定性，我们该何去何从？我们需要它吗？它有用吗？实用主义创始人查尔斯·皮尔斯（Charles S. Peirce）

贝斯以色列女执事医疗中心　哈佛医学院附属教学医院

术中暂停核查表

术中暂停一般在拉上帘后进行，除非记录有明显例外（如：眼部）
擦洗护士：手术台上无以下 4 项情况。
1. 切口：刀身没有刀片。电笔没有尖端。
2. 渗入：局部注射器没有针尖。
3. 插入：没有窥镜或支气管镜。
4. 开始：如有上述情况不得实施手术。

小组全员进行参与

参加人员	口令	行动
巡回护士	准备术中暂停	注册护士在电脑前，手持同意书
全员	是	停止行动 关掉收音机及其他设备
巡回护士	患者姓名及医疗保险汇款通知书	在电脑屏幕和同意书上核对患者姓名及医疗保险的汇款通知书
麻醉医师	简・多伊；医疗保险汇款通知书编号 123456	核对身份识别带 *
手术医师	确认患者姓名	
巡回护士	过敏反应	PIMS 屏幕上观察过敏反应
麻醉医师	列出过敏反应或宣布没有	
手术医师	口头确认	
巡回护士	抗生素	
麻醉医师	抗生素名称及使用时间	核对 AIMS 档案及下一次注射的时间
手术医师	口头确认	

（续表）

巡回护士	深静脉血栓预防 宣读已用药物名称或陈述此项不适用 宣读气泵已经使用且激活或陈述此项不适用	
巡回护士	核对流程	准确核查同意书
手术医师	包括手术部位和方位在内的手术流程名称（比如右侧手腕切开复位内固定术）	
巡回护士	做标记	
手术医师或被指派者 **	确认标记或陈述此项不适用	标记可见 如果准备过程中标记被移除需重新做上标记
巡回护士	姿势	
手术医师	确认患者处于正确姿势	
巡回护士	所需植入物、器械或手术人员在场或宣读获取方案	解决以上问题时向临床顾问求助
手术医师	所有所需植入物和额外参与人员在场或正在途中吗	
擦洗护士	列出在场的所需植入物、器械及手术人员或宣读获取方案	
巡回护士	请确认影像学资料	
手术医师	资料在场且被正确展示，患者姓名和医疗保险汇款通知书均经核实	
巡回护士	还有什么需要公布的吗	如有，进行记录
擦洗护士	宣布准备开始 4 项规定	准备 4 项中的一项
全员	如果情况需要，进行应对（可能包括特殊预防措施）	
* 如术中暂停期间无法获得身份识别带，则由麻醉医师和巡回护士进行证实。	** 手术医师或被指派者＝获取执照的个人医护人员，负责做标记。为与门诊病人中心静脉置管指导方案一致，通行规章中并未包括中心静脉置管。	版权所有 BIDMC@2008

2008 年夏天“开错刀”医疗事故发生后，贝斯以色列女执事医疗中心颁布了这份修正版的“术中暂停”核查表

并不这么认为。他对笛卡儿嗤之以鼻，还忠告我们不要“在哲学上怀疑我们内心深信不疑的事物”。诚然，我们已经知道，所有人都有（并且需要有）自己的观念，我们要么隐隐约约这么觉得，要么就深信不疑、不容置喙。就拿我自己来说，我从不会花时间来怀疑自身的存在，或者质疑我内心深处的任何道德准则。但总体说来，我仍然倾向于认为皮尔斯的观点是错误的。怀疑是对自身观念的挑战。我们之所以会研究出一套又一套正规方案来进行怀疑，那是因为，正如我在前文写到的，我们的内心非常不擅长怀疑。

而我们也为这一弱点付出了代价。我并不只是想说，如果学会怀疑自身观念，我们会犯下本可规避的错误。的确，这些错误或许代价不菲，但对我们的易犯错性视而不见只会带来更大的损失。事实上，它的影响会延伸到我们对整个世界的看法中。苏格拉底授课时，并不是填鸭式地向门生们灌输死板的知识。相反，他向门生们传授疑问，即面对世界的复杂性和矛盾性时内心的一种疑问、焦虑和敬畏相交织的感受。如果我们不能接受自身的易犯错性的话，我们就会失去这种怀疑的能力。这不是哈姆雷特式的疑问——那是一种面对艰难抉择时的痛楚。也不是缺乏安全感、坐卧不安或麻木不仁的疑问。这是一种积极主动、富于探索的疑问：这个疑问激发我们蹒跚前行，跨越界限；这个疑问不是让头脑分裂，倒更像是让它繁衍，让它像斯蒂文斯的那棵树一样，上面栖息着 3 只黑鸟，还有整个布朗克斯动物园。要是我们不能接纳错误的话，我们就无法享受到这种疑问——充满好奇、可能和未知的疑问。

此外，我们若是拒绝为自己的易犯错性加冕，还会错失掉另外一些东西。我在本章探讨的是承认错误对于预防错误的重要性。然而，有时承认错误并不是达成目的的手段，而是目的本身。作为本章结尾，我不妨转向接纳错误的另一个理由：不是为了消除它，而是为了享受它。

第 15 章　错误意味着更好的可能性

“人生的秘密就在于享受被狠狠地、狠狠地欺骗的乐趣。”

——奥斯卡·王尔德《一个无足轻重的女人》

这里我先讲一个我自己的小故事。2007 年的一个夏日，我和姐姐还有她的家人一同驱车从康涅狄格州到波士顿旅游。故事里的这辆车是他们刚买的新车，不过因为我自己算不上是一个爱车族，也就没有太注意它，只知道车的颜色是赏心悦目的蓝色。由于我是一个“没什么地位”的妹妹，因此我被打发到后排跟外甥女坐在一起。

车开到曼彻斯特没多久，我们在一家服务站前停下来吃东西。当我们正准备离开时，自离开康涅狄格州起就阴霾不断的天空突然下起瓢泼大雨，典型的东北部地区的夏季气候。我没有带伞，就一路小跑径直奔到车前，把门打开，浑身湿淋淋地扑向后座——把坐在后排正在护理小宝宝的陌生女人吓了一大跳，她的惊恐之情溢于言表。

读到这儿你也就明白了——我上错车了。我以迅雷不及掩耳之势狼狈不堪地从车里钻出来，临走前最后一眼看到那个陌生女人时，她仍然一脸震惊，两手紧紧抱着小宝宝不敢松开。等我找对了车时，一直跟在我身后一段距离的姐姐（究竟是她离我太远来不及警告我找错了车，还是她就是想看我的好戏，还有待商榷）还在那儿前仰后合，狂笑不止。

毫无疑问，犯错也可以很有趣。虽有些不近人情但也无可争议的推论是：看别人犯错非常有趣。在上一章的结尾处，要是读者不明白我为什么说为了享受犯错而犯错的话，这种乐趣就是其中之一。错误和喜剧本是同根生。并且不只是错误与喜剧，还有错误与艺术，错误与学习，错误与个性，甚至错误与生存。

我们不妨从错误和喜剧看起，一大原因就是，不管你意识到没有，你对这二者的关系已经再熟悉不过了。无论你是从小看着情景喜剧、幽默魔术、好莱坞经典，或者偷拍喜剧长大的；还是曾经听着这个笑话“一只企鹅、一只狮子和一只猩猩走进酒吧……”[①]笑出声来；抑或是自己一时口误，或者因别人的口误而捧腹大笑过（我就有个朋友曾经问一个过敏患者是不是发过韭黄，这个笑话一时流传甚广）——如果你曾经体验过其中一二，那么你就已经尝到犯错的乐趣了。像这样的搞笑错误并不少见。同样，也没人规定错误通常就是严肃的，上述这些不过是例外。恰恰相反，错误的本质就藏着潜在的喜剧因子。反过来说，喜剧的本质里也藏着些许错误的苗头。

至少 2 500 年以来，作家、哲学家和评论家们都在不断探寻着幽默与错误之间的本质关系。其中有一大主张历史悠久，不过有失宽厚：我们因为贬低他人而发笑。这一主张被称为喜剧的优越论，其支持者以托马斯·霍布斯最为有名。他认为，幽默起源于“通过与他人或过

① 然后酒保问道：“这是什么情况，一个笑话吗？”

去的自己的弱点进行比较，突然感觉到自己的长处”的心理。按照优越论的逻辑，错误之所以让我们发笑，是因为它们让犯错者显得愚蠢，从而衬托出我们的体面。在这一模型里，喜剧确立了我们与正确性之间欠缺（并渴望拥有）的关系：我们有，而别人没有。

优越论还解释了为什么我们会被——比如《阿比阿弟的冒险》（*Bill and Ted's Excellent Adventure*）里面，“哟，妈妈”之类的笑话；还有路人不小心撞上擦得无比干净的玻璃门的情景——逗乐。可是这个理论既不是必不可少的（大象那个笑话里面哪儿来的优越感），又有些差强人意（年迈的父母有什么好笑的），而且它似乎剥夺了幽默的两大核心元素——快活和轻松，取而代之的则是类似于损人利己的报复心理。

关于喜剧和错误之间的关系，还有一种更宽容的说法。它指出，我们面对他人的错误发笑并不是出于自我满足，而是出于自我认同。一些思想家甚至提出传统喜剧的全部意义就是把我们的错误行径演给我们看。这个观点——我们不妨称其为幽默的自我提升论——由伊丽莎白时期的评论家锡德尼爵士提出，他声称喜剧的功能是“模仿我们日常生活中的寻常错误”。接近 100 年后，伟大的喜剧作家莫里哀的观点与之遥相呼应，他通过对自己的剧作进行观察而得出结论：“喜剧的职能就是通过将人们逗乐来纠正他们的错误。”

自我提升论和优越论尽管在大方向上不尽相同，但二者仍有一些相似之处。它们关注的都是错误的内容。对它们来说，我们因为特定的、易识别的错误而发笑，不管是出于自身的优越感，还是带着一丝追悔莫及的认同感。另有一种假设关注的不是错误的内容，而是错误的结构。这个理论被称为幽默的不协调论，无论从其影响力还是解释范围来讲，不协调论是迄今为止我们对喜剧最权威的注解。亚里士多德是不协调论的支持者（并且还有可能是其开山鼻祖），哲学家叔本华、克尔凯郭尔和康德也不例外。近代还有瓦尔德·琼斯（我们在“正确理论”约束中曾提到过他）在喜剧领域中上下求索，最终得出结论——不协调现象占据了“幽默的绝大多数”。[①]

正如其名，不协调论设想喜剧源自一种错位。具体来讲，就是预期和现实之间的不匹配。根据这一理论，喜剧情境的出发点是对某一观点的持有——无论其持有者是有意还是无意，无论此观点是昙花一现还是根深蒂固，无论喜剧家或恶作剧者是真心持有还是蓄意植入。紧接着这个观点被推翻了，随即带来惊讶、不安，以及另一个取而代之的观点——于是也一同带来了享受和欢笑。换句话说，这个幽默的结构——给予或带走一点点快乐——即错误的结构。

类似的这种结构还可见于莎士比亚的《错误的喜剧》（*The Comedy of Errors*）。（除了这部还有哪部更合适？）故事讲述了两对双胞胎一生下来彼此就被分开—— 一对为仆，一对为主。之后，4个当事人在彼此都不知情的机缘下重聚在以弗所，即现在的土耳其。不难想见，麻烦接踵而来。其中一个仆人受命赴差，而另一个因未能完成任务而挨打；双胞胎中的一人一时糊涂向另一个双胞胎的小姨子欲行不轨，后者误以为姐夫不忠而大惊失色……你能想到场景有多混乱了吧。

为什么《错误的喜剧》这么滑稽有趣呢？据伯特兰·埃文研读，按照许多常规的标准来看，这部剧并不好笑。没有一个角色在本质上是搞笑的（无论是有心打诨的善辩者，还是浑不自知的丑角），并且没有一句

---

① 关于幽默的来源还有一大传统解释——释放论。按照这一说法，笑的功能是释放内心压抑的精神、情绪、心理和两性上的压力。释放论有助于解释为什么我们会被荤段子逗乐，以及为什么我们有时会在面对压力、重大形势和悲剧场合时咯咯直笑。不过，由于在此处释放论和错误不太沾边，我就不将其列入讨论范围了。出于同样的原因，最近从进化心理学角度探讨幽默的理论大都关注原始社会等级和/或古代戏剧习俗，本书也不作讨论了。

对话像莎翁后期作品那样承载着接二连三的机智语言，以及下流粗俗的措辞。《错误的喜剧》一如其标题所指：我们会心一笑，是因为（并且绝大多数时候是因为）主人公们频频出错。正如埃文所说："笑声在很大程度上来自参与者与我们之间在理解上横亘着的有料可挖的鸿沟。"

《错误的喜剧》因为有了这条"有料可挖的鸿沟"而平添滋味。而事实上，古往今来，还有许多幽默作家也在其中淘金，并乐此不疲。错误观念或许是错误的精髓，但它们也是极常见、极有效的喜剧情节推动元素之一，无论是《塔度夫》(*Tartuffe*)（或许是从古至今最有趣的风尚喜剧）还是《窈窕淑男》(*Tootsie*)（或许是从古至今最有趣的爱情喜剧）。① 理解上的鸿沟同样也给日常生活带来了许多意想不到的快乐。和两对双胞胎在以弗所的遭遇一样，我在曼彻斯特的遭遇也是乐趣横生，因为我以为自己正在做的事情（钻进我姐姐的车）和我实际在做的事情（钻进陌生人的车）之间存在着差距。换句话说，现实世界与主观世界之间的差距既是让我们犯错的元凶，也是带给我们喜剧享受的源泉。

我们之前已经接触过这种"错并快乐着"的体验了，其中最明显的首推视错觉现象。老实说，喜剧和错觉可算是一对近亲。亨利·柏

---

① 论有趣，或许《窈窕淑男》还得屈居第二。根据美国电影学院在 2000 年列出的排名显示，勇夺榜首的是玛丽莲·梦露主演的爱情犯罪喜剧《热情似火》(*Some Like It Hot*)。对这两部影片都很熟悉的读者或许会就此得出结论：喜剧的真正来源不是迷惑和错误，而是让男人穿上裙子。这种幽默的异装论还适用于美国电影学院列出的史上最有趣电影名单上的其他名片[《窈窕奶爸》(*Mrs. Doubtfire*) 和《雌雄莫辨》(*Victor / Victoria*) 也跻身前 100 名]，更不用说诸多的戏剧杰作了。[比如，《皆大欢喜》(*As You Like It*)、《第十二夜》(*Twelfth Night*) 和《驯悍记》(*The Taming of the Shrew*)]。的确，无论是货真价实的还是含蓄隐晦的异装癖都自成幽默的一派（其来源十分复杂）。但是这些异装故事真正的喜剧力量或许来自剧中因身份混淆而引发的闹剧——这一点与容貌相同的双胞胎生下来彼此就被分开的故事极为相似。

格森（Henri Bergson）在1900年发表了一篇关于笑的随笔，此文产生了深远的影响。他在其中写道："当一种情况同时属于两个完全独立的事件序列之中，并能同时具有两种截然不同的诠释时，它总是让人发笑的。"

当一种情况产生两种完全不同的目视判读时，我们可以得到视错觉现象（比如一张图像同时可以看作花瓶和人脸，或者年轻女子和老妪）。而当一种情况可以产生两种不同的理解时，别的不提，我们就有了《错误的喜剧》。还有阿博特和科斯特洛的相声表演《谁在一垒》（*Who's on First*）。

还有双关语——某个词或词组可以有两种不同的解释。还有听错了的歌词——一组音节可以在语法上产生两种不同的语意。还有小孩子玩的电话游戏，其乐趣就在于这头说的话一经那头的断章取义，两者相比较之下简直面目全非。这些事情让我们捧腹大笑，其原因跟我嘲笑自己莽撞地钻进陌生人的车内别无二致：我们一开始的预期（格劳乔·马克斯的妙语名言："我享受过美妙的夜晚，"）和后续发生的情况（"但今晚不是。"）之间存在的差距。

话虽如此，我并非极力声明不协调论是幽默的统一场论。毕竟，本书开篇我就引用了柏格森的谆谆教诲，"切勿用定义来束缚喜剧精神"。并非每一个笑话都源自错误——这道预期与现实间的"有料可挖的鸿沟"。反言之，也并非每一个错误都能带来欢乐。过去痛苦的体验已经告诉我们，信仰的颠覆不会让我们大笑，只会让我们不安，让我们崩溃。[①] 但话又说回来，即使幽默有时能够不借助错误而成立，它

① 柏格森在这一点上又开始唱反调，声称只有在被摧毁的观念是我们深信不疑的观念时，我们才会觉得错误并不好笑。"以置身事外的旁观者身份来看待生活，"他提出，"许多戏剧都会变成喜剧。"换句话说，保持足够的物理上和情感上的距离，所有的错误都是有趣的。对众神来说，人间奇景或许充其量只是一集很长的情景喜剧罢了。

也无法在一个没有错误的世界里大放异彩。一旦带走错误，就好比抽干了喜剧的泉井——或许尚不至于干涸见底，但仍然会引发旱情。如果我们还想像现在这样继续笑着过下去，那么我们就得继续踉踉跄跄地跌入主观世界与现实世界间的缝隙中，继续错下去。再好不过的是，我们能学会面对错误而微笑，若实在不行，起码也能安慰自己，放大了来看，我们就是因为它们而笑。

我一直挂在嘴边的这道缝隙还真是个奇怪的东西。一方面，它是隔在我们和万物间的一道城壕，既让我们犯错，（一旦向深处望去）又让我们对自身的存在感到眩晕——意识到自己处于彻头彻尾的孤独之中。另一方面，它又带给我们欢乐，包括我们有意犯错以求彼此解闷。这道缝隙产生的创造力并不仅限于此。心理学家罗洛·梅指出，所有的艺术"都来自一个人……和一个客观现实的邂逅"。柏格森也赞同这一点。"如果现实能与感官和意识肌肤相亲，"他写道，"要是我们能与万物、与自己完成瞬间融合，那或许艺术将一无是处。"就像错误一样，艺术降临人间，只因为我们无法直接擒住事物的本质。

长期以来，哲学界便一直对文学界持否定态度，认为艺术的本质是对现实的不准确再现。柏拉图在《理想国》最负盛名的文段中据理力争，主张一个理想的文明社会应当将所有的艺术家驱逐，因为他们唯一的本事就是扭曲真理。柏拉图再次搬出苏格拉底作为他的代言人，让我们想象一张床（万物中的一例），以苏格拉底之口开始展开对艺术的抨击。苏格拉底说，一张床有 3 种形式。第一种形式是神圣的。上帝创造了一切，因此他一定也创造了床的理念，所以唯一完美无缺的床只存在于上帝的头脑里。第二种形式是你可以在宜家买到的床。这种床是神圣理念的堕落形式，但它仍然在理想国赢得了一席之地，因为就算是哲学国王也需要有一个睡觉的地方。然而第三种形式——一幅床的画像，就是苏格拉底划清界限、坚决反对的形式了。在第三种形式中，神圣理念的堕落不是为了实用的理由：你不可能睡在乌菲齐美术馆的画作里无数裸体躺着的垫子上。苏格拉底议论道，画像不过是模仿之模仿，“与真理相隔两层”。文学艺术也不例外。“从荷马以来，所有这些诗人，都不过是模仿者，”苏格拉底说道，“他们模仿美德及诸如此类的模样，却从未触及真理。”

苏格拉底对这些模仿行为的否定不是因为它们和家具的画像一样是无用的，而是因为它们甚至比一无是处还要糟糕。艺术就像伪火和上现蜃景一样，都企图用再现来代替现实。他质问道：我们用哪一部分来欣赏艺术？当然是用感知——这究竟有多靠谱，我们自己再清楚不过。苏格拉底指出：“艺术创作不仅仅是低层次的真理，还关乎我们低层次的灵魂。”对他来说，这一点就没得商量：“我已经说过，绘画，以及所有的模仿行为……都与真理相隔千里，并且是在和我们内心远离理性的准则交往，因此我们完全有理由拒绝让诗人进入治理良好的城邦。”①

在哲学入门课上，不知有多少在校的大学生在听了柏拉图对艺术家们的怨言后满心厌恶地夺门而出。也无怪乎会这样：我们大多数人都不愿想象没有了文学和艺术的生活会怎样，而任何指责、镇压或放逐艺术家的社会在我们心中也都不会留下好的印象。但这里的问题不出在柏拉图认为艺术的本质是错误这一观点上。在这一点上他没说错。真正的问题在于他采用了错误的悲观模型。既然已经洞察到了艺术再现与错误之间的联系，对他而言，下一步的结论就是艺术是我们远离

① 柏拉图：《理想国》，吴献书译，上海三联书店，2009 年。此处译文以该译本为参考，根据原文选段有所调整。——译者注

上帝的标志，是我们灵魂的拙劣部分的产物，是对我们理性的诋毁，更是我们应当铲除的东西。柏拉图试图驱逐艺术的愿望来自一个由来已久的传统，它企图通过消除一切形式的错误来建立理想社会，但往往招致不幸（对此我们在前文已略识一二）。

与此相对的，所有这些怨愤难平的大学生们都或多或少——无论其自知与否——受到了错误的积极模型的影响。我们当中的绝大多数人都意识到，个人对现实的不准确、扭曲的再现，不仅是合情合理的，更潜藏了美感与力量。

在这一模型中，错误和艺术之间的联系不再是对艺术的声讨，而是为错误的辩护。撇开事物的终极本质——也就是柏拉图觉得只存在于上帝脑海中的理想形式——即我们每个人独立主观的意识四处张望，看到了莫奈的《睡莲》、凡·高的《星空》，或者毕加索的《亚威农的少女》。同样，我们能创造出《贝尔武夫》《星球大战》和《霍顿听见了呼呼的声音》的理由与我们犯错的理由如出一辙：因为，正如我之前说过的，我们不仅能构想出真实的世界，还能召唤出子虚乌有之乡。我们犯错的能力和我们的想象力是分不开的。

艺术和错误之间的关系妙不可言。当你在读苏斯博士笔下的故事给 6 岁的小孩听时，你或许并没有在思考人类的基本易犯错性。事实上，直到最近，艺术家们（至少是西方的艺术家们）并不希望你想到艺术与错误之间的联系。他们一心只为尽可能真实地再现这个世界：让你将再现误认为现实，或者为这二者间难辨真假而惊讶叹服——换句话说，就是企图用纸糊住人类的头脑与万物之间的鸿沟。

但现实主义的到来对这一切发出了挑战。在舞蹈、音乐、戏剧、文学和视觉艺术领域，文化主流从试图掩盖艺术与错误的关系转变成力求将其彻底暴露。艺术开始关注于揭露自身与现实之间的扭曲关系，彰显自己作为再现品的地位。就这样，乔治·艾略特等维多利亚时期的作家的伟大小说让位于格特鲁德·斯泰因的现代主义文学，写实主义画家居斯塔夫·库尔贝的画作让位于毕加索的作品。伴随着艺术家们对错误的关注不断升温，他们对真理的怀疑也日益升级，特里斯唐·查拉（Tristan Tzara）对这种风气的概括一语中的。查拉是一名罗马尼亚诗人，当初曾为达达主义的建立出力。达达主义是超现实主义的前身，主要为了反抗"一战"中屠杀生灵的行为而诞生。在查拉对艺术的本质和职责的宣言中，他曾恳请艺术同僚们，"哪怕就这一次，让我们试着不要弄对"。

百年来，现实主义一直在艺术界称王，在这样的文化中试着不弄对实在是一个激进的革新。不过，尽管现实主义标志着我们对艺术看法（和做法）的巨大转变，它却并没有改变艺术的本质。无论你是像现实主义艺术家一样想着如何弄对，或者像达达主义者们一样想着不要弄对；无论你的媒介是画布、尿壶，还是洞穴的四壁，你创作出来的艺术永远都是主观且扭曲的。柏拉图畏惧这个事实，然而这对所有艺术创作者来说都在所难免。如果说错误是你一不小心跌入再现与现实的裂缝，那么艺术就是特意去同一个地方周游。

如此一来，也无怪乎艺术家们经常看起来对这道裂缝有着超乎寻常的意识，并且能安然自若地直面这个地带长年的不确定性和错误肆虐的气候。将艺术、疑问和错误之间的关系总结得最好的人是浪漫派诗人约翰·济慈（John Keats）。他一直与一位友人无所不谈，在1817年，他致信给众兄长时写道："我恍然大悟。"

> 成大器者，尤其是文坛大家，且莎士比亚也充分具备的品质——"消极才能"，即当一个人置身于不确定、神秘和疑

问之中时，却对事实和原因不急于求甚解。

济慈对不确定性的态度，以及在此段中对“事实和原因”的态度，都非同寻常。他接受了不可知与不可靠，但却不是为了我们在上一章中看到的那种实用性的理由，即接受错误的目的就是铲除它——这是一种循序渐进地纠正错误的疗法。但济慈对错误的治疗并不感兴趣。他认识到错误和艺术是不可分割的“双胞胎”，生于同地，相互依存。无论是在生活中还是在语言中，艺术（art）与人工（artificial）——即“不真实”“不存在”——都是同根而生，就如同虚构小说（fiction），既是一种创作，也是一个谎言（falsehood）。

济慈的话尽管特别有名，却并非一家之言。你要是去听一听艺术家们谈论自己的作品，那么“消极才能”——于神秘与不确定中安然处之的能力——这一概念就会频频出现。“无论灵感是什么，”波兰诗人辛波丝卡（Szymborska）在 1996 年诺贝尔文学奖的获奖致辞中说道，“它都来自一种源源不断的‘我不知道’。”[①] 她的一位同僚，加拿大诗人安妮·卡森（Anne Carson）在一首题为《论我想得最多的问题》的诗中说得更加明白清楚（全诗开篇就是“错误和它的情绪”）。她还写道：“当我们写诗的时候，我们在想的就是错误。”我认为她想说 3 层意思。其一，诗歌是由文字组成的，众所周知，文字打一开始就包含了错误。每一个音节都是横跨那道缝隙的垫脚石，它尝试着用“非”（一个字）来解释“是”（铁轨、雷鸣、喜悦等现象）。其二，无论是写

① 辛波丝卡曾明确地将诗人对疑问的接受与其对立面——狂热分子对确定性的接受——进行比照。这些“施刑者、独裁者、狂热者和煽动家”的问题就在于，她写道，“他们‘知道’，而无论他们知道多少，这对他们而言就已经够了。他们不会想要寻找更多，因为这可能会削弱他们观点的力量。”

诗还是别的什么，写作都无可避免地会出错——你意识到真相总是秘密潜逃，你以为自己将它落于纸上的一瞬，微光一闪，但它又金蝉脱壳。最后，或许也是最重要的，我认为她是想说，诗歌和错误一样会让人吃惊、不安，向人们公然反抗，它激励我们用新理论来解释旧事物。

像写诗一样犯错，拒绝确定性，执意探索模糊与错误：这就是给人带来喜悦的错误的积极模型。它并不会躲开（再次援引一段卡森的诗句）“恐惧、焦虑、羞愧、悔恨，以及所有和犯错相连的笨拙的情感”。我并不认为这些情感是笨拙的，但我同意它们并不是一个安营扎寨、落地生根的好地方。艺术家们诱惑我们跨过这些情感，进入一个新的世界，在这里，错误无关恐惧和羞愧，只关乎分裂、重塑和喜悦。艺术邀我们在错误的国度里遨游。

由此可知，并非只有艺术的创作者才能享受错误带来的极致欢乐，艺术的受惠者——你与我，同样能乐在其中。想想看我们享受所有虚构故事的先决条件——“中止怀疑”。作为读者、看客或听众，我们选择暂时相信一些明知是假的东西。我们期待能收到快乐作为回馈，并且我们如愿以偿。但这种快乐到来的形式往往不是我们平常乐见的——这一点很正常，因为它们源自错误。

拿悬念来说。在通常情况下，我们并不享受未知带来的焦虑感受，但在艺术作品中，我们就成了不折不扣的悬念瘾君子。我并不是说我们会被以惊悚片为初衷和噱头的作品所吸引，尽管我们对它们青睐有加。基本上所有虚构的故事都会有意遮遮掩掩，施展障眼法术，最后真相大白，而我们简直怎么看都看不够。我们喜欢被蒙在鼓里不断猜测的感觉，更有甚者，当所有猜测都落空的时候，我们最开心。这就是为什么一些最让读者心满意足的虚构故事［《罗杰疑案》（*The Murder of Roger Ackroyd*）、《我们共同的朋友》（*Our Mutual Friend*）、《傲慢与偏见》[①]（*Pride and Prejudice*）和《非常嫌疑犯》（*The Usual Suspects*）等，不胜枚举］并不是在结尾解开谜团，而是在不悖真相的情况下巧妙行文，让读者大跌眼镜。

如此说来，艺术的一项保留乐趣就是迷失的乐趣，也就是丈二和尚摸不着头脑或伸手不见五指的感觉。（在传统上，这种困惑是暂时的，并且到最后会云开雾散，带来满意结局。而现代艺术由于对错误更加敏感，迷失的感觉经常贯穿全文，比如格特鲁德·斯泰因的作品。）但第二层乐趣指的是另一种意义上的迷失：探索地图上没有记载的领地，无论是在这个世界上，还是在自己心中。我们在谈起一部特别让人着迷的艺术作品时总会说，我出了神——就好像自己通过艺术的体验进入了一个陌生的世界。

我们还会说（注意反身代词的使用）"我们迷失了自我"，就好像束缚自己的这个熟悉的身份有了一丝松动。这种全神贯注的滋味，伴随着书页分分合合或幕布升升落落，就是艺术最古老的乐趣，它早于传统的诞生，更早于对技巧的崇拜。这是稚子幼童在另一个世界走失时的乐趣。

于是又产生了一个引人深思的悖论：艺术源自我们灵魂深处的孤独——与世隔绝——它又能让我们暂时摆脱这种孤独。艺术让我们在

---

① 我忍不住要为简·奥斯汀的《傲慢与偏见》做一个脚注，因为这部作品堪称文学史上探讨错误带来的愉悦之典范，同时更是世界上思考确定性与错误的杰作之一。开篇名句"凡是有钱的单身汉，总想娶位太太，这已经成了一条举世公认的真理"——但实际上，这条"举世公认的真理"在奥斯丁的小说中不过是说着玩儿罢了。任何"真理"，越是断言它"举世公认""不容置喙"，你就越敢打赌它压根儿就不是真的。这在小说主人公们自持的"真理"上尤为凸显。《傲慢与偏见》里的人物，一个个都自诩为洞明世事的人性学家，却一而再再而三地大错特错。不过，与《错误的喜剧》不同的是，我们身为读者却并不会置身事外，对着他们犯错带来的后果嗤笑。相反，我们完完全全与他们站在了一个阵营——当最后真相揭晓、皆大欢喜时，我们也对错误带来的惊喜感同身受。

别的世界里，包括在别人的内心世界里活上那么一会儿。我们可以听其所述、感其所感，甚至信其所信。（怪了，在虚构小说中我们做起来有多么容易和享受，可到了现实生活中实现起来又是何其艰难。）换句话说，艺术就是一种共鸣。通过共鸣，我们甩开了主观束缚；我们借他人之眼俯瞰整个世界，从而企及了普众的道德宏旨，无论这有多么短暂。

如果我们能像拥抱艺术一样拥抱错误的话，我们就能发现它其实赐予了我们同样的馈赠。当我们直面错误时，它能让我们以前所未有的视角审视世界和我们自己，提醒我们除了自己的视角，也要想想别人的立场。同时，无论我们乐意与否，它们都是推动我们生活情节的工具，将我们的故事朝着自己无法预知的方向推进。在错误中——正如在最伟大的艺术作品中——我们会迷失自我，又会寻回自我。

我刚才阐述的错误与艺术之间的关系想来并不新奇。或多或少让人吃惊的是，它和错误与科学之间的关系十分相似。这两大领域都试图在我们的头脑和世界的鸿沟之上架起桥梁，并且都得借助其从业者不断地摔跤犯错。（和诗人一样，科学家也可理直气壮地声明："我们关注的是错误。"）换句话说，错误对科学和艺术二者的目的和手段都十分重要：它给了我们一个奋斗的理由，也给了我们前进的途径。

然而，虽然这两大领域都得依靠错误，他们侍奉的却是两种本质上截然不同的真理。艺术家奉于掌心的恰好是科学家（和如我们一样的普通人）通常尽可能不去关注的：我们所知道的现实是扭曲的，这一点无法避免；它经过了个体独立思维的折射，而个体思维总是稍稍落后于这个世界。用大白话来说，艺术是主观的。毕加索曾说道："我们都知道艺术不是真理。艺术是一个谎言，它让我们意识到真理（至少是世界让我们弄明白的真理）的存在。"

然而，我们几乎可以确定地说，没有哪一个科学界的泰斗曾经声称，“我们都知道科学不是真相”。无论每个科学家对个人局限有多么深刻的体会，科学界的准则仍以客观为重。或许在这里查一查字典会给我们很大的帮助，因为“客观”一词常被援引，却少有定义，并且可以指代多种事物。根据《韦氏词典》的解释，“客观”的第一个定义（除了最早的古体用法和语法用法）是“独立于头脑之外的现实”。在这层意思上，客观事物就是我们在没有大脑干涉的情况下通过某种方式接触到的世界——前提是我们真的能找出某种方法用镜子，而不是头脑来反映现实。“客观”的这一层解释基本上就是“真实”的同义词。而第二个定义则基本上是“公平”的同义词，即“如实描述或处理事实或状况，不经过个人情感、偏见或观点的扭曲”。

这些定义有两大共同点。第一个共同点是，它们都反映出我们对大脑工作的最根深蒂固的想法：一分为二来讲，它要么像蹒跚学步的小孩相信朴素实在论（以及成人返璞归真，回归到朴素实在论中），要么像智者一样千虑而无一失，思虑更成熟，但有些理想化。第二个共同点是，它们都省略掉了同样的东西。在第一个定义中，客观的特点是头脑的缺席；而在第二个定义中则是情感、偏见和观点的缺席。在两例中，缺失的东西都可以被认为是人类特有的属性。换句话说，客观就是自我的缺席。尽管我们追求正确的行为经常会显得妄自尊大，但其实质却是为了消除自我在此处的存在。我们希望自己的信仰与世界同在，而不是只存在于我们的头脑里。意识到自己错了就象征着这一期望的破灭——表明“自我”从头至尾都在这里。

我用了“破灭”这个词，这就是我们在面对自身错误时常有的感受：挫败感、恼怒、迷茫、不安。本书的一大要旨不在于驱散这些情绪，而是激励我们通过培养一种对错误的全新态度来跨越它们——甚至有时先发制人。以这种态度来面对错误，它就会告诉我们，比起只是消极地反映现实的准确轮廓，这样的头脑更加弥足珍贵，也更加多才多艺。对持有这种观点的人来说，我们的头脑生来就有想法实在是一大福音、一项馈赠——它的恩惠（幽默、想象力、智力、个性）是如此宝贵，我们会心甘情愿地付出犯错的代价。

说到底，究竟还有什么个体能犯错？当然不会是上帝，至少从一神教版本出发，主无所不知，从不犯错。并且（据我们现有知识表明）也没有除我们之外的动物能犯错。如果硬要说一头狮子因起跳太早而让猎物溜走了，或者一只猫头鹰不知怎么把天色错看成了晚上，这种感觉绝对不会跟我们人类犯错时的感受一样。我们似乎可以断言没有狮子会因为犯错而自责，或者变得有戒备心，或者把它当成一个有趣的故事讲给其他狮子听。一只猫头鹰对晚上的概念大概和其他猫头鹰的概念没什么两样，它们中的某一只或整个群体也不大可能修正自己对宇宙的理解。这些生物犯的错也就在我们编织的故事里，比如胆小鬼狮子的故事，或者猫头鹰在霍格沃茨魔法学校传递邮件的故事之类的。这两例中的动物们都有相同的局限：它们无法想象不存在的事物。而我们却能，幸甚至哉。

同样，机器也不可能像人一样犯错。无论电脑、黑莓手机或自动取款机是多么擅长展现人类的错误（无论是设计师的纰漏，还是用户的错误操作），它们及其电器亲戚们也不可能自个儿犯错。首先，错误的必要条件是观念的持有，而机器究竟能不能"知道"事物——即获取准确信息——都还有待争议，它们更不可能如你我一样"相信"事物。诚然，先进的人工智能具备对世界生成各种理解的能力，并且也能在遇到反证时进行修正，这种能力姑且可算作观念的原始形式。但就算是最尖端的机器也不能完美地完成这一任务。当然，这也是题外话了。我要说的正题是，它们并不是带着情感进行思考的，而情感对于观念和错误这两大概念都不可或缺。惊喜、困惑、尴尬、有趣、痛苦、后悔、喜悦——若是将这些一并带走，无论观念的坍塌与重建是怎样的过程，它都不会跟你我的犯错经历一样。当眼前的信息与它们对世界的（有限）认识相悖时，机器们并不会矢口否认、责怪程序员、面红耳赤，或者放声大笑。如果它们的程序足够精密复杂的话，它们会对观点进行自动升级；反之，则要么卡机，要么出故障。这一点在科幻小说的两大常用套路中有着精妙的展示——当机器人碰到与其现有数据库相悖的输入信息时，它的第一反应是卡机：无法运算。第二反应是出故障：瞬间剧烈自毁。

那么，就我们所知，错误的确是人类特有的。“人非圣贤，孰能无过”：正是我们的易犯错性让我们悬置于低等动物的王国和上帝的极乐园之间。在这些俗语的背后藏着一个重要的真理，它不是说我们必须时不时犯点儿错，而是我们可以犯错。在世间万物之中，唯有我们能孕育奇思妙想，追逐黄粱一梦，想象天马行空，相信天方夜谭。有时这些念头会茁壮成长，修得正果；有时它们也会崩盘落空。但与机器人不同，我们人类在面对自己的错误时一般不会自我毁灭。相反，我们会塑造自我、重塑自我。

自我塑造这一点指出了错误的另一个重要之处。犯错并不单单让我们成为人类这一个种族，它还让我们每一个人成为独立的个体。自我的轮廓正是体现在我们无法完全正确地理解事物，对世界有着我们独一无二的个人观点。在本书的卷首引语中我借用了本杰明·富兰克林的一句话，这句话恰好体现了这一点。富兰克林写道，错误是“头脑创造的纯粹而简单的产物，是灵魂能自由舒展的地方”。他想表达的意思是，错误是个人身份的证据与体现。

这一观念深深扎根于人类思想史中，并且享有重要地位。实质上，它就是进化论的核心思想。正是由于在基因序列复制时发生了错误，最终人类同一种族的成员间才会各不相同；正因为这种差异，种族整体才能适应环境，得以生存。实际上就是这种错误才让宿主得以存活。一个人口太少或太过相似的种族很难发生重大的基因变异，因此其灭亡也是指日可待。因此，对每一个种族来说，错误都是存活和变通的机制。就人类机体而言，我们与错误的关系更加紧密，因此错误不仅给我们带来了生物层面的进化，还带来了社会、情感及智慧的进化。

错误同时还让我们在另一方面蓬勃发展。在本书的开头我便指出，我们认为正确对于我们的生存和幸福感都至关重要，然而在一个关键的方面，这句话简直是荒谬至极。无数的研究结果显示，抑郁症患者比普通人拥有更准确的世界观。他们并不为令人愉悦的幻想所蒙蔽，认为人可以掌握自己的人生。他们也很少相信自己在几乎每一个领域都超凡脱俗，尽管这在我们普通人身上是一大通病。同样，他们还深刻地认识到生存的基本状况：人生之于冰冷的历史洪流，莫过于白驹过隙的一瞬，苦难真实而恒久，自己和爱人终将安息。这种视角被称为抑郁现实主义。抑郁症患者或许并不开心，但就全局上的存在问题来说，他们基本上要比其他正常人都更加正确。

然而，这种正确却并不有趣，这一点无须赘言。“认识到世界毁灭性的可怕面目，”哲学家欧内斯特·贝克尔（Ernest Becker）写道，“让人不可能在人间无忧无虑地生活。就好比将一只战栗的动物置于整个宇宙面前，询问其宇宙存在的意义。”如其所指，准确和抑郁之间存在的关系是双向的：抑郁者通常能更清楚地洞察生活的残酷现实，而更清楚地洞察了这些残酷现实的人往往会变得消沉（甚至变得抑郁）。可奇怪的是，和世间寻常事物恰恰相反，每当遇到这些问题，你的信仰越宏大、越关键，其正确性带给你的益处就越少。这也是为什么我之前说，治疗的目的并不是非得让我们的观念更准确，而是让它们更实用。心理学家罗尼·吉诺夫·布尔曼甚至进而声称："通往美好生活的钥匙或许就是最深刻、最抽象的层面上的错觉和在最具体、最直观的层面上的准确。"（所幸的是，对于我们来说，这两种视角是可以调和的：研究显示，那些看法总体来说更乐观积极的人，更能认识到自己的日常错误并转换思维。）

如果说过分透彻地了解自我形象和过分清楚地洞察世界会让人抑郁，那么反之亦成立。有时候，就这么错着反而让我们快乐。想想流浪骑士的典范——堂吉诃德，如今他的名字还可指代糊涂快乐的状态。明明天生貌丑，他却自诩英俊潇洒；本来资质平庸，他却自封为堂堂骑士；本已年岁渐长，他却自觉正值年华。他错把普通的村姑认作贵妇般的爱人，错把愚钝的邻居认作忠诚的乡绅，错把客栈当城堡，错把风车当强敌。愚侠般的堂吉诃德是快乐的。只有当小说接近尾声时，错觉层层剥落，他才不得不面对不加粉饰的现实，因此坠入忧郁深渊，染上重疾。

米歇尔·福柯曾提出堂吉诃德实际上象征着我们每一个人的极端形象——"人类体内隐藏的所有想象"。和堂吉诃德一样，我们绝大多数人都自以为跟严格的现实比起来，自己要更年轻一点、更好看一点、更重要一点。我们大多数人都认为爱人要更可爱一点，自己的家要更豪华一点，自己参与的竞争与追逐要更具有英雄色彩一点。谢天谢地，虽说这些观念扭曲了事实，但它们同样挡开了抑郁，给予我们人生的意义，让我们和我们所爱的人幸福、快乐。

这种有益无害的自我欺骗从本质上讲覆盖范围广阔，关乎我们的存亡——比如我们会忽视或否认自己对人生的掌控力是有限的，而在面对无法避免的死亡时更是无能为力。不过，这种错觉也让我们以数不清的寻常手段度日过活。好比说，我有一个朋友谈起的这种错误，我敢打赌每个读者听起来都有点耳熟。有一次，他对我说，他读大学时，“我对自己说：‘我要趁着圣诞节假期把一整本《尤利西斯》读完。’结果我读了大概 20 页《尤利西斯》，吃了一大堆巧克力。这就是我在圣诞节假期干的事儿，”他接着说，尽管年岁增长，他对自己行动的预测能力却没有跟着变准确，“我还是会在早上拿本书看着，然后想，我要在天黑前把它看完。我本来可以对自己说，‘我要在天黑前把序言看完’，到时候我基本上绝对错不了。但是我还是让自己认为到时候能把整本书读完。”

明明过去失败或没能尝试的事，我们却以为这一次能够成功；明明对自己的劣根性和平庸都了如指掌，我们却总是相信自己最好的那一面；总以为我们身上好的那一部分终会战胜我们懒惰、无常、冷漠、刻薄的一面：这些既是错误也是乐观——对我们自身的潜能怀有取之不尽、用之不竭的信心。错误是一种乐观，因为乐观，我的友人才错以为自己可以在短短 4 周的假期内就能把世界上最长也最难的文学巨著读完；因为乐观，我的邻居才会发誓他从今以后再也不抽烟了；因为乐观，我才以为自己在一年半以前就能完成这本书。由于最后一个例子是我的亲身经历，我可以告诉你，正是这种错误让我们起步，让我们前进。要是我们不愿高估自己，现在我们完成的事情里，有一半我们当初根本就不敢开始。

从这个层面上看，所有的错误都是一种乐观。我们犯错是因为我们首先相信自己，无论我们在过去曾犯过多少次错，我们都对自己的故事和理论流露出矢志不渝、让人动容的信念。一般来说，我们总是不愿承认故事终究是故事，理论终究还是理论——我们必须依靠自己不完美的再现来理解世界，因此注定会犯错。或许对神明有些失敬，但请容我斗胆说一句，故事和理论搞不好就是我们有而上帝没有的东西。它们是人类最高成就的两大象征——艺术和科学，通过它们，我们才能想象新的现实。

因此，尽管错误有时会让人感到绝望，其实它在精神上更接近于希望。我们犯错是因为我们对自己的头脑有着持久的信心；在面对错误时，我们怀着这样的信念：吃一堑长一智，将来我们再也不会出错。怀着这番乐观的心绪，拥抱我们的易犯错性。其实就是——借用已故的哲学家理查德·罗蒂的话——向“永远都会有某个人怀揣着一个更好的思想的可能性”致敬。意识到我们其实是在讲一个关于世界的故事有一个好处，那就是，我们知道自己可以讲一个更好的故事：它蕴藏着更好的思想、更美好的可能性——甚至，或许还能与更好的人相遇。

致谢

谈起错误，在开始写书之际，我完全没想到会有如此多的挑战，更没想到我将会学到多少东西（和需要学习多少东西），以及一路上将会累积多少智力和情感上的疑问。要是早知这样的话，当初我或许压根儿就不会开始这个项目。但既然我为自己写了这本书而感到庆幸，那么我首先应该感谢那些知道这一路艰辛，并且明智地为我守住秘密的人们。

其中之一就是我的代理商金·威瑟斯庞，最初是她将我拉出一片空白的困境，接着又为我铺好坚实大地，将我带上“极乐之地”——如果有这么个说法的话，简直可称之为绝妙的帽子戏法。我万分感激她对我的鼓励、付出及诚恳。感谢其他所有因克威尔管理部门（Inkwell Management）的工作人员对我的亲切接待和帮助。同样还要感谢我在 Ecco 出版社的编辑丹尼尔·哈尔彭和弗吉尼亚·史密斯，他们对这个项目的热情胜过我对这本书的写作激情。还要感谢 Ecco 出版社的哈珀·柯林斯小组的其他成员，和他们一起工作非常愉快，也对我完成本书带来了很大帮助。

按照作者致谢的惯例，应该感谢每位出手相助的人，然后附上礼节性的注释，声称本书出现的任何错误都系作者一人承担。不过，在这儿情况略有不同，在给予我最大帮助的人们中，有很多恰恰向我分享了读者们读到的这些错误。要是没有他们慷慨地向我讲述自己的犯错体验与观点，这本书根本无法完成。我尤其要感谢罗斯·格尔布斯潘、埃米·赫佐格、邦尼·斯科特·琼斯、唐纳德·莱卡、乔纳森·明克夫、凯西·米萨卡、伊丽莎白·奥·罗诺文、安尼塔·威尔逊、马克·朱姆沃尔特，尤其还要感谢彭尼·比尔岑，他们的故事和思考一并收录在本书之中。

还有数不清的人们以不同的方式对本书的完成产生了影响。其中，我要感谢拉乌尔·费尔德、斯蒂芬·弗鲁克、厄娜·加德、史蒂夫·亨德里克斯、哈维尔·亨德里克斯、威廉·赫斯特、瓦尔德·琼斯、帕特里夏·金布尔、保罗·利维和海蒂·沃斯库尔。我还要感谢李·安·斯泽克和瑞珍娜·维科帮助我了解瑞士妇女投票权的历史，以及彼得·诺伊菲尔德和他在无罪计划的同事就冤案误判给予了宝贵的协助。同样还要感谢托德·海姆斯·萨姆卡拉，他尽最大的努力（其实也是无人能敌的努力）帮助我解决了自己的主观问题。要是还有什么错误残留，那也全都是我的责任。

在项目的早期阶段，我在波士顿小住数月，并很幸运地找到了一个适合酝酿书中想法的理想环境。在此感谢丽贝卡·塞克西、阿伦·亚当斯、彼得·戈弗雷·史密斯、乔希·特南鲍姆、米拉·比尔岑、汤姆·格里菲斯和塔尼亚·隆布罗索。特别要感谢丽贝卡将我引导到威廉·赫斯坦和瓦尔德·琼斯的方向，并且从整体上来说，还要感谢她自始至终都对这个项目怀有巨大的兴趣和深刻的见解，让我受益匪浅。还要感谢麻省理工学院大脑与认知科学部让我有机会能首次在公众面前阐述本书的若干理念。

其他一些朋友非常慷慨地向我提出了他们的想法，给予了我巨大的支持，在这一段漫长的苦战中表现出了超乎寻常的幽默与耐心。要感谢的人多到说不完，对他们任何一个人的谢意也说不完。但我仍然要向他们致以简短的感谢：谢谢吉尔·克劳斯、梅格·汤普逊、罗宾·米尔扎、任·弗里德曼、珍妮特·帕斯金、杰西·亨普尔、莱西·克里希纳斯瓦米、凯特·哈格蒂、埃米·科恩、劳拉·赫尔顿、奇普·吉勒、卡米尔·罗布基斯、耶尔·克洛帕斯凯、凯文·尼尔、德博拉·希姆巴克，尤其感谢莱斯利·布鲁克斯、艾米莉·西格尔和丽芙·耶斯特旺一直陪伴在我身边。还要感谢詹姆斯·阿尔图切尔和安妮·阿尔图切尔让我在斯派山度过了一段无可替代的美好时光；感谢安·卡茨和霍华德·卡茨能展开双臂迎接这本书和它的作者；谢谢丹尼斯·毕尔巴鄂向我提供了音频文件，还带来了其他的惊喜；感谢优鲁巴·里辰、诺伊·苏柏凯和斯蒂芬妮·吉里，他们是我十足的好伙伴；感谢阿曼达·格里斯科姆·利特尔带我在地图上和文字间历险遨游；感谢我的老朋友詹妮弗·马古利斯，对我来说，她是我的“移动的休养所”，到了紧急关头更是了不起的编辑；谢谢我在俄勒冈州的朋友们帮我维持生活现状——尤其是西莱斯特·巴斯克特，没有她的话我就完了。

我还有几个要特别感谢的人——对他们的谢意实在难以言表。首先是我的父母，马戈特·舒尔茨和艾萨克·舒尔茨养育和支持我（至今仍是如此），让我在持之以恒的爱和天马行空的好奇心中成长。他们不知道自己对我的项目坚定不移的信念带给我的帮助有多么大。我的祖母马德琳·卡恩·普赖斯同样赠予我坚如磐石的爱与鼓励。我的姐姐劳拉·舒尔茨，她就算犯了错也比我们绝大多数人对的时候还要正确。她对此书的贡献（无论是思想上还是其他方面）之巨大让人震惊，但比起她在我心中的位置还要逊色三分。对于我的嫂子苏·考夫曼，我感激不尽。她提供的宝贵见解贯穿全书，她还为我提供了支持、见解、稳妥的建议和第二个家，并且从未动摇；我的侄儿侄女马莎·简·菲洛夫斯凯·考夫曼和亨利·考夫曼·菲洛夫斯凯，他们长期以来都是点亮我生命的明灯，近来更成了我最好的读者和朋友；还有他们的小妹妹阿黛尔·罗莎莉·考夫曼·舒尔茨，在我们需要的时候带给了我们所有的欢乐。

最后，我不知道要是没有迈克尔·卡瓦纳和阿曼达·卡茨的话，这本书究竟能不能完成（我也真的不知道究竟该怎么才能完成）。本书中一些最好的想法和最真诚的感情都直接或间接地来自他们二人。迈克尔是第一个知道我有兴趣写一本关于犯错的书的人，并且在接下来的每一个环节里，他都陪在我身边——无论他知道与否。我为生命中能有这样一个人来陪伴而感到难以言表的幸运和幸福。阿曼达一开始想要的就是这本书，后来连作者也追到了手——毫无疑问，后者是更加艰巨的工程。我不知道我该如何感谢她的耐心、温柔、幽默、敏锐、编辑才能，还有最重要的，是她执着的信念。我只知道，是她让这本书，以及我的人生更加美好。

在写这本书时，我经常会想到作家菲利普·古尔维奇曾经说过的话。“作家不能写他想写的，”他说道，“而应该写他能写的。”换个说法，他说的其实就是我在最后一章讨论过的错误：理想的床（或者说理想的书）和实际的床（书）之间的鸿沟——我们能够预见的和我们最后完成的事物之间的鸿沟。最后，我终于体会到了写这本书的意义。瞄准和落空，错失靶心，误入歧途，酿下错误：这的确是一个痛苦的教训，同时也是一种无与伦比的快乐。我为能同时体验着这两种感受而心存感激。